第2予想

問題34

　筆界特定制度に関する次の記述のうち、最〔も不適切なものはどれか。〕

1）筆界特定は、一筆の土地とこれに隣接す〔る他の土地について、筆界の現地における位置または〕その範囲を特定することにより、所有権の〔及ぶ範囲を特定するものである。〕（→✕）

本試験問題

問題35

　筆界特定制度に関する次の記述のうち、最も不適切なものはどれか。

1）筆界特定は、表題登記がある一筆の土地とこれに隣接する他の土地について、筆界の現地における位置またはその位置の範囲を特定するものであり、所有権の及ぶ範囲を特定するものではない。（→○）

第2予想

問題47

　相続税額の2割加算に関する次の記述のうち、最も不適切なものはどれか。なお、各選択肢において、相続人はいずれも相続税の納付税額が発生するものとする。

4）相続において被相続人の子とその子（被相続人の孫）が財産を取得し、その孫が被相続人の養子となっている場合、孫は相続税額の2割加算の対象となる。（→○）

3）相続において被相続人の妹の子（被相続人の姪）が財産を取得し、その姪が被相続人の妹の代襲相続人である場合、姪は相続税額の2割加算の対象となる。（→○）

1）相続税額の2割加算の対象となる者が未成年者控除の適用を受ける場合、相続税額の計算上、その者の相続税額の100分の20に相当する金額を加算した後の金額から未成年者控除額を控除する。（→○）

本試験問題

問題47

　相続税額の2割加算に関する次の記述のうち、最も適切なものはどれか。なお、各選択肢において、いずれも相続税の納付税額が発生するものとする。

2）相続において被相続人の子とその子（被相続人の孫）が財産を取得し、その孫が被相続人の養子となっている場合、その孫は相続税額の2割加算の対象とならない。（→✕）

3）相続において被相続人の弟の子（被相続人の甥）が財産を取得し、その甥が被相続人の弟の代襲相続人である場合、その甥は相続税額の2割加算の対象となる。（→○）

4）相続税額の2割加算の対象となる者が未成年者控除の適用を受ける場合、相続税額の計算上、未成年者控除額を控除した後の相続税額にその相続税額の100分の20に相当する金額を加算する。（→✕）

あてるFPでかけこみ合格!

START

1 出題歴と予想をチェック!

TAC独自のデータベースに基づく予想を
チェック。学習すべきところが一目でわかる!

2 最新の法改正情報をチェック!

2025年1月試験にバッチリ対応の法改正情報が
一目瞭然! 試験ごとに発刊される『あてるFP』
が最新の法改正情報を公開。

3 試験制度も実技対策もまるわかり!

FPの試験制度はとても複雑。実技試験はどっちの
団体で受けるべき? 実技の学習方法は?
まるわかり試験ガイドでスッキリ解決!

**FP1級
まるわかり
試験ガイド**

4 模試３回分にチャレンジ！

本試験を完全再現した模試３回分を解いて予行演習をしよう！
TACの模試は法改正にも完全対応！

模試３箇条
・集中できる環境をつくる
・時間を計って解く
・解いたらすぐに復習する

5 復習でニガテをつぶそう！

苦手論点チェックシートで復習すべきところがまるわかり！　TAC講師陣による詳細な解答・解説でインプットも完璧。

6 ポイント整理が試験当日までお役立ち！

各科目の最重要ポイントのみを厳選収載！
試験直前の知識の確認に最適！

GOAL

2025年1月26日　本試験

模試を制する者は本試験を制す！

CONTENTS

直前予想模試　解答・解説

第1予想

第2予想

第3予想

直前予想模試　問題〈別冊〉

TAC講師の予想を大公開！

近年の出題傾向と、予想的中に定評のあるTAC講師の予想から次回の出題を大予想！

1 ライフプランニングと資金計画

予想論点ベスト5	長沼講師の 3つ星予想	予想の根拠		
		過去の出題歴		
		2023.9	2024.1	2024.5
		基	基	基
1位 **ライフプランと資金計画**	★	1	1	1
2位 **中小企業の資金計画**	★		1	
2位 **関連法規**				
4位 ライフプランニングの手法（係数計算）	★	1	1	1
その他の論点				
高年齢者雇用安定法		1		
働き方改革関連法				

過去の出題歴の数値は、学科基礎と応用で、それぞれの項目で出題された問題数を示します。

講師の3つ星予想では、次回の試験で出題がねらわれると予想する論点3つに★を記載しています。

過去の出題歴の問題数と、★（＝2問分として計算）を足し合わせ、予想論点ベスト5を算出しました。

 長沼講師の必勝アドバイス！

基礎編

問題数は2～3問程度です。係数表を利用して算出する計算問題に慣れておきましょう。企業の資金調達（助成金含む）について出題された場合、借入形態の基本的な特徴や信用保証協会保証付融資などについては今後も注意したい内容です。決算書に関する詳細な記述にも備えておきたいものです。雇用に関する各種助成金の内容も理解しておきましょう。また、フラット35や奨学金、教育一般貸付などについては詳細な内容まで問われる傾向があります。法改正や制度変更に伴う出題にも備えておきましょう。時事問題から制度の趣旨を問う内容も出題される傾向がみられます。

応用編

出題なし

2 年金・社会保険

予想論点ベスト5	予想の根拠						
	長沼講師の 3つ星予想	過去の出題歴					
		2023.9		2024.1		2024.5	
		基	応	基	応	基	応
1位 公的年金	★	2	3	2	2	2	1
2位 企業年金等の私的年金	★	1		1		1	
3位 雇用保険	★	1				1	2
4位 労災保険				1	1		
5位 健康保険		1				2	
その他の論点							
後期高齢者医療							
公的介護保険				1			
社会保険の給付に係る併給調整							

長沼講師の必勝アドバイス!

基礎編

問題数は5～6問程度です。**公的年金**・遺族給付・障害給付に関する問題が1～2問、**雇用保険**、労災保険に関する問題が1～2問程度、出題されます。公的年金・私的年金ともに出題頻度が高い傾向がみられます。公的年金の各種加算について必要とされる要件を確認しておきましょう。**健康保険**、公的介護保険、後期高齢者医療制度についても詳細な内容まで問われる可能性があります。老齢厚生年金における在職支給停止の仕組みを理解しておきましょう。また、年金の繰上げ・繰下げ支給の計算問題にも慣れておきましょう。なお、法改正部分について把握して確認しておくと正解肢を選択しやすくなります。全選択肢の正誤判定を求める個数問題には、正確な知識が必要です。

応用編

老齢給付や**遺族給付**の計算問題は頻出となります。計算問題は定番問題で失点することのないように練習を重ねておきましょう。被保険者期間の月数を正確に求めたうえで、年金受給額を算出できるように慣れておきましょう。年金額の改定に関する理解も深めておきましょう。労災保険と障害年金の併給についても計算問題を含めて理解しておきましょう。社会保険制度に関する穴埋め問題は、基本となる単語や数値を基礎編試験対策の中で覚えていくことが効率の良い学習といえます。法令基準日以降に改正される内容も出題されることがあります。自営業者の社会保険制度についても細かい内容まで覚えておきましょう。

3 リスク管理

予想論点ベスト5	予想の根拠			
	長沼講師の3つ星予想	過去の出題歴		
		2023.9	2024.1	2024.5
		基	基	基
1位 損害保険	★	2	1	2
2位 保険と税金	★	2	2	2
3位 保険制度全般	★	3	1	2
4位 生命保険			2	1
5位 団体信用生命保険				
5位 各種共済			1	

 長沼講師の必勝アドバイス！

基礎編

問題数は7問程度です。税金分野においては**個人年金保険**の課税関係、**保険金の課税関係**、**法人契約の経理処理**、**生命保険料控除**に関する問題は定番といえます。保険会社の健全性・収益性に関する指標や保険募集に関する規定など契約者保護に関する内容が出題されます。生命保険分野では、一般的な規定や募集および契約締結に関する問題が出題される傾向にあります。外貨建保険に関する特徴も押さえておくと良いです。個人年金保険の一般的な商品性の理解も深めておきましょう。一方、損害保険分野では、企業向けの賠償責任保険、個人賠償責任特約、労働災害総合保険、失火責任法、自賠責保険、自動車保険、火災保険・地震保険、保険金と圧縮記帳に関する問題が多数出題されています。

応用編

出題なし

4 金融資産運用

予想論点ベスト5	森講師の3つ星予想	2023.9 基	2023.9 応	2024.1 基	2024.1 応	2024.5 基	2024.5 応
1位 株式投資	★	2	1	1	1	1	3
2位 投資信託	★		3	1	1	2	
3位 債券投資	★	1		1	1	1	
4位 金融商品と税金		1		1			
4位 マーケット環境の理解				1	1	1	
4位 金融派生商品（デリバティブ）		1		2		2	
4位 外貨建商品		1					
その他の論点							
ポートフォリオ運用		1		1		1	
関連法規		1				1	
セーフティネット		1		1			
預貯金・金融類似商品等							
金投資							
金融資産運用の最新の動向							

（予想の根拠：過去の出題歴、基＝基礎、応＝応用）

 森講師の必勝アドバイス！

基礎編

様々な論点から満遍なく出題されています。出題頻度が比較的高いものは、各種経済指標、**国債**、**割引債・利付債の利回り**、信用取引、ＮＩＳＡ、外貨預金の利回り、シャープ・レシオ、オプション取引、金融商品取引法などとなります。すべての論点を偏りなく学習するとともに、出題頻度の高い論点では確実に得点できるように繰り返し問題を解くことが必要です。なお、テクニカル分析や行動ファイナンス、先物取引などについても基本論点の確認はしておきましょう。また、金投資についても出題が多くなっています。

応用編

近年の出題は株式投資に関する**財務分析**が中心で、形式は毎回類似していますので、基礎編よりも対応がしやすいといえます。出題頻度が高いものは**サスティナブル成長率**、総資本（資産）回転率などの**回転率**、売上高営業利益率などの**利益率**となります。また、**インタレスト・カバレッジ・レシオ**や**ＲＯＥ**なども高い頻度です。これらに加え、2024年1月より新ＮＩＳＡの導入があったため、注意が必要です。さらに、株式の課税関係（配当課税や譲渡益課税）、ポートフォリオの**標準偏差**や**相関係数**、外貨建商品の運用利回りなどについても確認しておきましょう。

5 タックスプランニング

予想論点ベスト5	予想の根拠						
	森講師の3つ星予想	過去の出題歴					
		2023.9		2024.1		2024.5	
		基	応	基	応	基	応
1位 法人税	★	2	1	2	3	3	3
2位 各種所得の内容	★	1	1	2		3	
3位 所得控除	★			1		1	
4位 消費税		1				1	
4位 所得税の税額計算			1				
その他の論点							
住民税				1			
損益通算		1		1			
会社、役員間および会社間の税務		1				1	
決算書と法人税申告書				1			
税額控除		1		1			
事業税		1					
所得税の申告と納付		1					
納税義務者							

森講師の必勝アドバイス！

基礎編

所得税は、出題数が最も多い分野であり、学習の中心となります。各種所得では配当所得、事業所得および**退職所得**が、所得控除では雑損控除、**医療費控除**および寄附金控除が高い出題率となります。また、**損益通算**、住宅ローン控除は出題頻度が上がってきています。法人税に関しては、概ね3〜4問の出題がありますが、貸倒損失、**役員報酬等**が頻出です。なお、消費税と個人事業税のいずれかが数回ごとに出題されています。

応用編

過去の出題では、法人税の**別表四**の空所補充、**法人税額の算定**が定番であり、これらに加え、投資促進税制などが出題されています。所得税については、事業所得の設例が定番になっています。対策としては、概ね法人税の出題を想定のうえ、基礎編での学習をベースに、所得税等の応用編での出題パターンを確認するといいでしょう。なお、最近の改正として、インボイス制度や電子帳簿保存法も基本論点を押さえておくことが必要です。

6 不動産

予想論点ベスト5	海宝講師の3つ星予想	予想の根拠					
		過去の出題歴					
		2023.9		2024.1		2024.5	
		基	応	基	応	基	応
1位 不動産に関する法令上の規制	★	3	1.5	2	1.5	2	1
2位 不動産の取引	★	1	0.5	2	0.5	2	0.5
3位 不動産の譲渡に係る税金	★	1	1	1	1	2	1.5
4位 不動産の見方		1		1			
5位 不動産の有効活用						1	
その他の論点							
不動産の取得・保有に係る税金		1		2		1	
不動産の証券化		1					
不動産の最新の動向							
不動産の賃貸							

海宝講師の必勝アドバイス!

基礎編

不動産に関する法令上の規制からの出題が多くなっています。法令上の規制では、建築基準法、区分所有法、農地法についてはしっかりと学習しておきましょう。また、不動産の譲渡に係る税金では居住用財産の譲渡の特例が中心で、特に3,000万円の特別控除は基礎編・応用編ともに頻出です。適用要件を中心に整理しておきましょう。その他に、不動産の取引については、手付と契約不適合責任等の民法の規定、不動産の見方については、不動産登記と借地借家法を優先して学習しましょう。また、不動産有効活用の手法や不動産の投資判断に関する問題も定期的に出題されますので、整理しておきましょう。

応用編

建築基準法の建蔽率・容積率の計算は頻出です。基礎事項をきちんと整理し、容積率の緩和（特定道路に70m以内で接している場合の特例）の問題にも対応できるようにしましょう。また、固定資産の交換の特例、居住用財産の譲渡の特例（3,000万円の特別控除、買換えの特例）については、税額の算出まで押さえておくことが重要です。

7 相続・事業承継

予想論点ベスト5	中川講師の 3つ星予想	2023.9 基	2023.9 応	2024.1 基	2024.1 応	2024.5 基	2024.5 応
1位 自社株式の評価	★	2		1	2	1	
2位 相続税額の計算	★	1	1	2		1	1
3位 遺言・遺留分	★			1			1
4位 相続税・贈与税の納税猶予			1		1		
5位 小規模宅地等の特例			1			1	1
その他の論点							
民法における相続		2				2	
贈与契約				1			
贈与税額の計算		1					
贈与税の非課税措置		1				1	
相続税・贈与税の申告・納付		1				1	
上場株式の評価				1			
宅地の評価				1		1	
会社法		1					
成年後見制度				1			

（表上部見出し：予想の根拠 — 中川講師の3つ星予想／過去の出題歴）

中川講師の必勝アドバイス！

基礎編

民法における相続・遺贈・贈与、相続税、贈与税について、幅広く詳細なポイントが問われます。民法では、相続分や放棄、遺言・遺留分等、相続税では、非課税財産、債務控除、2割加算等、贈与税では、暦年課税の計算、配偶者控除、直系尊属からの非課税の特例等がよく出題されます。また、相続税・贈与税に関して、納付の特例（延納・物納・納税猶予）や財産評価（小規模宅地等の評価減）も確認しておきましょう。相続時精算課税についても改正点が出題される可能性があります。

応用編

自社株式の評価に関する計算問題が毎回のように出題されます。原則的評価方式の類似業種比準価額、純資産価額および併用方式、特例的評価方式の配当還元価額は、計算過程も含めて記述できるように備えましょう。また、相続税の総額を計算する問題が出題されることもあります。文章の正誤や空欄の記述問題では、相続税の計算体系や民法の相続・遺贈に関する詳細な内容が問われるため、重要な数値や語句を正確に覚える必要があります。

リアルタイム法改正情報

試験ごとに発刊される本書では、最新の法改正情報を掲載しています！　これらの情報を押さえて、確実に得点につなげましょう。

なお、各法改正情報の重要度が高い順にＡ・Ｂ・Ｃとランク付けしています。

年金・社会保険

1．公的医療保険に関する改定
重要度 A

① 介護保険第1号被保険者の保険料について、9段階→13段階（2024年4月）

② 被用者保険の適用拡大

　・短時間労働者を被用者保険の適用対象とすべき事業所の企業規模要件を段階的に引き下げ

　　被保険者の総数（常時）100人超→50人超（2024年10月）

　・5人以上の従業員を雇用している士業の個人事業所（弁護士、税理士等）を強制適用事業所に追加（2022年10月）

　・勤務期間要件は、現在2ヵ月超（2022年10月）

　・厚生年金・健康保険の適用対象である国・自治体等で勤務する短時間労働者に公務員共済の短期給付を適用（2022年10月）

③ 出産被保険者の保険料軽減（2024年1月）

　産前産後期間の国民健康保険料について、出産予定日が属する月の前月から翌々月までの計4カ月分（単胎妊娠）減額。多胎妊娠の場合は計6カ月分減額

④ 国民健康保険の保険料の最高限度額の引き上げ（2024年度）

　104万円（2023年度）→106万円（2024年度後期高齢者支援金等分が2万円増）

⑤ 後期高齢者医療制度の保険料の最高限度額の引き上げ

　66万円（2023年度）→73万円（2024年度）→80万円（2025年度）

⑥ マイナンバーカードの健康保険証利用（2024年12月、新規の健康保険証は発行されない）

　限度額適用認定証がなくても、高額療養費の限度額を超える支払いが免除される

⑦ 出産育児一時金の全国一律で引き上げ（2023年4月）

　出産育児一時金42万円→50万円に引き上げ

　【内訳】40.8万円＋1.2万円（産科医療補償制度の加算）＝42万円

　　　　　→48.8万円＋1.2万円（産科医療補償制度の加算）＝50万円

⑧ 後期高齢者医療制度における窓口負担割合の見直し（2022年10月）

　課税所得が28万円以上かつ「年金収入＋その他合計所得」が単身世帯200万円以上（複数世帯は合計が320万円以上）の被保険者は窓口負担割合が1割→2割

　ただし、外来の負担増を最大月3,000円とする配慮措置あり（2025年9月末までの措置）。

　現役並み所得者（課税所得145万円以上）は3割のまま

⑨ 育児休業中の社会保険料免除要件の見直し（2022年10月）

　【月額保険料の免除】

　月末時点で育児休業を取得している→育児休業等開始日が含まれる月に14日以上育児休業を取得している場合も免除

【賞与保険料の免除】

　賞与月の月末時点で育児休業取得している→賞与月の月末時点を含む1ヵ月超の育児休業を取得しているに限り免除

2．介護保険に関する改定　重要度 B

① 　介護保険料率の引き下げ（2024年3月分より）

・1.82%→1.60%（協会けんぽ　介護保険第2号被保険者は全国一律）

3．雇用保険に関する改定　重要度 A

① 　教育訓練給付の受講前の必要書類提出期限が、原則1ヵ月前→原則2週間前までに緩和（2024年4月）

　給付率を受講費用の最大70%→80%に引き上げ（2024年10月）

・専門実践教育訓練給付金の給付率は費用の50%（年間上限40万円、最大3年間受給）である。訓練終了後1年以内に資格を取得し就職した場合は20%が追加支給。賃金上昇も考慮して最大80%となる（2024年10月）。

② 　一般事業の雇用保険料率1.55%で変更なし（2024年4月）

③ 　基本手当の賃金日額・基本手当日額の上限額と下限額の変更（2023年8月）

④ 　就業促進手当（就業手当・再就職手当・就業促進定着手当・常用就職支度手当）の算定における上限額の変更（2023年8月）

⑤ 　自己都合離職者の給付制限2ヵ月→1ヵ月、または、自ら教育訓練を行った場合は解除（2025年4月）

⑥ 　高年齢者雇用継続給付金の最大給付率が15%→10%引き下げ予定（2025年4月）

⑦ 　育児休業給付の受給期間延長の妥当性をハローワークが判断することによる厳格化（2025年4月）

4．労災保険に関する改定　重要度 B

　特別加入制度の対象拡大

　一定のフリーランス（特定受託事業者）（2024年11月）

　あん摩マッサージ指圧師、はり師、きゅう師（2022年4月）

　歯科技工士（2022年7月）

※ 　個人事業主等に業務依頼している事業者は、実態として働き方が労働者と同様である場合には労災保険に加入する必要がある。

5．育児・介護休業法に関する改正（2022年4月から段階的に施行）　重要度 A

① 　育児休業の取得の状況の公表の義務付け（2023年4月）

　従業員数1,000人超の企業は、育児休業等の取得状況を年1回公表する義務

② 　産後パパ育休（出生時育児休業）の創設（2022年10月）

　育児休業とは別途、出生後8週間以内に4週間まで分割して2回取得可能。休業の申出は、休業の2週間前まで。労使協定を締結し、労使合意により休業中の就業可。就業日数が、最大10日（10日超の場合は就業時間数80時間）以下であれば**出生時育児休業給付金**が受給できる。

③ 　育児休業の分割取得（2022年10月）

・夫婦ともに分割して2回（②を除く）取得できる。

・保育所に入所できない等で1歳以降も育休を延長する場合、開始時点を限定せず柔軟化することで、夫婦が育休を途中交代できる。

・育児休業（出生時育児休業を含む）期間中は、原則、休業開始時の賃金の67％（180日経過後は50％）の育児休業給付金を受けることができる。

④ 育児休業（出生時育児休業を含む）期間中における社会保険料の免除要件の追加と変更（2022年10月）

・月額保険料：（要件追加）育児休業等を月内に14日以上取得した場合も免除

・賞与保険料：（要件変更）賞与等を支払った月の末日を含んだ連続した1ヵ月超取得した場合のみ免除

6．公的年金に関する改定　　　重要度 Ａ

① 2024年度の老齢基礎年金の満額は、

本来額780,900円×1.045（1956年4月2日以降生まれの者の改定率）＝816,000円

×1.042（1956年4月1日以前生まれの者の改定率）＝813,700円

（マクロ経済スライドを発動した上で、年金額の改定率は2.7％引き上げ（2024年度））

② 国民年金保険料額は2024年度16,980円、2025年度17,510円

③ 年金生活者支援給付金

低年金・低所得の年金受給者（前年の所得額が老齢基礎年金満額以下の者など）の生活を支援するために、年金に上乗せして支給する。物価変動率に基づき毎年改定される。

・老齢年金生活者支援給付金（月額5,310円（2024年度価額）を基準に保険料納付済期間等に応じて算出）

　(1) 65歳以上の老齢基礎年金の受給者である。

　(2) 同一世帯の全員が市町村民税非課税である。

　(3) 前年の公的年金等の収入金額とその他の所得との合計額が881,200円以下である。

・障害年金生活者支援給付金（障害等級1級月額6,638円、障害等級2級月額5,310円（2024年度価額））

　(1) 障害基礎年金の受給者である。

　(2) 前年の所得が4,721,000円以下である。

・遺族年金生活者支援給付金（月額5,310円※（2024年度価額））

　(1) 遺族基礎年金の受給者である。

　(2) 前年の所得が4,721,000円以下である。

　　※ 年額：5,310円×12月＝63,720円

④ 特例的な繰下げみなし増額制度（2023年5月）

70歳到達後に繰下げを申し出ずにさかのぼって年金を請求する場合は、請求の5年前に繰下げを申し出たものとみなして増額された年金5年分を一括して受けることになる。

7．厚生年金保険に関する改定　　　重要度 Ａ

① 2024年度の定額部分等を計算する際の定額単価は1,701円（1,628円×1.045（1956年4月2日以降生まれの者の改定率））

② 在職老齢年金の年金額（60歳以上全年齢共通）

	2024年度	（2023年度）
支給停止調整額	50万円	（48万円）

在職老齢年金による調整後の年金額＝基本月額－（基本月額＋総報酬月額相当額－50万円）×$\frac{1}{2}$

8．確定拠出年金に関する改定（2024年12月）　[重要度 B]

・企業の年金制度（企業型DCやDB等）に加入している場合：iDeCoの上限2万円/月に引き上げ（ただし掛金合計5.5万円/月）

・企業の年金制度に加入していない場合は改定なし：iDeCoの上限2.3万円/月

・公務員の場合：iDeCoの上限14.4万円/年→2万円/月に引き上げ

ライフプランニングと資金計画

1．こども未来戦略（2024年4月）　[重要度 A]

① 児童手当の拡充

・所得制限の撤廃

・15歳→18歳到達後の最初の年度末まで支給対象拡大

・第3子以降3万円

② 出産・子育て応援交付金

・妊娠届時5万円相当・出産届時5万円相当の経済的支援

③ 高等教育費の負担軽減について対象拡大

・多子世帯や理工農系の学生等世帯の中間層（世帯年収約600万円）まで対象を拡大

2．【フラット35】子育てプラス新設（2024年2月13日スタート）

子どもの人数等に応じて一定の期間につき金利を引下げ

【フラット35】S等の他の金利引下げメニューとの併用可。

金利引下げ幅は、年▲0.5%→年▲1.0%に拡充（1ポイント年▲0.25%、年最大4ポイントが上限）

〈対象〉

子育て世帯：借入申込年度の4月1日において、子の年齢が18歳未満である世帯

若年夫婦世帯：借入申込年度の4月1日において、夫婦のいずれかが40歳未満である世帯

3．月60時間超の時間外労働に対する割増賃金率が引き上げ　[重要度 B]

中小企業において月60時間超の法定割増賃金率を引き上げる（2023年4月）

1ヵ月60時間超の時間外労働に対して、大企業・中小企業ともに50%以上の率で計算した割増賃金を支払わなければならない

（中小企業：25%→50%、大企業は50%で変更なし）

※労使協定により、法定割増賃金の支払いに代えて、有給休暇を与えることも可

リスク管理

1．自賠責保険に賦課金を新設（2023年4月）　[重要度 B]

事故で重い障害が残った被害者の支援などを目的に新設

2．火災保険の改定について（①②2024年10月、③〜⑥2022年10月）　[重要度 A]

① 参考純率を全国平均13%引き上げ

② 水災料率を地域のリスクに応じて5区分に細分化

・地域の単位：市区町村別

・区分数　　　：１等地～５等地
・料率　　　　：最も安いグループ（１当地）と５等値の差約1.2倍
③　保険期間を最長10年→最長５年に短縮および長期割引率の引き下げ
④　水漏れ、破損・汚損について免責金額５万円が適用される
⑤　風災・ひょう災・雪災についての免責金額を新設して設定可能となる
⑥　保険の対象となる建物について保険金を支払う場合に復旧義務の導入

３．地震保険料に関する改定（2022年10月） 重要度 A

①　地震保険料を改定（都道府県および建物の構造により改定率は異なる）
②　保険期間が５年の長期係数を見直し

金融資産運用

１．証券市場の再編 重要度 A

　東京証券取引所は、2022年４月４日、従来の市場区分（市場第一部、市場第二部、マザーズおよびジャスダック）を「プライム市場」、「スタンダード市場」、「グロース市場」の３つの新しい市場区分（TOKYO PRO Marketを含めて４市場区分とされる場合もある）へと再編した。また、従来の市場第一部に上場されていた内国普通株式全銘柄により構成されるTOPIX（東証株価指数）等の株価指数について見直しが行われている。また、名古屋証券取引所も、2022年４月４日、従来の市場区分（市場第一部、市場第二部およびセントレックス）を「プレミア市場」、「メイン市場」、「ネクスト市場」の３つの新しい市場区分へと再編した。

①　東京証券取引所の各市場のコンセプト
　・プライム市場
　　　多くの機関投資家の投資対象になりうる規模の時価総額（流動性）を持ち、より高いガバナンス水準を備え、投資者との建設的な対話を中心に据えて持続的な成長と中長期的な企業価値の向上にコミットする企業向けの市場をいい、上場基準として株主数800人以上、流通株式数20,000単位以上、流通株式時価総額100億円以上などの要件を満たす必要がある。
　・スタンダード市場
　　　公開された市場における投資対象として一定の時価総額（流動性）を持ち、上場企業としての基本的なガバナンス水準を備えつつ、持続的な成長と中長期的な企業価値の向上にコミットする企業向けの市場をいい、上場基準として株主数400人以上、流通株式数2,000単位以上、流通株式時価総額10億円以上などの要件を満たす必要がある。
　・グロース市場
　　　高い成長可能性を実現するための事業計画及びその進捗の適時・適切な開示が行われ一定の市場評価が得られる一方、事業実績の観点から相対的にリスクが高い企業向けの市場をいい、上場基準として株主数150人以上、流通株式数1,000単位以上、流通株式時価総額５億円以上などの要件を満たす必要がある。
②　株価指数の見直し
　・TOPIX（東証株価指数）
　　　従来の東証市場第一部に上場されていた内国普通株式全銘柄を対象とするTOPIXの構成銘柄について、プライム、スタンダード、グロースの各市場区分と切り離し、市場代表性に加え投資対象としての機能性の更なる向上を目指すものとされている。なお、従来の東証第二部株価指数、JASDAQ INDEX、東証マザーズCore指数などは廃止され、東証プライム市場指数、東証スタンダ

ード市場指数、東証グロース市場指数、旧東証市場第一部指数などが新設された。

・JPX日経インデックス400

　従来の東証の市場第一部、市場第二部、マザーズ、JASDAQを主市場とする普通株式を対象としたJPX日経インデックス400の対象市場が、プライム、スタンダード、グロースの各市場に変更された。

2．金融サービス提供法の名称変更等　　重要度Ａ

　2024年2月1日より「金融サービスの提供に関する法律（金融サービス提供法）」が改正され、その名称が「金融サービスの提供及び利用環境の整備等に関する法律（金融サービス提供法）」となった。この改正により、金融経済教育推進機構が設立された。

3．NISA制度の抜本的改正

　2024年1月以降、ＮＩＳＡ制度を一本化し、従来のつみたてＮＩＳＡの機能を引き継ぐ「つみたて投資枠」を基本としつつ、一般ＮＩＳＡの機能を引き継ぐ「成長投資枠」を導入し、非課税保有期間は無期限化された。また、従来制度ではつみたてＮＩＳＡと一般ＮＩＳＡは選択適用であったが、新制度ではつみたて投資枠と成長投資枠との併用を可能とし、合わせて生涯非課税限度額は1,800万円となった。

〈2024年1月からのＮＩＳＡ制度の概要〉

	成長投資枠 （特定非課税管理勘定）	つみたて投資枠 （特定非課税累積投資勘定）
併用	可能	
開設者（対象者）	口座開設の年の1月1日において18歳以上の居住者等	
年間投資上限額	240万円	120万円
生涯非課税限度額	1,800万円（うち成長投資枠1,200万円）	
非課税期間	無期限	
口座開設期間	恒久化	
投資対象商品	上場株式・公募株式投資信託等 （特定上場株式等）	長期の積立・分散投資に適した公募・上場株式投資信託
投資方法	制限なし	契約に基づき、定期かつ継続的な方法で投資
金融商品取引業者等の変更	年ごとに変更可能	
スイッチング	可能	

※　2023年12月までは、ＮＩＳＡ口座で保有している株式等を売却して他の株式等を取得する場合、その分の非課税投資枠が必要であったが、2024年1月からは株式等を売却した場合には、生涯非課税限度額につき、その分の非課税投資枠が再利用（スイッチング）できる。ただし、非課税投資枠の再利用は株式等を売却した翌年以降となる。また、年間投資上限額を超えて、非課税投資枠の再利用ができるわけではない。

※　2023年12月まで従来のＮＩＳＡ制度で投資した商品については、2024年1月以降の新しいＮＩＳＡ制度の外枠で、従来のＮＩＳＡ制度における非課税措置を継続して適用することができる。

4．四半期報告制度の廃止

　2023年11月20日、金融商品取引法が改正され、2024年4月1日以後、四半期報告書が廃止されることとなった。なお、有価証券報告書の提出義務会社は半期報告書の提出を義務付けられることになる。

5．金融政策の見直し　　重要度Ｂ

　2024年3月19日に公表された政策委員会・金融政策決定会合における「金融政策の枠組みの見直しについて」では、「長短金利操作（イールドカーブ・コントロール）付き量的・質的金融緩和」の枠組み

および「マイナス金利政策」は、その役割を果たしたとして、①無担保コール翌日物レートを0〜0.1％程度で推移するよう促すこと、②これまでと同程度の長期国債の買入れを継続すること、③ＥＴＦおよびＪ−ＲＥＩＴの新規買入れを終了すること、④ＣＰおよび社債等の買入額を段階的に減額し1年後をめどに買入れを終了することなどを決定した。

さらに、2024年7月31日には、無担保コール翌日物レートの0.25％程度への引き上げ、国債買入れの減額計画（毎月6兆円程度を2026年1月〜3月に3兆円程度に減額）を公表した。

6．証拠金算定方式の見直し　重要度 C

2023年11月6日より、先物・オプション取引における証拠金所要額の算定方式が、従来の「ＳＰＡＮ方式」から、「ＶａＲ（バリュー・アット・リスク）方式」に変更された。「ＶａＲ方式」とは、1,250超の大量のデータを用いて統計的に証拠金を計算する方式である。なお、「ＶａＲ方式」には、「HS-ＶａＲ方式」とその代替方式である「AS-ＶａＲ方式」がある。

7．アクティブ運用型ＥＴＦの導入　重要度 B

2023年9月からアクティブ運用型ＥＴＦが導入された。アクティブ運用型ＥＴＦは、従来の株価指数など特定の指標に連動した投資効果を目指す指標連動型ＥＴＦと異なり、連動対象が存在しないＥＴＦである。

タックスプランニング

1．定額減税の実施

2024年分の所得税および2024年度分の住民税について、定額による税額特別控除が実施された。なお、この定額減税（特別控除）は2024年分の所得税および2024年度分の住民税に限られた措置である。

(1) 適用対象者

居住者のうち、所得税については2024年分の合計所得金額が1,805万円以下※であるものに限られる。また、住民税については2023年分の合計所得金額が1,805万円以下※であるものに限られる。

※　給与所得者については、年収2,000万円以下（給与所得控除額の上限額195万円を控除することにより合計所得金額が1,805万円となる）の者である。

(2) 減税額（特別控除額）

減税額（特別控除額）は、所得税および住民税につきそれぞれ次の金額の合計額となる。なお、それぞれ2024年分の所得税額および2024年度分の住民税額（所得割）を限度とする。

① 所得税[1]

本人、同一生計配偶者[2]または扶養親族1人につき3万円

② 住民税[3]

本人、控除対象配偶者[2]または扶養親族1人につき1万円

[1]　給与所得者に係る所得税の定額減税は、2024年6月の給与等（賞与を含む）に係る源泉徴収税額（控除前源泉徴収税額）から控除し、控除しきれないときは、7月分以降の控除前源泉徴収税額から順次控除する。

[2]　所得税では同一生計配偶者（2023年分の合計所得金額が48万円以下である配偶者）であるが、住民税では控除対象配偶者（2023年分の合計所得金額が1,000万円以下である居住者の配偶者で、2023年分の合計所得金額が48万円以下であるもの）が対象になる。なお、控除対象配偶者以外の同一生計配偶者（2024年分の合計所得金額が1,000万円超である居住者の配偶者）については、2025年分の住民税額から控除する。

＊３　給与所得者に係る住民税の定額減税は、特別徴収の場合、2024年６月の給与等について、源泉徴収を行わず、特別控除を控除した後の住民税額の11分の１を2024年７月から2025年５月までの給与等から毎月徴収する。

	適用対象者		控除額
所得税	2024年分の合計所得金額が1,805万円以下	本人	3万円
		同一生計配偶者	
		扶養親族	
住民税	2023年分の合計所得金額が1,805万円以下	本人	1万円
		控除対象配偶者※	
		扶養親族	

※　控除対象配偶者以外の同一生計配偶者については、2025年度分の住民税（所得割）から控除する。

２．扶養控除の対象となる扶養親族の見直し　重要度 B

　2023年１月から、扶養控除の対象となる扶養親族のうち国外居住親族（非居住者である親族）については、次の(1)から(3)までのいずれかに該当する者に限られている。

　なお、国外居住親族について、扶養控除の適用を受けようとする場合には、一定の確認書類（親族関係書類など）の提出または提示をする必要がある。

(1)　年齢16歳以上30歳未満の者

(2)　年齢70歳以上の者

(3)　年齢30歳以上70歳未満の者のうち、留学により国内に住所及び居所を有しなくなった者、障害者またはその居住者からその年において生活費または教育費に充てるための支払を38万円以上受けている者のいずれかに該当する者

３．住宅ローン控除の見直し　重要度 A

　2022年分以降の住宅ローン控除について適用期限を2025年12月31日まで４年延長するとともに、次の措置が講じられた。

① 借入限度額等

・一般住宅

（新築住宅等）

居住年	借入限度額	控除率	控除期間
2022年・2023年	3,000万円	0.7%	13年
2024年・2025年	2,000万円※		10年

※2023年までに新築の建築確認を受けた場合など

（中古住宅等）

居住年	借入限度額	控除率	控除期間
2022〜2025年	2,000万円	0.7%	10年

・認定住宅等

（新築認定住宅）

居住年	借入限度額	控除率	控除期間
2022年・2023年	5,000万円	0.7%	13年
2024年・2025年	4,500万円		

（新築ZEH※水準省エネ住宅（特定エネルギー消費性能向上住宅））

居住年	借入限度額	控除率	控除期間
2022年・2023年	4,500万円	0.7%	13年
2024年・2025年	3,500万円		

※　ZEH（ネット・ゼロ・エネルギー・ハウス）とは、高断熱化および高効率な省エネルギー設備を備え、再生可能エネルギー等により年間の一次エネルギー消費量が正味ゼロまたはマイナスの住宅をいう。

（新築省エネ基準適合住宅（エネルギー消費性能向上住宅））

居住年	借入限度額	控除率	控除期間
2022年・2023年	4,000万円	0.7%	13年
2024年・2025年	3,000万円		

（中古認定住宅等）

居住年	借入限度額	控除率	控除期間
2022～2025年	3,000万円	0.7%	10年

② 所得要件
   適用対象者の所得要件が合計所得金額2,000万円以下（従来：3,000万円以下）に引き下げられた。

③ 床面積が40㎡以上50㎡未満である住宅
   2024年12月31日以前に建築確認を受けた新築住宅等についても、住宅ローン控除の適用ができる。ただし、合計所得金額が1,000万円を超える年については適用できない。

④ 2024年1月1日以後に建築確認を受ける住宅等
   一定の省エネ基準を満たさないものの新築または当該家屋で建築後使用されたことのないものの取得については、住宅ローン控除の適用ができない。

⑤ 中古住宅等の築年数要件の廃止
   中古住宅の築年数要件を廃止し、新たに新耐震基準に適合しているものとする。

⑥ 所得税額から控除しきれない住宅ローン控除
   翌年度分の個人住民税において、控除しきれない金額を所得税の課税総所得金額等の額の5％（最高9.75万円）の控除限度額の範囲内で減額する。

⑦ 特例対象個人の場合
   夫婦のうちいずれかが年齢40歳未満である者または年齢19歳未満の扶養親族を有する者（特例対象個人）が、認定住宅等の新築等（中古住宅は対象外）をして2024年1月1日から2024年12月31日までの間に居住の用に供した場合の年末ローン残高限度額は、次のとおりとなる。

	種類	居住年 2024年	控除期間	控除率
借入限度額	省エネ住宅	4,000万円*		
	ＺＥＨ住宅	4,500万円*	13年間	0.7%
	認定住宅	5,000万円*		

※　合計所得金額が1,000万円以下の場合には40㎡以上50㎡未満（2024年中に建築確認を受けているものに限る）であっても適用可能である。

   子育て支援の観点等から、省エネ住宅、ZEH住宅および認定住宅につき、2023年における借入限度額が減額されずに、2024年においても引き継がれる内容となっている。

４．適格請求書等保存方式（インボイス制度）の導入 [重要度 A]

① インボイス制度

2023年10月１日以後、原則として「仕入税額控除」の適用を受けるためには適格請求書発行事業者から交付を受けた**適格請求書（インボイス）等の保存が必要になる**。

なお、2029年９月30日までは一定の事業者の課税仕入の対価が１万円未満のものについては適格請求書の保存等が不要となる経過措置（少額特例）がとられている。

② 適格請求書と適格請求書発行事業者

適格請求書とは、適用税率や消費税額等を伝えるために一定の事項（従来の請求書（区分記載請求書）に加えて、**適格請求書発行事業者の登録番号や税率ごとに区分した消費税額等の記載事項が必要となる**）が記載された請求書や納品書などをいう。また、適格請求書を交付しようとする事業者は、税務署長から適格請求書発行事業者として登録を受ける必要がある。なお、適格請求書発行事業者となれるのは課税事業者に限定されるため、免税事業者は対象とならない。

③ 免税事業者の取扱い

免税事業者はインボイス制度における適格請求書発行事業者になれないため、免税事業者からの仕入等については適格請求書が発行されず「仕入税額控除」を適用することができない。なお、この場合においても一定額を「仕入税額控除」として控除できる経過措置がとられている。また、免税事業者が、適格請求書発行事業者となりたい場合には、課税事業者を選択することになる。

５．電子帳簿保存法の改正と本格的適用の開始 [重要度 A]

2024年１月１日以降、電子帳簿保存法に関する３つの制度のうち、電子取引データ保存制度の強制適用が開始されている。適用対象者は、すべての事業者であり、電子取引データを一定要件のもと保存しなければならない。

電子帳簿保存法に関する３つの制度

（1）電子帳簿等保存制度

　イ　国税関係帳簿の電磁的記録による保存（任意）

国税関係帳簿[※1]（一定のものを除く）の全部または一部について、自己が最初の記録から一貫して電子計算機（コンピュータ）を使用して作成する場合には、一定要件のもと、電磁的記録による**保存**が認められる。

なお、システム関係書類の備付け、見読可能装置等（ディスプレイやプリンタなど電子データについて画面上での確認や書面での出力が可能となる装置をいう）の備付けや電磁的記録のダウンロードの求めに応じられることなどの要件を満たす電子帳簿を「最低限の要件を満たす電子帳簿」という。

また、「最低限の要件を満たす電子帳簿」の要件を満たしたうえで、さらに①電磁的記録の訂正または削除、追加の履歴の確保、②帳簿間における記録事項の相互関連性の確保、③検索機能の確保の３つの要件を満たすものを「**優良な電子帳簿**」[※2]という。

　　※1　国税関係帳簿とは、総勘定元帳・仕訳帳・固定資産台帳・売掛金元帳・買掛金元帳・現金出納帳・固定資産台帳・売上帳・仕入帳などをいう。

　　　　なお、電磁的記録等（電子データ）による保存等が認められる国税関係帳簿は、自己が最初の記録段階から一貫して電子計算機（コンピュータ）を使用して作成するものであることから、手書きで作成された国税関係帳簿については、スキャン文書も含めて電磁的記録等（電子データ）による保存等は認めらない。

　　※2　「優良な電子帳簿」に該当する場合には、「優良な電子帳簿に係る過少申告加算税の軽減措置」の適用があり、その電子帳簿に関連する過少申告が判明しても過少申告加算税

が5％軽減される。なお、あらかじめ一定の届出書を提出している必要がある。

　ロ　国税関係書類の電磁的記録による保存

　　　国税関係書類※の全部または一部について、自己が一貫して電子計算機（コンピュータ）を使用して作成する場合には、一定要件のもと、電磁的記録による保存が認められる。なお、一定の要件などを満たさない場合であっても、下記のスキャナ保存の対象となるものがある。

　　※　国税関係書類とは、貸借対照表や損益計算書などの決算関係書類と、それらを作成するもととなる書類をいう。

　　　なお、国税関係書類については、自己が一貫して電子計算機（コンピュータ）を使用して作成するもののほか、書面で作成又は受領したものについても、スキャン文書による保存が認められる。

【国税関係書類】

決算関係書類		貸借対照表・損益計算書・棚卸表・財産目録など
取引関係書類	自らが作成した書類の写しなど	見積書・契約書・請求書・領収書・小切手・納品書・送り状・注文書・見積書など
	取引先等から受領した書類など	

(2)　スキャナ保存制度（任意）

　　スキャナ保存制度は、取引の相手先から受け取った請求書等および自己が作成した請求書等の写しなどの国税関係書類について、一定の要件の下で、書面による保存に代えて、スキャン文書による保存が認められる制度である。

　　なお、スキャナ保存制度の対象は、棚卸表、貸借対照表および損益計算書などの計算、整理または決算に関して作成されたその他の書類（決算関係書類）以外の国税関係書類である。ただし、売上伝票などの伝票類については、スキャナ保存の適用はない。

　　スキャナ保存の適用にあたっては、書類の受領等後または業務の処理に係る通常の期間を経過した後、速やかに入力しなければならない入力期間の制限や、一定水準以上の解像度による読み取り、見読可能装置（14インチ以上のカラーディスプレイ、4ポイント文字の認識等）の備付け、タイムスタンプの付与などが必要となる。

　　また、スキャナ保存制度における「スキャナ」とは、書面（紙）の国税関係書類を電磁的記録（電子データ）に変換する入力装置をいい、いわゆる「スキャナ」や「複合機」として販売されている機器が該当することになる。また、スマートフォンやデジタルカメラ等についても、上記の入力装置に該当すれば、「スキャナ」に含まれることになる。なお、解像度は200dpi（A4サイズで約387万画素相当）以上、かつ、カラー画像による読み取りができるもの※に限られる。

　　※　スキャナ保存制度では、対象となる国税関係書類を保存要件の違いによって契約書、領収書、送り状、納品書等などの資金や物の流れに直結・連動する「重要書類」と見積書、注文書等や納品書の写しなどの資金や物の流れに直結・連動しない「一般書類」に区分しており、「一般書類」を保存する場合には、グレースケール画像（白色から黒色までの階調が256階調以上で読み取るもの）も認められる。

(3)　電子取引データ保存制度（強制）

　　所得税法および法人税法では、取引に関して相手方から受け取った注文書、領収書等や相手方に交付した領収書等の書類の写しの保存義務が定められているが、電子取引データ保存制度では、同様の取引情報を電子取引により授受した場合には、その取引情報に係る電磁的記録（電子データ）を一定の方法により保存しなければならない。

　　「電子取引」とは、取引情報の授受を電磁的方式により行う取引をいい、この「取引情報」とは、取引に関して受領し、または交付する注文書、契約書、送り状、見積書その他これ

らに準ずる書類に通常記載される事項をいい、具体的には、いわゆるEDI（Electronic Data Interchange）取引、インターネット等による取引、電子メールにより取引情報を授受する取引（添付ファイルによる場合を含む）、インターネット上のサイトを通じて取引情報を授受する取引等をいう。

　なお、電子取引の取引情報に係る電磁的記録の保存等にあたっては、真実性や可視性を確保するための要件を満たす必要がある。

【電子取引データ保存制度の要件】

要件
電子計算機処理システムの概要を記載した書類の備付け ただし、自社開発のプログラムを使用する場合に限る。
見読可能装置の備付け等
検索機能の確保
次のいずれかの措置を行うこと ①　タイムスタンプが付された後の授受 ②　速やかにタイムスタンプを付す ③　データの訂正削除を行った場合にその記録が残るシステムまたは訂正削除ができないシステムを利用した授受および保存 ④　訂正削除の防止に関する事務処理規程の備付け

　2023年度税制改正では、電子取引データ保存を行うにあたって満たすべき要件やその対象者などについて、次の見直しが行われた。

①　検索機能のすべてを不要とする措置の対象者の見直し

　税務調査等の際に電子取引データの「ダウンロードの求め（調査担当者にデータのコピーを提供すること）」に応じることができるようにしている場合に検索機能の全てを不要とする措置について、以下のとおり対象者が見直された。

　イ　検索機能が不要とされる対象者の範囲が、基準期間の売上高が「1,000万円以下」の保存義務者から、基準期間の売上高が「5,000万円以下」の保存義務者に拡大された。

　ロ　対象者に「電子取引データをプリントアウトした書面を、取引年月日その他の日付および取引先ごとに整理された状態で提示・提出することができるようにしている保存義務者」が追加された。

②　2022年度税制改正で措置された「宥恕措置」の廃止

　2023年12月31日までに行う電子取引については、保存すべき電子データをプリントアウトして保存し、税務調査等の際に提示・提出できるようにしていれば差し支えないとする宥恕規定が適用期日どおり廃止された。2024年1月1日からは電子データでの保存が必要になる。

③　新たな猶予措置の整備

　次のイおよびロの要件をいずれも満たしている場合には、改ざん防止や検索機能など保存時に満たすべき要件に沿った対応は不要となり、電子取引データを単に保存しておくことができる。

　イ　保存時に満たすべき要件に従って電子取引データを保存することができなかったことについて、所轄税務署長が相当の理由があると認める場合

　ロ　税務調査等の際に、電子取引データの「ダウンロードの求め」およびその電子取引データをプリントアウトした書面の提示・提出の求めにそれぞれ応じることができるようにしている場合

6．少額飲食費の特例

　1人あたり5,000円以下の一定の飲食費（少額飲食費）は、損金不算入となる交際費等の範囲から除

外されているが、2024年4月1日以降に支出するものについては1人当たり10,000円以下について少額飲食費の適用範囲となり、損金不算入となる交際費等の範囲から除外される。なお、従来どおり一定の書類保存義務がある。

7．少額減価償却資産の特例

　法人税における中小企業者等の少額減価償却資産の取得価額の損金算入の特例（取得価額30万円未満の特例）について、対象法人から電子情報処理組織を使用する方法により、法人税の確定申告書等に記載すべきものとされる事項を提供しなければならない法人のうち、常時使用する従業員の数が300人を超えるものが除外される。

　なお、所得税については適用対象に変更はない。

8．ストックオプション税制

　特定の取締役等が受ける新株予約権の行使による株式の取得に係る経済的利益の非課税等（税制適格ストックオプション）について、権利行使により交付される株式の保管委託要件の緩和や権利行使価額の限度額などが次のように拡充される。

① 設立の日以後の期間が5年未満の株式会社が付与する新株予約権

　権利行使価額の年間行使限度額を1,200万円から2,400万円に引き上げる。

② 一定の株式会社※が付与する新株予約権

　権利行使価額の年間行使限度額を1,200万円から3,600万円に引き上げる。

　※ 設立の日以後の期間が5年以上20年未満である非上場会社、または設立の日以後の期間が5年以上20年未満である上場会社のうち、上場等の日以後の期間が5年未満であるもの

設立年数等		改正前	改正後	
			非上場会社	上場会社
5年未満		1,200万円	2,400万円	
5年以上20年未満	非上場		3,600万円	
	上場後5年未満			3,600万円
	上場後5年以上			1,200万円
20年以上			1,200万円	

9．外形標準課税

　外形標準課税の対象法人について、資本金1億円超を維持しつつ、当分の間、当該事業年度の前事業年度に外形標準課税の対象であった法人であって、当該事業年度に資本金1億円以下で、資本金と資本剰余金の合計額が10億円を超えるものは、外形標準課税の対象となる。2025年4月1日以後に開始する事業年度から適用される。

10．消費税の事業者免税点制度の特例（免税事業者）

　消費税の免税事業者の判定などに次のような見直しが行われる。2024年10月1日以後に開始する課税期間から適用される。

① 特定期間における課税売上高による納税義務の免除の特例について、課税売上高（1,000万円以下）に代わり適用可能とされている給与支払額（1,000万円以下）による判定の対象から、国外事業者が除外される。

② 資本金1,000万円以上の新設法人に対する納税義務の免除の特例（基準期間がない設立1期および2期の場合でも資本金1,000万円以上であるときは納税義務者となる特例）について、外国法人は基

準期間を有する場合であっても、国内における事業の開始時に資本金による判定を行う。

③　資本金1,000万円未満の特定新規設立法人に対する納税義務の免除の特例について、特例の対象となる特定新規設立法人の範囲に、その事業者の国外分を含む収入金額が50億円超である者が直接または間接に支配する法人を設立した場合のその法人を加えるほか、上記②と同様の措置を講ずる。

11．簡易課税制度

　その課税期間の初日において、所得税法または法人税法上の恒久的施設を有しない国外事業者については、簡易課税制度の適用を認めないこととする。また、適格請求書発行事業者となる小規模事業者に係る税額控除に関する経過措置（２割特例）の適用についても認めないこととする。2024年10月１日以後に開始する課税期間から適用される。

不動産

1．主な不動産関連税制の改正点（2024年度）　重要度 A

(1)　土地等の取得に係る不動産取得税の課税標準の特例措置（1/2控除）および税率の特例措置（特例３％、本則４％）の３年間延長

(2)　工事請負契約書および不動産売買契約書に係る印紙税の特例措置の３年間延長

(3)　住宅用家屋の所有権の保存登記等に係る登録免許税の特例措置の３年間延長（2027年３月31日まで）
　・所有権の保存登記：本則0.4％→0.15％
　・所有権の移転登記：本則２％→0.3％
　・抵当権の設定登記：本則0.4％→0.1％

(4)　新築住宅に係る固定資産税の減額措置の２年間延長（2026年３月31日まで）
　・戸建て：３年間　税額1/2減額
　・マンション：５年間　税額1/2減額

(5)　認定長期優良住宅および認定低炭素住宅に係る特例措置の適用期間延長
　①認定長期優良住宅
　・登録免許税の特例措置の３年間延長（2027年３月31日まで）
　　　所有権保存登記（一般住宅：本則0.15％→0.1％）、
　　　所有権移転登記（一般住宅：本則0.3％→戸建て0.2％、マンション0.1％）
　・不動産取得税の特例措置の２年間延長（2026年３月31日まで）
　　　課税標準からの控除額を一般住宅特例（1,200万円控除）より1,300万円に増額
　・固定資産税の特例措置の２年間延長（2026年３月31日まで）
　　　一般住宅特例（1/2減額）の適用期間：３年間→５年間、マンション：５年間→７年間
　②認定低炭素住宅
　・登録免許税の特例措置の３年間延長（2027年３月31日まで）
　　　所有権保存登記（一般住宅：本則0.15％→0.1％）
　　　所有権移転登記（一般住宅：本則0.3％→0.1％）

(6)　居住用財産の買換え等に係る特例措置（所得税・個人住民税）の２年間延長（2025年12月31日まで）

(7)　既存住宅の耐震・バリアフリー・省エネ・三世代同居・長期優良住宅化リフォームに係る所得税の特例措置の２年間延長および拡充
　・必須工事について10％を所得税から控除

・その他工事について 5 ％を所得税から控除

※最大控除額はそれぞれ異なる

(8) 子育てに対応した住宅へのリフォームに係る所得税の特例措置（新設）

標準的な工事費用相当額の10％（最大控除額25万円）を所得税から控除

(9) 既存住宅の耐震化・バリアフリー化・省エネ化・長期優良住宅化リフォームに係る固定資産税の特例措置の 2 年間延長（2026年 3 月31日まで）

・省エネ化：工事の翌年度1/3減額

・耐震化：工事の翌年度1/2減額

（特に重要な避難路として自治体が指定する道路の沿道にある住宅について、耐震改修をした場合は 2 年間1/2を減額、耐震改修をして認定長期優良住宅に該当することとなった場合は翌年度2/3を減額・翌々年度1/2を減額）

・バリアフリー化：工事の翌年度1/3減額

・長期優良住宅化（耐震改修または省エネ改修を行った住宅が認定長期優良住宅に該当することとなった場合）：工事の翌年度2/3減額

2．不動産登記法の改正　　重要度 A

相続（遺言も含む）によって不動産を取得した相続人は、その所有権の取得を知った日から 3 年以内に相続登記の申請を行なうことが義務化された（2024年 4 月 1 日施行）。なお、2024年 4 月 1 日以前に相続が開始している場合も義務化の対象となる（ 3 年の猶予期間を設定）。

また、遺産分割の成立によって不動産を取得した相続人は、遺産分割が成立した日から 3 年以内に相続登記をする必要がある。

相続・事業承継

1．直系尊属から住宅取得等資金の贈与を受けた場合の贈与税の非課税の延長　　重要度 B

① 適用期限と非課税限度額

贈与年	耐震・省エネ等住宅	一般住宅
2024年 1 月 1 日〜2026年12月31日	1,000万円	500万円

2．2024年 1 月 1 日以後の相続時精算課税　　重要度 A

① 基礎控除110万円の創設

特別控除2,500万円に加えて、毎年110万円を控除することができる。

② 申告要件の見直し

毎年110万円以下の贈与であれば、贈与税の申告が不要。

③ 相続財産に加算する贈与財産の見直し

毎年110万円までの贈与財産は、相続財産に加算しない。基礎控除を超えた贈与財産は、贈与時の価額で相続財産に加算するが、災害によって土地・建物が一定の被害を受けた場合、相当額を反映可能。

3．2024年 1 月 1 日以後の生前贈与加算　　重要度 B

① 相続開始前 3 年間から 7 年間に延長（経過措置あり）

② 延長される 4 年間（相続開始前 3 年超 7 年以内）に受けた贈与財産は、総額100万円まで相続財産に加算しない。

４．事業承継税制の特例措置 重要度 A

「特例承継計画」の提出期限が２年間（2026年３月31日まで）延長された。

５．個人の事業用資産についての納税猶予 重要度 B

「個人事業承継計画」の提出期限が２年間（2026年３月31日まで）延長された。

FP1級 まるわかり 試験ガイド

金財・日本FP協会と２つの団体が運営していて、制度が複雑なFP試験。
１級の試験制度は、学科は金財のみが実施、実技は両団体が実施していて
試験月や形式も異なるなど、特に複雑な構造になっています。
また、実技試験の対策法がわからないという不安をよく耳にします。

そこで本書では、安心して効率よく学習を進めて頂けるよう、
両団体の試験制度をわかりやすく一覧にまとめました。
また、実技試験については、金財の面接試験では体験レポートを掲載し、
日本FP協会の筆記試験では記述問題の解き方のポイントをまとめ、対策法を示しました。

ここで試験制度や対策法を押さえ、不安を解消してから学習に打ち込んでください。

１級FP試験の全体像

- ・FP２級合格＋実務経験１年
- ・実務経験５年
- ・金融渉外技能審査２級合格 ＋実務経験１年

FP養成コース ＋ 実務経験１年

CFP認定者 または 試験合格者

↓

FP１級学科試験（金財）

↓

FP１級実技試験（金財か日本FP協会）

↓

FP１級合格！

FP1級 学科試験ガイド

学科試験の概要を確認しておきましょう。

❖1級学科試験の基本情報

受検資格として、「実務経験」が求められています。

受検資格 （右記のいずれかに 該当するもの）	・2級技能検定合格者で、FP業務に関し1年以上の実務経験を有する者 ・FP業務に関し5年以上の実務経験を有する者 ・厚生労働省認定金融渉外技能審査2級の合格者で、1年以上の実務経験を有する者
実施月	9月、1月、5月
受検料	8,900円
試験実施団体	金財
出題形式	【基礎編】 マークシート方式による筆記試験 　　　　　四答択一式　50問 【応用編】 記述式による筆記試験　5題（15問）
試験時間	【基礎編】 10：00〜12：30 【応用編】 13：30〜16：00
合格基準	200点満点で120点以上

❖1級学科試験の受検者数と合格率

3級が50〜80%、2級が20〜40%程度の合格率であるのに対して、1級の合格率は10%前後です。
3・2級と比べ、かなり難易度の高い試験であることがわかります。

実施年月	受検申請者数	受検者数（A）	合格者数（B）	合格率（B/A）
2023・5	7,062	4,831	170	3.51%
2023・9	7,293	5,023	653	13.00%
2024・1	8,089	5,226	456	8.72%
2024・5	6,503	4,340	736	16.95%

　FP 1 級の試験は、学科試験は金財でのみ実施していますが、実技試験は金財、日本FP協会の両団体で実施しています。どちらの実技試験に合格しても、1 級ファイナンシャル・プランニング技能士として認定されるのです。

　ここで両団体の実技試験の特色を知り、自分に合ったほうの実技試験を受検するとよいでしょう。

❖受検資格（両団体共通）

　以下のいずれかに該当する必要があります。受検資格には、期限付きのものと無期限のものがあります。

　　金財の 1 級学科試験の合格者[注1]

　　1 級FP技能検定合格者

　　日本FP協会のCFP認定者

　　日本FP協会のCFP資格審査試験の合格者[注1]

　　金財のFP養成コース修了者[注2] で 1 年以上の実務経験を有する者

（注1）合格日が実技試験の行われる日の前々年度以降のものに限ります。
（注2）修了日が実技試験の行われる日の前々年度以降のものに限ります。

ひとこと

　片方の団体の実技試験に合格した後でも、もう片方の団体の実技試験を受検することができます。ただし、学科試験に合格しただけでは実技試験を受検する権利が 2 年後の年度末に失効します。

❖試験月

金　財	6月、10月、2月
日本FP協会	9月

❖受検手続き

試験実施団体	金　財	日本ＦＰ協会
受検料	28,000円	20,000円
受検地	東京、岡山、大阪、名古屋、福岡	札幌、仙台、宇都宮、東京、新潟、金沢、静岡、名古屋、大阪、広島、高松、福岡、熊本、那覇
受検申請方法 ※詳細は各団体のHPを 　ご覧ください	1級学科試験に合格した場合、金財から案内が送付される。 それ以外の場合は、受検申請書（書面）による出願	インターネットによる出願か受検申請書（書面）による出願

❖試験形式と合格基準

試験実施団体	金　財	日本ＦＰ協会
試験形式	口頭試問形式（面接）	筆記試験（記述式）
科目名	資産相談業務	資産設計提案業務
問題数	異なる設例に基づき、2回面接を行う	2題（各10問、計20問）
合格基準	200点満点で120点以上 （1回目・2回目の面接がそれぞれ100点満点）	100点満点で60点以上

❖試験科目と試験範囲

〈金財（資産相談業務）〉

試験科目及びその範囲	範囲の細目
1．関連業法との関係及び職業上の倫理を踏まえたファイナンシャル・プランニング	ファイナンシャル・プランニング業務に必要とされる倫理観を正しく理解し、関連業法との関係を理解したうえで相談に当たることができること
2．顧客のニーズおよび問題点の把握	顧客属性、保有金融資産、保有不動産等に関する具体的な前提条件に基づいた総合事例における相談の全体像を理解し、資産運用、相続・事業承継等に関して顧客のニーズおよび顧客が抱える問題点を詳細に把握できること
3．問題解決策の検討・分析	問題解決に当たって、当該問題を解決する知識を活用できるとともに、ファイナンシャル・プランニング業務で必要とされる関連知識を駆使した分析ができ、複数の解決策の検討ができること
4．顧客の立場に立った対応	顧客のライフプランに基づき、最も現実的かつ適切な問題の解決策を、明確な論旨に基づくとともに、相手にわかりやすく説明できること

〈日本FP協会（資産設計提案業務）〉

試験科目及びその範囲	範囲の細目
1．関連業法との関係及び職業上の倫理を踏まえたファイナンシャル・プランニング	ファイナンシャル・プランナーと関連業法の関係や、ファイナンシャル・プランナーに求められる職業上の倫理観を正しく理解したうえで、適切かつ総合的な提案が行えること。ファイナンシャル・プランニングの現状を正しく理解したうえで、顧客に説明できること
2．顧客データの収集と目標の明確化	顧客データを正確に把握するとともに、顧客の生活設計上の希望を、具体的かつ適切な数値上の目標に設定できること
3．顧客のファイナンス状況の分析と評価	現状の顧客のファイナンス状態の分析や問題点の把握・検討を行えること
4．プランの検討・作成と提示	顧客の数値化した目標を達成でき、生活設計上の目標を達成できるための対策を、総合的に検討し、適切かつ包括的な提案が行えること。プランの見直しの必要性について顧客に説明し、理解させることができること

ひとこと

　金財では「相続・事業承継」と「不動産」から、日本FP協会では「ライフプランニングと資金計画」からの出題が多めです。

❖受検者数と合格率

〈金財（資産相談業務）〉

実施年月	受検申請者数	受検者数（A）	合格者数（B）	合格率（B/A）
2023・9	213	196	157	80.10％
2024・2	732	698	614	87.96％
2024・6	573	554	458	82.67％

〈日本FP協会（資産設計提案業務）〉

実施年月	受検申請者数	受検者数（A）	合格者数（B）	合格率（B/A）
2021・9	1,231	1,201	1,126	93.8％
2022・9	1,213	1,198	1,186	99.0％
2023・9	1,028	1,005	967	96.2％

　本書に掲載の情報は2024年9月現在のものです。最新の情報については各試験団体にお問い合わせください。

一般社団法人　金融財政事情研究会

URL：https://www.kinzai.or.jp/

〒160-8529　東京都新宿区荒木町2-3

一般社団法人　金融財政事情研究会　検定センター

TEL：03-3358-0771

厚生労働大臣指定試験機関　特定非営利活動法人（NPO法人）

日本ファイナンシャル・プランナーズ協会　試験業務部試験事務課

URL：https://www.jafp.or.jp/

〒105-0001　東京都港区虎ノ門4-1-28　虎ノ門タワーズオフィス5F

TEL：03-5403-9890（AM9：00〜PM5：30〈土・日・祝日を除く〉）

FP1級 実技対策❶ 金財 面接試験 必勝攻略法

試験概要

❖試験時間

　試験は2回に分けて実施されます。以下のタイムスケジュールは、標準的な会場の場合で、実際の時間は受検者の人数等により異なります。

　集合時間は「受検票」に記載してありますので、必ず各自でご確認ください。集合時間に遅れた場合は、受検できません。

❖採点分野

　1回の面接は100点満点、2回合わせて200点満点で、120点以上取得で合格となります。

❖Part I、Part IIの設問の内容

・Part I

　相続事業承継に関する問題です。相談者はオーナー社長または個人事業者が多く、医療法人やM＆Aに関する内容も問われます。いずれのケースも業績は良好です。子への住宅取得資金・教育資金の援助を検討しているという設定もあるため、生前贈与の基本的な知識も確認しておく必要があります。FPと職業倫理は必ず問われるので確実に答えられるように準備が必要です。

・Part II

　不動産に関する問題ですが、相続問題も絡んでくることが多くなっています。相談者は所有する不動産の有効利用について悩んでいるという設定が多いです。FPと関連法規も必ず問われるので確認しておくことが必要です。

❖その他注意事項

・服装は原則として自由ですが、試験の性格上、華美またはラフな服装にならないように注意してください。
・設例課題の検討にあたっては、とくに指示のない限り、試験日現在施行の法令等に基づいてください。

❖当日の流れ

　まずは受付を済ませ、指定された控え室に行きます。1つの控え室で、約8〜10人の受検者が待機します。各受検者は、番号順に、「PartⅠ」と「PartⅡ」の設例に基づく2回の面接試験を受けます。なお、「PartⅠ」と「PartⅡ」のどちらの面接試験を先に受けるかは決まっておらず、1回目の面接が必ず「PartⅠ」の面接というわけではありません。

① 待ち時間

　待ち時間中は、参考書などを読むことができます。

② 設例を読む時間

　係員に呼ばれた人は、控え室中の指定の席に移動し、そこで設例が記載された用紙を受け取ります。設例を読む時間は15分程度あり、この時間にポイントをまとめたり、メモを取ったりするとよいでしょう。なお、ここでは参考書を見ることはできません。

③ 面接

　面接室へ移動します。面接は12分程度で実施されます。面接官は2人いて、主に質問をするのは1人ですが、採点は2人で行っているようです。

　1回目の面接を終えた人は再び控え室で待機し、①〜③の流れを繰り返します。2回の面接を終えた人から解散となります。

FP1級実技（面接）対策にこの1冊！

'24-'25年版
合格テキストFP技能士1級
実技対策精選問題集

定価：本体3,000円（税別）
TAC出版

一般社団法人　金融財政事情研究会　ファイナンシャル・プランニング技能検定
1級学科試験・1級実技試験（資産相談業務）　平成29年10月許諾番号1710K000002

実際の設例 Part I （2022年9月24日）

2022年度第2回ファイナンシャル・プランニング技能検定1級実技試験

Part I （2022年9月24日）　　　　氏名　_____

●設例●

Aさん（50歳）は、大都市圏に所在する大手企業に勤務する会社員であり、郊外のX市内の分譲マンションで妻子とともに暮らしている。Aさんの弟Dさん（46歳）は、郊外のY市内で妻とともに飲食店を営んでおり、Y市内の賃貸マンションで暮らしている。

2022年6月、Aさんの故郷である地方都市S市の実家で母親Cさんと2人で暮らしていた父親Bさんが病気により亡くなった。父親Bさんの法定相続人は、Aさん、母親Cさん、弟Dさんの3人である。Aさんが、四十九日法要を無事に終え、そろそろ父親Bさんの相続手続等に着手しなければならないと思っていたところ、病気を患っていた母親Cさんが、長年連れ添った配偶者を亡くしたことによる心労も重なり、2022年8月、後を追うように亡くなってしまった。

【相続手続について】

Aさんは、立て続けに相続が発生し、いつまでにどのような手続をすればよいのかよくわからない。ただ、母親Cさん名義の財産は1,000万円の普通預金のみであったため、母親Cさんの相続に係る相続税の申告は必要ないと思っている。先日、両親が取引していた金融機関を訪れた際、担当者から、「法定相続情報証明制度」を利用すると名義変更の手続を簡略化することができるとアドバイスされた。

なお、先日、Aさんが実家を整理していたところ、「私が所有するすべての財産を妻Cに相続させる」と書かれた父親Bさんの自筆証書遺言を発見した。母親Cさんは遺言書を残していなかった。

【遺産分割について】

遺産分割については、兄弟で話し合い、等分で相続することで合意した。ただし、父親の相続財産について、残されていた自筆証書遺言の内容と異なる分割をしても問題がないのか心配している。また、実家については、築45年が経過し、老朽化も激しく、兄弟いずれも今後S市に戻る予定はないことから、敷地とともに売却し、売却資金も等分することにした。S市の不動産業者に相談したところ、「実家の敷地は、ちょうどS市内で2023年3月までに土地を購入したいと言っている人が希望している立地や広さに合致している」とのことで、6,500万円程度で売却できる見込みとのことである。

【父親Bさんの相続財産の概要】（相続税評価額、土地は小規模宅地等の評価減適用前）

1．現預金	:	8,000万円
2．有価証券	:	4,000万円
3．自宅（Aさんの実家）		
①土地（300㎡）	:	6,000万円
②建物（1977年築）	:	200万円
合計	:	1億8,200万円

※父親Bさんの相続に係る相続税額は、約2,300万円（配偶者の税額軽減・小規模宅地等の評価減適用前）と試算されている。

（注）設例に関し、詳細な計算を行う必要はない。

検討のポイント
●設例の顧客の相談内容および問題点として、どのようなことが考えられるか。
●それらの相談内容および問題点を解決するために、どのような提案・方策が考えられるか。
●それらの方策（解決策）のなかで、何を顧客に提案するか。その理由・留意点は何か。
●FPと職業倫理について、どのようなことが考えられるか。

【親族関係図】

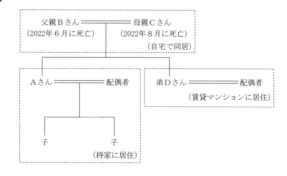

❖**設例の顧客の相談内容および問題点**

　父親Ｂさんに続いて母親Ｃさんも他界したが、Ａさんは、母親Ｃさんの相続に係る相続税の申告は必要ないと思っていることについて、どのような提案・方策が考えられるか。

❖**相談内容および問題点を解決するための提案と方策**

【提案例】

> 　父親Ｂさんの相続については、本来は相続人である母親Ｃさん、Ａさん、弟Ｄさんの３人で遺産分割協議をしますが、遺産分割協議書作成前に母親Ｃさんが亡くなられていますので、代わりに母親Ｃさんの相続人であるＡさんと弟Ｄさんで父親Ｂさんの遺産分割を協議することになります。
> 　母親Ｃさんの相続については、相続人であるＡさんと弟Ｄさんで遺産分割協議をすることになります。
> 　結論として、いずれの遺産分割協議もＡさんと弟Ｄさんの２人で行うことになりますので、遺産分割協議書は別々に作成することも、まとめて作成することもできます。
> 　なお、父親Ｂさんの遺産を母親Ｃさんがいくら取得することになったかによって、相続税負担は大幅に変わってきますので、綿密なシミュレーションが必要です。

【解説】

　設例のように、最初の相続が開始した後、遺産分割協議が終わる前に相続人のいずれかが死亡して次の相続が開始することを「数次相続」という。

　父親Ｂさんの遺産はいったん母親Ｃさん、Ａさん、弟Ｄさんの３人で遺産分割（一次相続）する。その後、母親Ｃさんが死亡した際には、母親Ｃさんが取得した財産と母親Ｃさんの固有財産（設例では普通預金1,000万円）の合計をＡさんと弟Ｄさんで遺産分割（二次相続）することになる。

　したがって、相続開始前にすでに相続人が死亡等している「代襲相続」とは異なり、母親Ｃさんの遺産をＡさんと弟Ｄさんが直接相続取得することはできない。

　設例の場合、母親Ｃさんの相続における基礎控除額は4,200万円（3,000万円＋600万円×２人）で、母親Ｃさんの固有財産が1,000万円なので、父親Ｂさんからの遺産取得を相続税負担後で3,200万円（4,200万円−1,000万円）以下にすれば、母親Ｃさんの相続税申告は不要である。仮に、父親Ｂさんの相続において、配偶者控除の税額の軽減および小規模宅地等の特例を考慮したとして遺産分割すると、母親Ｃさんの相続税申告が必要になるかもしれないが、一方で一次相続および二次相続全体の相続税額の軽減を図ることができる。

　本試験では「設例に関し、詳細な計算を行う必要はない」旨の指示があるため、どちらが有利か計算する必要はない。

FP1級 実技対策❷
日本FP協会 記述問題 必勝攻略法

試験概要

　日本FP協会の実技「資産設計提案業務」では、設例が2題あり、1題につき各10問の計20問が出題されます。全6科目から出題されます。問題の形式は、四肢択一問題、穴埋め問題、○×問題、計算問題（計算過程の記述なし）、記述問題があります。

　記述問題を除けば、日本FP協会の実技試験は、全体的に学科試験よりも難易度は低いため、基本的な内容を確実に理解しておきましょう。

　問題・解答は日本FP協会のHPからダウンロードできるので、実際に過去問を解いてみるのが一番でしょう。

　記述問題が毎回1問出題されています。ここで、その記述問題の傾向と対策を伝授します。

記述問題必勝攻略法

❖記述問題一覧表

試験年度	問の番号	文字数	記述する内容
2014年	問16	300字	税理士法に定める税理士の専門業務、税理士資格を持たないFPの留意点
2015年	問16	300字	消費者契約法における消費者の範囲および契約の取消しの事由となる事業者の行為
2016年	問16	300字	金融商品取引法における「投資助言・代理業」と金融商品取引業者としての登録を受けていないFPの留意点
2017年	問5	300字	保険業法に定める保険募集等に関する禁止事項と新たに創設された保険募集の基本的ルールとして定められた義務
2018年	問12	300字	「金融商品販売法」の概要
2019年	問6	300字	「税理士法」の概要
2020年	問6	300字	「消費者契約法」の概要
2021年	問6	300字	保険業法が定める保険契約の募集上の留意点
2022年	問6	300字	税理士法に定める税理士の専門業務、税理士資格を持たないFPの留意点
2023年	問20	300字	個人情報の保護に関する法律（個人情報保護法）の留意点

❖**過去3回分の記述問題を実際に解いてみよう！**

　まずは解答を見ずに自分で書いてみましょう。

問題

① 2021・9　問6

　　ＦＰが業務を行うに当たって、十分理解しておくべき法律の一つに保険業法があり、同法は、保険募集の公正を確保することなどにより、保険契約者等を保護することを目的とした法律である。同法では、保険会社等は保険募集等を行うに当たって、「情報提供義務」および「意向把握義務」を負うとされており、また、顧客の判断に影響を及ぼす一定の保険募集等に関する禁止行為が定められている。①「情報提供義務」の内容、②「意向把握義務」の内容、③保険業法において禁止されている一定の保険募集等に関する行為について、合わせて300字程度で述べなさい。

② 2022・9　問6

　　税理士ではないＦＰが顧客から税金に関する相談を受けた場合、税理士法に抵触しないよう留意する必要がある。①税理士法に定める税理士の専門業務は具体的に何を指しているかを説明し、②ＦＰ業務を行ううえで税理士資格を持たないＦＰはどのような点に留意すべきか、300字程度で説明しなさい。

③ 2023・9　問20

　　顧客の個人情報を扱うＦＰにとって、「個人情報の保護に関する法律（個人情報保護法）」を順守することが重要である。①個人情報保護法に定める個人情報について、該当するものの例を含めて説明し、また、②ＦＰが顧客の個人情報を扱うに当たってどのような点に留意すべきか、個人情報の「取得・利用」、「保管・管理」、「第三者への提供」の場面を想定しながら、①と②をあわせて300字程度で述べなさい。

各問のポイント

① 2021・9　問6　保険業法

1．保険契約募集上の情報提供義務を理解しているか。

2．保険契約募集上の意向把握義務を理解しているか。

3．保険業法において禁止されている一定の保険募集等に関する行為について把握しているか。

② 2022・9　問6　税理士法

1．税理士法に定める税理士の「3つの独占業務」を理解しているか。

2．FP業務と税理士の業務との違いを理解しているか。

3．税理士と協働関係の必要性について理解しているか。

③ 2023・9　問20　個人情報保護法

1．個人情報保護法の概要を理解しているか。

2．個人情報の取得・保管等について理解しているか。

3．講演や執筆の際の個人情報の取扱いについて理解しているか。

① 2021・9　問6　保険業法

「情報提供義務」とは、保険募集の際に、保険金の支払条件や保険期間、保険金額、その他顧客に参考となるべき情報など、顧客が保険加入の適否を判断するために必要な情報を提供するものである。「意向把握義務」とは、顧客ニーズを把握し、当該ニーズに合った保険プランを提案し、顧客ニーズと提案プランの最終的な確認を行うことを求めるものである。また、顧客の判断に影響を及ぼす一定の保険募集等に関する禁止行為としては、「虚偽の説明」、「重要な事項について虚偽のことを告げるよう勧める行為」、「告知義務違反を勧める行為」、「不適切な乗換募集」、「特別の利益の提供」、「誤解させるおそれのある表示・説明」等が挙げられている。（300字）

② 2022・9　問6　税理士法

税理士法に定める税理士の専門業務とは、具体的には、租税法令等に基づく申告等について代理もしくは代行する等の「税務代理行為」、「税務書類の作成」、「税務相談」を指す。税理士資格を持たない者がこれらを業として行うと、営利目的の有無や有償・無償の別は問わず、税理士法違反となる。従って、税理士資格を持たないFPは、税務代理や税務書類の作成、個別具体的な税務相談に応じてはならず、税金に関する顧客からの相談に回答する際には、顧客データを参考にしながら具体的な数値を離れた事例に引き直すなど、一般的な説明にとどめるべきである。また、具体的な税額計算等が必要な場合に備え、税理士との協働関係を築いておくことも重要である。（304文字）

③ 2023・9　問20　個人情報保護法

個人情報とは、生存する個人に関する情報で、氏名、生年月日などにより、特定の個人を識別できる情報をいう。

FPは、顧客の個人情報を取得・利用するときは、利用目的を特定して公表または通知しなければならず、目的外で利用してはならない。保管・管理するときは、漏えい等が生じないように、パソコンで管理する場合にはパスワードを設定したり、紙で管理する場合には施錠できる場所に保管するなど、安全に管理する。税理士や弁護士などの第三者に顧客の個人情報を提供する場合にも、あらかじめ顧客の承諾が必要である。講演や執筆の際は、顧客が特定されるような事例を例示しないように留意し、例示する場合は、あらかじめ顧客の承諾を得るようにする。（305字）

まとめ

　今後の試験においても、FP業務と何らかの関連性のある法規等が出題されることが想定されます。FPとして知っておくべき制度や関連業法、職業倫理上の留意点、コンプライアンスなどが出題論点として考えられますので、十分に再確認しておきましょう。これらの内容について、「どのような点に留意すべきか」と問われた場合には、どれだけ具体例をあげられるかがポイントになります。300字程度にまとめることは容易ではありません。まずは下書きとして要点を書き出してから、解答用紙に清書するようにしましょう。また、他の問題をすべて解いて見直しまで終わってから、残りの時間を記述問題にあてるようにするとよいでしょう。

直前対策

必勝！ポイント整理

　各項目の最重要ポイントのみを厳選収載しました。直前期に確認して知識を確実なものとし、万全な状態で試験にのぞんでください。

1　ライフプランニングと資金計画

1　FPと関連法規

税理士法	税理士でない者は、営利目的の有無や有償・無償を問わず、「税務代理行為」「税務書類の作成」「税務相談」を行うことはできない。個別具体的な税務相談を反復継続して行うことは税理士法に抵触する。仮定の事例や金額を用いた説明に留める必要がある ※一般的な情報・資料の提供や相談、講演等を行うことは可能
保険業法	保険募集人として登録しなければ、保険契約の募集、勧誘を目的とした商品説明はできない ※保険商品の一般的な仕組み、活用法の説明・講演等を行うことは可能
弁護士法	弁護士でない者は、具体的な法律事件（一般の法律事務）についての相談、判断、アドバイスはできない。債務整理、遺言書・遺産分割などは弁護士（または司法書士、行政書士）の領域である ※一般的な説明の範囲で相談を行うことは可能

2　フラット35

1．フラット35（買取型）概要

申込資格	原則、申込年齢70歳未満で、年収に占める総返済負担率※の基準を満たす者 ※総返済負担率：年収400万円未満は30％以下、400万円以上は35％以下
融資対象住宅	床面積70㎡以上（共同住宅は30㎡以上）、技術基準の適合している住宅（2019年10月1日以降、建設費・購入価額1億円（消費税を含む）の制限は撤廃されている） 新築住宅は省エネ基準への適合※が必須 ※「断熱等性能等級4以上かつ次エネルギー消費量等級4以上」または「建築物エネルギー消費性能基準」
融資金額	100万円以上8,000万円以下で、建設費・購入価額の100％以内
適用金利	全期間固定金利（金融機関ごとに金利は異なり、融資実行時の金利が適用）。融資率が9割超の場合は金利が上乗せされる
返済方法	元利均等毎月払い・元金均等毎月払い・ボーナス払い（借入金額の40％以内）併用
保証人・保証料	不要
繰上返済	手数料無料 1ヵ月前までに金融機関に申し出る必要がある。一部繰上返済の場合100万円以上※ ※インターネットサービス「住・MyNote」による一部繰上返済は、10万円以上

団 体 信 用 生 命 保 険	［フラット35］と［団体信用生命保険］が一つになり、「新機構団信」・「新三大疾病付機構団信」にリニューアルしたことで団信特約料（年払い）の支払い不要

　借換融資を利用する場合、借入期間は①と②のうちいずれか短い年数が上限となる。なお、債務者を追加して2人にすることもできる。

① 80歳 − 借換申込時の年齢
② 35年（50年※）− 従前ローンの経過期間（※長期優良住宅の場合は35年→50年に変更　2022年10月）

2．金利引下げメニュー

　子の人数や住宅性能、管理・修繕やエリアごとに選んで組み合わせた合計ポイント数に応じて、期間および金利引下げ幅が異なる

（例）子3人、【フラット35】地域連携型子育て支援が利用

　　　ZEHかつ長期優良住宅を取得する場合の金利引き下げ幅

・【フラット35】子育てプラス（3人）　　　3ポイント
・【フラット35】地域連携型（子育て支援）　2ポイント
・【フラット35】S（ZEH）　　　　　　　　3ポイント
・【フラット35】維持保全型　　　　　　　　1ポイント

∴合計9ポイント（1ポイントにつき年▲0.25%のため9ポイントで▲2.25%、ただし、最大年▲1.0%であるため、金利引き下げ状況は以下のとおりとなる）

当初5年	6～10年	11～15年
年▲1%	年▲1%	年▲0.25%
（4ポイント分）	（4ポイント分）	（1ポイント分）

選択グループ	フラット35	要件など	ポイント数
住宅性能	S（金利Aタイプ）	省エネルギー性、耐震性、バリアフリー性、耐久性・可変性	2
	S（金利Bタイプ）		1
	S（ZEH）	省エネルギー性 2022年10月～新設	3
	リノベ（金利Aタイプ）	300万円以上の工事	4
	リノベ（金利Bタイプ）	200万円以上の工事	2
管理・修繕	維持保全型	長期優良住宅など6要件 2022年4月～新設	各1
エリア	地域連携型	子育て支援・空き家対策と地域活性化がある	2※
	地方移住支援型		2

※　地域活性化は1ポイント。グリーン化する場合も含む。「フラット35地域連携型利用対象証明書」の交付を地方公共団体から受ける必要がある。

3 日本政策金融公庫の「国民生活事業」（新企業育成貸付など）

1．新規開業資金

対象者	新たに事業を始める者や事業開始後おおむね７年以内の者
融資額	7,200万円以内（うち運転資金4,800万円以内）

2．女性、若者／シニア起業家支援資金

対象者	女性または35歳未満か55歳以上の者で、新たに事業を始める者や事業開始後おおむね７年以内の者
融資額	7,200万円以内（うち運転資金4,800万円以内）

3．再挑戦支援資金（再チャレンジ支援融資）

対象者	新たに事業を始める者や事業開始後おおむね７年以内の者で、廃業歴等があり、創業に再チャレンジする者
融資額	7,200万円以内（うち運転資金4,800万円以内）

4．新創業融資制度（上記制度を利用する場合の特例措置）

対象者	新たに事業を始める者や、事業開始後で税務申告を２期終えていない者で、「創業の要件」「雇用創出等の要件」「自己資金の要件」を満たす者
融資額	3,000万円以内（うち運転資金1,500万円以内）

※　上記１～４は、個人事業主向けのものであり、これとは別に、中小企業向けの融資として日本政策金融公庫の「中小企業事業」がある。

4 信用保証協会の信用保証制度

　中小企業・小規模事業者が金融機関から事業資金を調達する際、信用保証協会は「信用保証」を通じて資金調達をサポートする。信用保証制度の当当事者は、中小企業や小規模事業者、金融機関、信用保証協会の三者である。

経営安定関連保証 （セーフティネット保証）	中小企業信用保険法に規定された８つの事由（災害など）のいずれかにより、経営の安定に支障が生じている中小企業者が、経営の安定のために必要とする資金について行う保証。事業所の所在地の市町村長または特別区長の認定を受けた場合に利用可能。保証限度額は、２億8,000万円（普通保証２億円、無担保保証8,000万円）
借換保証	複数の借入金を１つにまとめて、返済期間を長期とすることで、毎月返済額を軽減する制度。借換えの際に、新たな資金を上乗せして融資を受けることも可能。保証限度額は、２億8,000万円（普通保証２億円、無担保保証8,000万円）
創業関連保証	個人による創業や新たに法人を設立して行う事業に必要な資金を調達するために利用できる。経営実績がない創業時に融資を受けるには、事業計画書が必要。保証限度額は、3,500万円
事業承継特別保証	経営者保証が不要であり、また経営者保証ありの既存の借入金についても、一定条件のもと、本制度による借り換えにより経営者保証は不要にできる保証制度。保証限度額は、２億8,000万円

5 働き方改革関連法

1．時間外労働の上限規制（大企業：2019年４月、中小企業：2020年４月、自動車運転業務・医師・建設業：2024年４月）

〈残業時間の上限〉

- ・法律による上限（原則）：月45時間・年360時間
- ・法律による上限（例外）：年720時間以内・複数月平均80時間以内※・月100時間未満※、月45時間を超えることができるのは６ヵ月まで
  - ※　休日労働を含む
  - ・自動車運転業務：上限時間は年960時間
  - ・医師　　　　　：上限時間は年1,860時間（休日労働含む）
  - ・建設業　　　　：災害時における復旧・復興を除いて、上記の上限規制を適用。

〈有給休暇〉

- ・10日以上の年次有給休暇が付与される労働者に対して、原則そのうち５日は時季を指定して取得させる義務がある。

2．同一労働同一賃金

不合理な待遇差をなくすための規定の整備

- ・均衡待遇規定（不合理な待遇差の禁止）
- ・均等待遇規定（差別的取扱いの禁止）
- ・派遣先の事業主に対し、派遣先労働者の待遇に関する派遣元への情報提供義務を新設

3．月60時間超残業に対する割増賃金率引き上げ（大企業：実施済、中小企業：2023年４月）

- ・割増賃金率：大企業、中小企業ともに50%

4．その他

(1)　勤務間インターバル制度の導入

　　１日の勤務終了後、翌日の出社までの間に一定時間以上の休息時間（インターバル）を確保する仕組み。十分な生活時間や睡眠時間を確保するため、企業の努力義務とする。

(2)　フレックスタイム制により働きやすくするための制度を拡充

　　労働時間の調整可能な期間（＝清算期間）：１ヵ月→３ヵ月に延長

(3)　高度プロフェッショナル制度を新設

- ・対象：年収1,075万円以上で特定の高度専門職
- ・年間104日以上かつ４週４日以上の休日確保措置や健康管理時間の状況に応じた健康・福祉確保措置等を講ずることにより、労働基準法に定められた労働時間・休日及び深夜の割増賃金等の規定を適用しない自由な働き方を認める制度のこと

6 教育資金

1．高等学校等就学支援金制度

　　高等学校等就学支援金（返還不要の授業料支援※）の制度により、私立高校等に通う生徒の授業料は実質無償化。支給額は最大396,000円。高校生等奨学給付金と併用利用可。支援金は学校設置者（都道府県、学校法人等）が受け取る

〈支給額の判定（両親2人分の合計額）〉

　　市町村民税の課税標準額×6％－市町村民税の調整控除（政令指定都市は3/4を乗じる）

　　・「上記による算出額＜154,500円」の場合、支給額は最大396,000円

　　・「上記による算出額＜304,200円」の場合、支給額は118,800円

　　※授業料以外の支援は、高校生等奨学給付金（ただし保護者等の年収目安は約270万円未満のみ）

2．高等教育の修学支援新制度

(1)　対象の学校：大学・短期大学・高等専門学校（4年・5年）・専門学校

(2)　支援内容：授業料・入学金の免除又は減額…費用は公費から支出

　　　　　　　　返還不要の給付型奨学金を拡充…日本学生支援機構が支給

(3)　支援対象：住民税非課税世帯及びそれに準ずる世帯の学生（在学中も対象）、学ぶ意欲がある学生

(4)　支援額：住民税非課税世帯に準ずる世帯の学生は、住民税非課税世帯の学生の2/3または1/3

　　(例)　住民税非課税世帯

　　　　・授業料等減免⇒私大の入学金約26万円、授業料約70万円

　　　　・給付型奨学金⇒私大の自宅生約46万円、自宅外生約91万円

(5)　適格認定

　　学業成績において2回連続「警告」となって支援が廃止しても、次の学業成績の判定でGPA等が学部等において下位4分の1を上回るなどの要件を満たせば、再支援可能（2023年度より）

2　年金・社会保険

1　健康保険

1．被扶養者の範囲

(1)　被扶養者の範囲

　　①　被保険者の直系尊属（父母・祖父母・曽祖父母）、配偶者、子、孫、兄弟姉妹。

　　②　被保険者と同一の世帯に属する、被保険者の三親等内の親族。（例）配偶者の父母

(2)　被扶養認定

　　①　収入要件（障害者年金・遺族年金などの公的年金や失業給付による収入も含む）

　　　　年間収入が130万円未満（60歳以上の者と一定の障害者は180万円未満）

　　②　生計同一要件（事実婚・同じ事情にある内縁関係も含む）

　　　　・同居の場合…被保険者の年間収入の2分の1未満

　　　　・別居の場合…被保険者からの援助による収入額未満

　　③　国内居住要件

　　なお、2016年10月より短時間労働者に対する社会保険の適用が拡大されている。

〈加入対象となる要件〉

> ・１週間の所定労働時間20時間以上
> ・勤務期間は、2022年10月より２ヵ月超
> ・月額賃金8.8万円以上（年収106万円相当以上）。ただし、賞与・残業代・通勤手当等を除く
> ・学生ではないこと
> ・従業員数は、2024年10月より51人以上の企業

(3)　年収の壁・支援強化パッケージ（2023年10月）

　　106万円または130万円以上の収入になった場合、社会保険料負担の発生等により手取り収入が減少することに対応する。

　・106万円の壁への対応：・企業への支援キャリアアップ助成金「社会保険適用時処置改善コース」新設

　　　　　　　　　　　　　（事業主に対して、中小企業の場合は労働者１人当たり最大50万円助成。大企業の場合は３/４の額。）

　　　　　　　　　　　　・社会保険適用促進手当の標準報酬算定除外

　　　　　　　　　　　　（給与・賞与とは別に、社会保険適用促進手当を支給するが、最大２年間は標準報酬月額・標準賞与額の算定に含めない）

　・130万円の壁への対応：・事業主の証明による被扶養者認定の円滑化

　　　　　　　　　　　　（直ちに被扶養者認定を取り消さず、一時的な収入変動の旨を事業主が証明する）

２．保険料

(1)　保険料率

　　協会管掌健康保険では、<u>都道府県単位で異なる</u>。2024年度の全国平均の保険料率は10.0％である。

(2)　保険料の負担

　　協会管掌健康保険では、労使折半

　　（産前産後休業を開始した月から終了する日の翌日が属する月の前月まで、事業主が申し出ると、労使ともに保険料免除。）

３．保険給付

(1)　医療費の自己負担割合について（2022年10月以降）

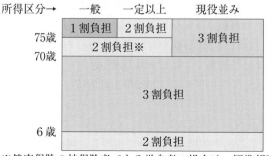

※健康保険の被保険者である単身者の場合は、標準報酬月額28万円未満

(2) 高額療養費

・算定上、同じ医療保険に加入している同一世帯内の者（70歳未満）の支払いを合算できる。対象となる自己負担額は、受診者別、医療機関別、入院・通院別で21,000円以上（ただし、70歳以上の者は、受診者別、入院・通院別で全ての自己負担額が対象）

・療養があった月以前12ヵ月以内に３ヵ月以上支給を受けている場合、４ヵ月目からは「**多数該当**」

・保険外負担分や入院時の食事負担額などは対象外

〈70歳未満の高額療養費の自己負担限度額〉

所得区分	ひと月の上限額（世帯ごと）	
①区分ア 健保：標準報酬月額83万円以上	252,600円＋（医療費－842,000円）×１％ 多数該当：140,100円	（※１）
②区分イ 健保：標準報酬月額53万円〜79万円	167,400円＋（医療費－558,000円）×１％ 多数該当：93,000円	（※２）
③区分ウ 健保：標準報酬月額28万円〜50万円	80,100円＋（医療費－267,000円）×１％ 多数該当：44,400円	（※３）
④区分エ 健保：標準報酬月額26万円以下	57,600円 多数該当：44,400円	（※４）
⑤区分オ 被保険者が住民税非課税者	35,400円 多数該当：24,600円	

〈70歳以上の高額療養費の自己負担限度額〉

現役並み所得者	上表※１〜３と同じ
一般所得者	上表※４に加え、外来だけの上限額も設定されている 個人外来18,000円（年間上限144,000円） 世帯ごと57,600円
低所得者	個人外来8,000円（年間上限144,000円） 世帯ごと（Ⅰ）15,000円（Ⅱ）24,600円

(3) 傷病手当金

① １日あたりの金額：傷病手当金の支給を始める日以前の継続した12ヵ月間の各月の標準報酬月額を平均した額の30分の１に相当する額の３分の２相当額。傷病手当金の額より多い報酬や出産手当金、または障害厚生年金が支給される場合は、支給されない。報酬や出産手当金、または障害厚生年金の額が傷病手当金の額を下回る場合は、その差額のみ支給される。

② 支給期間：療養のため休業した日が連続して３日間（土日祝や有給日を含む）あったうえで、４日目から支給される。支給を始めた日から起算して通算で１年６ヵ月※が限度

※ 出勤に伴い不支給となった期間分は延長して支給される（2022年１月施行）。

(4) 出産育児一時金（家族出産育児一時金）

１児ごとに50万円（産科医療補償制度に加入する医療機関等において出産した場合。それ以外の場合は48万8,000円）

(5) 出産手当金

① １日あたりの金額：出産手当金の支給を始める日以前の継続した12ヵ月間の各月の標準報酬月額を平均した額の30分の１に相当する額の３分の２相当額

② 支給期間：出産の日（実際の出産が予定日後のときは出産の予定日）以前42日目（多胎妊娠の場合は98日目）から、出産の日の翌日以後56日目までの範囲内で支給される。支給中に退職しても、退職日まで継続して１年以上の被保険者期間がある場合は支給継続。

４．任意継続被保険者

一定の条件のもとに被保険者として最長２年間継続※できる。

※　任意継続被保険者でなくなることを希望する旨を保険者に申し立て、受理された場合は、その日の属する月の翌月１日で資格を喪失する（2022年１月施行）。

(1) 任意継続被保険者となるための要件

① 資格喪失日の前日までに、継続して２ヵ月以上の被保険者期間がある。

② 資格喪失日から20日以内に保険者に届出

(2) 任意継続被保険者の保険料（協会けんぽの場合）

全額自己負担となる。保険料を納付期日までに納付しない場合、資格を喪失する。再び資格取得要件を満たさない限り、２年以内であっても、任意継続被保険者になることはできない。

保険料算出の基礎となる標準報酬月額は、「退職時の標準報酬月額（上限30万円）」「前年（１月から３月までの標準報酬月額については、前々年）の９月30日時点における全ての協会けんぽの被保険者の標準報酬月額の平均額」のうちいずれか低い額であるため、期間中の変更もありえる。

なお、健康保険組合（協会けんぽ以外）においては、「退職時の標準報酬月額」の額の方が多い場合でも、健康保険組合が規約に定めた場合は、標準報酬月額とすることができる（2022年１月施行）。

(3) 任意継続被保険者の保険給付

傷病手当金・出産手当金は支給されない。

(4) 任意継続被保険者とならずに、国民健康保険に加入する場合（退職日の翌日から14日以内）

① 保険料（税）は、保険者により異なる。

（保険者が都道府県・市町村（特別区を含む）である場合、所得割・資産割・均等割・平等割の一部または全部の組合せにより決定）

② 年間保険料（税）の上限

［一世帯あたりの上限（2024年度）］

基礎分（医療分）65万円＋後期高齢者支援金分24万円＋介護納付金17万円＝年間106万円

※　65歳以上の世帯は、介護保険料は国民健康保険料とは別に賦課されるため、年間89万円（65万円＋24万円）が上限。

５．保険外併用療養費

健康保険では、保険外診療があると保険適用の診療も含めて、医療費の全額が自己負担となる。ただし、保険外診療の場合でも、厚生労働大臣の定める「評価療養」と「選定療養」は保険診療との併用が認められる。

・評価療養：先進医療や医薬品の治験に係る診療など

・選定療養：特別の療養環境（差額ベッド）や時間外診療また大病院の初診など

　　例）総医療費が100万円、うち先進医療が20万円の場合

　　　　　先進医療20万円は全額自己負担

　　　　　保険給付80万円のうち3割（24万円）は一部負担金、残り56万円は健康保険から給付

2 後期高齢者医療制度

1. 保険者

後期高齢者医療広域連合

2. 被保険者

75歳以上（65歳から74歳で一定の障害のある者を含む）

3. 保険料

　均等割額と所得割額との合計額。都道府県ごとに異なる。保険料負担の年間上限は段階的に引き上げ（2024年度73万円、2025年度80万円）。年額18万円以上の公的年金を受給する者は、原則として公的年金（老齢年金、障害年金、遺族年金）から特別徴収される。後期高齢者医療保険の保険料と介護保険料との合算額が年金受給額の50%を超える者は特別徴収されず普通徴収となる。

4. 自己負担割合

住民税課税所得かつ年金収入等	自己負担割合
	2022年10月より
住民税課税所得145万円以上の者がいる 後期高齢者単身世帯：383万円以上 （後期高齢者2人以上世帯：合計520万円以上）	3割
住民税課税所得28万円以上の者がいる 単身世帯：200万円以上 （後期高齢者2人以上世帯：合計320万円以上）	2割
それ以外	1割

3 公的介護保険制度

1. 保険者

市区町村

　要介護認定または要支援認定の申請を市区町村にする。「介護認定審査会」は審査・判定を30日以内に行う。その処分に不服がある場合は、「介護保険審査会」に審査を請求することができる。初回認定の有効期間は6ヵ月であるが、介護認定審査会の意見に基づき必要と認める場合は、3ヵ月～12ヵ月までの範囲内で定めることができる。

２．被保険者の種類

	第１号被保険者	第２号被保険者
被保険者	65歳以上の者 ・被保険者全員に被保険者証を交付	40歳以上65歳未満の医療保険加入者 ・認定者にのみ被保険者証を交付
保険料	市区町村が徴収 ・年額18万円以上の公的年金を受給している者は、公的年金から特別徴収 ・９段階→13段階	医療保険者が医療保険料として徴収 〈協会けんぽ〉 労使折半 ※介護保険料率は全国一律 〈国民健康保険〉 所得割、均等割等（市区町村により異なる）
受給権者	原因を問わず、要介護者・要支援者となった者	特定疾病（末期がんを含む老化に起因する16種類の疾病）によって、要介護者・要支援者となった者に限定

３．利用者負担（第１号被保険者）

年金収入等	負担割合
単身世帯340万円以上 （２人以上世帯463万円以上）	３割
単身世帯280万円以上 （２人以上世帯346万円以上）	２割
単身世帯280万円未満 （２人以上世帯346万円未満）	１割

　本人の合計所得金額が160万円以上の場合は原則２割負担、220万円以上の場合は原則３割負担となる。最終的には、世帯の年金収入等により負担割合が決まる（第２号被保険者は、所得に関わらず１割負担）。

４．高額介護サービス費（2021年８月利用分から）

　１ヵ月の負担限度額（65歳以上の者がいる市民税課税世帯の方の場合）
・年収約770万円未満（課税所得380万円未満）の世帯：44,400円
・年収約770万円以上（課税所得380万円以上）の世帯：44,400円→93,000円
・年収約1,160万円以上（課税所得690万円以上）の世帯：44,400円→140,100円

４ 労働者災害補償保険

１．強制適用事業

　すべての事業所

２．適用労働者

　すべての労働者（在宅勤務を含む）

３．保険料

　保険料の乗率は事業の種類ごとに異なり、保険料の負担は全額事業主負担

4．業務災害と通勤災害

(1) 業務災害

業務災害は、「業務遂行性」「業務起因性」の２つの要件を満たした場合に認められる。

遺族厚生年金を受給している間は、遺族補償年金（労働者災害補償保険）が減額支給される。

(2) 通勤災害

通勤とは、「就業に関し、住居と就業の場所との往復行為」を指す。合理的な経路および方法でなければならず、業務の性質を有するもの（出張など）を除く。

5．休業（補償）給付

業務災害または通勤災害による傷病の療養のため休業した場合

・保険給付　：休業１日につき、給付基礎日額の60％相当額を休業４日目から支給

・特別支給金：休業１日につき、給付基礎日額の20％相当額を休業４日目から支給

　※　複数就業者の場合

　　　全勤務先の合算賃金額を基礎に給付額等が決定

　　　全勤務先の負荷を総合的に評価して労災認定を判断する。

6．労災年金

傷病（補償）年金	療養開始後１年６ヵ月経過しても完治せず、傷病等級に該当する程度の障害がある場合に受け取れる年金
障害（補償）年金	完治せずに一定の後遺障害が残ってしまった場合に受け取れる年金（１〜７級：年金受取、８〜14級：一時金受取）。年金額＝給付基礎日額×313日分（１級の場合）×調整率※
遺族（補償）年金	労災事故で死亡した場合に遺族に支払われる年金 遺族が若年停止であっても、１回限り、給付基礎日額の1,000日分を限度として前払一時金を請求できる

厚生年金との調整：障害厚生年金や遺族厚生年金は全額支給されるが、労災年金は調整して減額される。ただし、調整後の労災年金と厚生年金の合計額が、調整前の労災年金額より低くならない。

※労災保険と公的年金の調整率のこと

7．特別加入制度

本来、労災保険の加入対象とならない者でも、中小事業主、一人親方等、海外派遣者に該当する者は、特別加入をすることができる。ただし、個人タクシー業者や個人貨物運送業者などは通勤災害の規定適用外。労災保険の事務処理は労働保険事務組合に委託している等の要件を満たすこと。

5　雇用保険

1．被保険者

・一般被保険者：１週間の所定労働時間が20時間以上であり、かつ、同一の事業主に引き続き31日以上の雇用の見込みがある労働者のこと

・高年齢被保険者：65歳以上の労働者についても適用の対象。2020年４月分より雇用保険料は給与から天引きされている。

・マルチ高年齢被保険者：複数の事業所に雇用されている65歳以上の労働者。ハローワークに申し出る

（マルチジョブホルダー制度）。

【適用要件】

・複数の事業所に雇用される65歳以上の労働者

・2事業所（1事業所の所定労働時間が週5〜20時間未満）の所定労働時間の合計が週20時間以上

・2事業所のそれぞれの雇用見込み31日以上

2．基本手当

(1)　支給要件

　離職の日以前2年間に、被保険者期間が通算12ヵ月以上あること

※　倒産・解雇等、雇止め、または高年齢被保険者として離職した者は、離職の日以前1年間に、被保険者期間が通算6ヵ月以上あること

※　被保険者期間：賃金支払いの基礎となる日数が11日未満でも、労働時間数が80時間以上ある月は1ヵ月とみなす。

(2)　所定給付日数

〈自己都合等（定年退職含む）による離職〉

離職時の年齢	算定基礎期間		
	10年未満	10年以上20年未満	20年以上
全年齢共通 （65歳未満）	90日	120日	150日

※　65歳以上の場合、高年齢求職者給付金（被保険者期間1年以上は50日分、1年未満は30日分の一時金）を支給

〈倒産・解雇による離職〉（人員整理等に伴う退職勧奨も含む）

(例)・被保険者期間が1年以上5年未満の場合

　　　30〜35歳未満：所定給付日数120日、35〜45歳未満：所定給付日数150日

　　・被保険者期間10年以上20年未満の場合

　　　45歳以上60歳未満：所定給付日数270日

　　・被保険者期間が20年以上の場合

　　　45〜60歳未満：所定給付日数330日

(3)　基本手当日額

$$\boxed{\text{賃金日額}^{※1} \times \text{給付率}^{※2}}$$

※1　基本日額

　　最後の6ヵ月間に支払われた賃金（賞与等を除く）の総額を基に算出。受給資格者の年齢区分に応じた上限額および下限額が設定されている。

※2　給付率

　　・離職時の年齢が60歳未満：50％〜80％

　　・離職時の年齢が60歳以上65歳未満：45％〜80％

(4)　給付制限

①　待期期間7日

②　自己都合により退職した場合、さらに3ヵ月。ただし、5年間のうち2回までは2ヵ月になる。

(5)　基本手当と特別支給の老齢厚生年金

　　基本手当の支給を受けている間は、特別支給の老齢厚生年金は支給停止

３．高年齢雇用継続給付

(1)　支給要件

- ・60歳以上65歳未満の雇用保険の被保険者
- ・被保険者であった期間が通算して５年以上
- ・賃金月額が60歳到達時の賃金月額の75％未満に低下

　　⇒賃金の低下率に応じて賃金額の15％（2025年４月以降10％）を限度として高年齢雇用継続給付
　　　金を支給

(2)　雇用継続基本給付金と再就職給付金

給付金の種類	支給対象者	支給期間
雇用継続基本給付金	雇用保険の基本手当を受給しないで就職した人（継続雇用も含む）	65歳に達する月まで
再就職給付金※	雇用保険の基本手当の受給残日数が200日以上または100日以上ある人	就職日から２年間または１年間

※　支給申請は、再就職後の支給対象月の初日から４ヵ月以内に行う。なお、再就職手当のいずれか一方を選
　　択して受給する。

(3)　高年齢雇用継続給付による年金支給調整

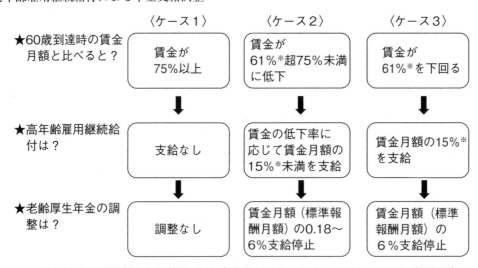

　　※　2025年４月以降新たに60歳になる受給者、61％→64％、15％→10％に変更予定

(4)　高年齢雇用継続基本給付金と特別支給の老齢厚生年金

①　在職による老齢年金の支給停止額：（総報酬月額相当額＋基本月額－50万円）÷２

②　高年齢雇用継続給付の受給による老齢年金の支給停止額

　　賃金月額が60歳到達時の75％未満の場合、最高で賃金月額の６％

【例】特別支給の老齢厚生年金月額15万円、賃金月額が60万円（60歳到達時）から36万円となった場
　　　合（賃金割合が61％以下に低下）

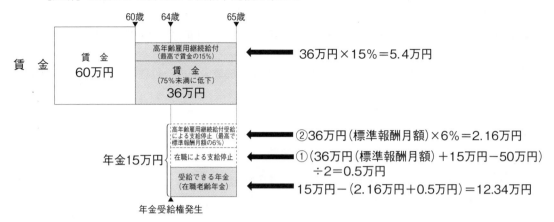

［図解］64歳のひと月あたり受給予定額を求める

∴年金の支給停止額（月額） ：2.66万円（①0.5万円＋②2.16万円）

64歳の受給総額（月額） ：53.74万円

（賃金月額36万円＋年金12.34万円＋高年齢雇用継続基本給付金5.4万円）

4．就業促進手当

(1) 就業手当

① 支給要件

・基本手当受給中に、契約期間１年以下の契約社員・アルバイト・パートタイマーなど再就職手当の支給対象とならない形態で就業した場合に支給される

・基本手当の支給残日数が所定給付日数の３分の１以上、かつ45日以上あること

② 支給額

就業手当：基本手当日額×就業日数×30％

(2) 再就職手当

① 支給要件

・基本手当受給中に、１年を超えて安定した職業に就いた場合や一定の事業を開始する場合に支給される（離職前の事業主に再び雇用された場合は支給されない）

・基本手当の支給残日数が所定給付日数の３分の１以上あること

・過去３年以内の就職について再就職手当または常用就職支度手当を受給していないこと

② 支給額

・再就職手当（支給残日数３分の２以上）：基本手当日額（上限有）×支給残日数×70％

・再就職手当（支給残日数３分の１以上）：基本手当日額（上限有）×支給残日数×60％

(3) 就業促進定着手当

・再就職手当を受給した人が６ヵ月以上雇用され、そのみなし賃金日額（再就職した日から６ヵ月間に支払われた賃金の１日分）が再就職手当の算定基礎賃金日額を下回った場合に支給される

・支給額＝（離職前の賃金日額－みなし賃金日額）×再就職後６ヵ月間のうち賃金の支払基礎となった日数

・支給申請は、再就職した日から６ヵ月目に当たる日の翌日から２ヵ月以内に行う

5．高年齢求職者給付金

(1) 支給要件

離職日の年齢が65歳以上（離職日の翌日から５年を経過する日までに公共職業安定所に出頭して求職の申込みと失業認定を受けること）

離職日以前１年間に被保険者期間が通算６ヵ月以上（65歳未満の一般被保険者であった期間を含む）あること

(2) 給付金額

高年齢求職者給付金額（一時金）＝**基本手当日額×給付日数**※

算定基礎期間	１年未満	１年以上
給付日数※	30日分	50日分

マルチ高年齢被保険者の場合、２つの事業所のうち一つの事業所のみ離職した場合は、離職していない事業所の賃金は含めずに支給額が算定される。受給期間は、離職の日の翌日から１年間

6．介護休業給付

支給要件	・介護休業を開始した日前２年間に賃金支払の基礎となった日数が11日以上ある月、または、賃金支払の基礎となった時間数が80時間以上ある月が通算して12ヵ月以上あること ・介護休業期間中の１ヵ月ごとに、休業開始前の１ヵ月当たりの賃金の80％以上が支払われていないこと（13％超80％未満は支給額が減額） ・支給単位期間（１ヵ月ごとの期間）に就業している日数が10日以下であること
対象家族	・被保険者の配偶者（事実婚含む）、父母（養父母含む）、子（養子含む）、祖父母、兄弟姉妹、孫、配偶者の父母（養父母含む） ※同居や扶養は問わない
支給額	・休業開始時賃金日額×支給日数×67％（原則） ・支給対象となる同じ家族につき通算93日を限度に３回を上限として分割取得できる ・休業開始時賃金日額には上限額・下限額があり、毎年８月１日に改定される
申請手続	・原則、介護休業終了日（介護休業期間が３ヵ月以上のときは介護休業開始日から３ヵ月を経過する日）の翌日から起算して２ヵ月を経過する日の属する月の末日までに行う

7．育児休業給付

① 被保険者期間要件：産休開始日前2年間に、11日以上就労している月が12ヵ月以上ある
② 産後パパ育休（出生時育児休業）と育児休業制度

	産後パパ育休 （育休とは別に取得）	育児休業制度	
	2022.10月創設	2022.10月以降	2022.9月末まで
給付金	出生時育児休業給付金[※1]	育児休業給付金[※2]	
対象期間 取得可能日数	子の出生後8週間以内に 4週間まで取得可 （4週間×2回も可）	子が1歳（最長2歳）まで	
申出期限	休業の2週間前まで	1ヵ月前まで	
分割取得	2回まで分割取得可 （まとめて申出）	2回まで分割取得可 （取得ごとに申出）	分割不可
休業中の就業	就業可[※3] （労使協定の締結必須）	就業不可	
1～2歳まで延長 （保育所に 入所できない等）	―	育休開始日は いつでも可 （夫婦途中交代可）	育休開始日は 1歳と1歳半
1歳以降の再取得	―	再取得可[※3]	再取得不可

※1　支給額＝休業開始賃金日額×休業期間の日数（28日が上限）×67%
※2　支給額＝休業開始賃金日額×休業期間の日数×67%（181日目以降は50%）
※3　最大10日（10日を超える場合は就業した時間数が80時間）以下であり、休業期間が28日間より短い場合は、その日数に比例して短くなる。
　　（例）　出生時育児休業期間：1回目は8日間・2回目は15日間の場合
　　　　　　最大10日×休業23日/28日≒8.21⇒9日（端数切り上げ）
　　　　∴　就業可能日数が9日以下であれば、出生時育児休業給付金は支給される

8．教育訓練給付

(1) 一般教育訓練給付金
　・支給要件　：被保険者であった期間が3年以上（初めて支給を受ける者は1年以上）
　・支給額　　：受講費用の20%（年間上限10万円）
(2) 専門実践教育訓練給付金
　・支給要件　：訓練前キャリアコンサルティングを受け、目標や職業能力開発と向上に関する事項を記載したジョブ・カードを作成する。受講開始日の原則2週間前までにハローワークへ提出して受給資格確認手続を行う。一定の条件を満たした受給資格者が失業状態にある場合、教育訓練支援給付金を受給（雇用保険の基本手当の日額相当額の80%）できる。
　・支給額　　：受講費用の50%（年間上限40万円）
　　　　　　　　訓練終了1年以内に資格取得・就職すると、受講費用の20%（年間上限16万円）が追加で支給

(3) 特定一般教育訓練給付金
・支給要件　：被保険者であった期間が３年以上（初めて支給を受ける者は１年以上）
　　　　　　　一定の条件を満たした受給資格者が失業状態にある場合、（２）同様に教育訓練支
　　　　　　　援給付金を受給できる。
・支給額　　：受講費用の40％（年間上限20万円）

6 公的年金

１．年金額改定のルール

【原則】

　新規裁定者（2023年度で67歳以下の人＊1956年４月２日以降生まれ）の年金額：**名目手取り賃金変動率を基準として改定**

　既裁定者（2023年度で68歳以上の人＊1956年４月１日以前生まれ）の年金額：**物価変動率を基準として改定**

【特例　名目手取り賃金変動率＜物価変動率の場合】

　新規裁定者・既裁定者ともに、**名目手取り賃金変動率を基準として改定**

　2024年度の改定状況では、名目手取り賃金変動率3.1％＜物価変動率3.2％であり、マクロ経済スライドによる調整△0.4％が行われたため、1.027（3.1％－0.4％＝2.7％）となる。2023年度の改定率は、1.018であったため、2024年度の改定率は1.045（1.027×1.018）である。

例）老齢基礎年金の年金額の求め方
・名目手取り賃金変動率2.8％＞物価変動率2.5％
・今年度のマクロ経済スライドによる調整率▲0.3％
・前年度・前々年度のマクロ経済スライド未調整分による調整率▲0.3％

→新規裁定者の年金額：2.8％－0.3％－0.3％＝2.2％
　　　　　　　　　　　　　　法定額78万900円×（1.022×前年の改定率）
→既裁定者の年金額　：2.5％－0.3％－0.3％＝1.9％
　　　　　　　　　　　　　　法定額78万900円×（1.019％×前年の改定率）
※なお、老齢厚生年金の年金額は、厚生年金保険加入中の標準報酬月額、標準賞与額に乗じる**再評価率**を改定することで、年金額が改定

２．老齢厚生年金の支給開始年齢の引上げ

生年月日　※女性は５年遅れ

		60歳	61歳	62歳	63歳	64歳	65歳

（定額部分の減額開始）

① 男性）1941.4.2生〜1943.4.1生
　 女性）1946.4.2生〜1948.4.1生
　報酬比例部分 ／ 老齢厚生年金
　定額部分 ／ 老齢基礎年金

② 男性）1943.4.2生〜1945.4.1生
　 女性）1948.4.2生〜1950.4.1生
　報酬比例部分 ／ 老齢厚生年金
　定額部分 ／ 老齢基礎年金

③ 男性）1945.4.2生〜1947.4.1生
　 女性）1950.4.2生〜1952.4.1生
　報酬比例部分 ／ 老齢厚生年金
　定額部分 ／ 老齢基礎年金

④ 男性）1947.4.2生〜1949.4.1生
　 女性）1952.4.2生〜1954.4.1生
　報酬比例部分 ／ 老齢厚生年金
　定額部分 ／ 老齢基礎年金

⑤ 男性）1949.4.2生〜1953.4.1生
　 女性）1954.4.2生〜1958.4.1生
　報酬比例部分 ／ 老齢厚生年金
　老齢基礎年金

（報酬比例部分の減額開始）

⑥ 男性）1953.4.2生〜1955.4.1生
　 女性）1958.4.2生〜1960.4.1生
　報酬比例部分 ／ 老齢厚生年金
　老齢基礎年金

⑦ 男性）1955.4.2生〜1957.4.1生
　 女性）1960.4.2生〜1962.4.1生
　報酬比例部分 ／ 老齢厚生年金
　老齢基礎年金

⑧ 男性）1957.4.2生〜1959.4.1生
　 女性）1962.4.2生〜1964.4.1生
　報酬比例部分 ／ 老齢厚生年金
　老齢基礎年金

⑨ 男性）1959.4.2生〜1961.4.1生
　 女性）1964.4.2生〜1966.4.1生
　63歳　報酬比例部分 ／ 老齢厚生年金
　64歳　老齢基礎年金

⑩ 男性）1961.4.2生〜
　 女性）1966.4.2生〜
　老齢厚生年金
　老齢基礎年金

３．老齢基礎年金の計算式（保険料免除期間を有しない場合の計算式）

$$\text{老齢基礎年金の額} = 816{,}000^{※1}\text{円} \times \frac{\text{保険料納付済期間の月数}^{※2}}{\text{加入可能年数}^{※3} \times 12}$$

※１　1956年４月１日以前生まれの者は、813,700円

※２　20歳未満や60歳以上の国民年金第２号である期間は含まない

※３　加入可能年数は、原則として40年

※　１ヵ月繰上げるごとに0.4％が減額され、１ヵ月繰下げるごとに0.7％が増額される。なお、0.4％の減額率は2022年４月１日以降に60歳に到達する者に適用される。繰下げ受給は遅くても75歳までに開始。なお、繰下げて受給する場合の振替加算は、増額されない。

※　保険料全額免除期間を有する場合の年金額は、保険料全額納付した場合の２分の１（2009年３月分までは３分の１）。

４．付加年金の計算式（付加保険料の納付済期間がある場合）

$$\text{付加年金の年金額} = 200\text{円} \times \text{付加保険料納付済期間の月数}$$

※　付加保険料：月額400円

5．老齢厚生年金（60歳台後半在職のケース）

⇒報酬比例部分の額－在職老齢年金による支給調整額＋経過的加算額＋加給年金額

(1) 報酬比例部分の計算式（本来水準による価額）

> 年金額（円未満四捨五入）＝平均標準報酬月額[※1]×新乗率[※2]×
>
> 2003年3月以前の被保険者期間の月数＋平均標準報酬額[※1]
>
> ×新乗率[※2]×2003年4月以降の被保険者期間の月数

※1 2024年度再評価による額。標準報酬月額の上限は、32級65万円

※2 1946年4月2日以降生まれの場合

報酬比例部分の給付乗率			
総報酬制導入前（2003年3月以前）		総報酬制導入後（2003年4月以降）	
新乗率	旧乗率	新乗率	旧乗率
1,000分の7.125	1,000分の7.5	1,000分の5.481	1,000分の5.769

(2) 在職老齢年金による支給調整額

・基本月額＝報酬比例部分の額（円未満四捨五入）÷12月

・支給調整額＝（総報酬月額相当額＋基本月額－50万円[2024年度支給停止調整開始額価額]）×1/2
　　　　　×12月

受給権者が厚生年金の被保険者である場合、年金額は毎年9月1日を基準日とし、翌10月から改定する。

(3) 経過的加算額の計算式

・老齢厚生年金を繰上げすると、同じ減額率で同時に繰上げとなる

> 経過的加算額＝定額部分の額－老齢基礎年金相当額
>
> ＝1,701[※1]円×被保険者期間の月数[※2]
>
> $-816{,}000円 \times \dfrac{1961年4月以降で20歳以上60歳未満の厚生年金保険の被保険者期間の月数}{加入可能年数 \times 12}$

※1 1956年4月1日以前生まれの者は、1,696円

※2 1946年4月2日以降生まれの者の場合、480月が上限

被保険者期間の月数について、退職日の翌日を資格喪失日としてその前月まで

（例）退職日→被保険者期間

・11月20日→10月まで

・11月30日→11月まで

(4) 加給年金額

① 支給要件

・本人の厚生年金加入期間が20年以上

・配偶者が65歳未満で生計維持関係にある（ただし、老齢厚生年金を受給し始めてからの婚姻は対象外）

・配偶者の年収が850万円未満

・配偶者の厚生年金加入期間が20年未満（配偶者の特別支給の老齢厚生年金、老齢厚生年金が在職老齢年金制度や雇用保険の基本手当との調整により全額支給停止されている場合であっても、加

給年金額は支給停止となる（2022年度～））

・年金法上の子

② 支給額

配偶者234,800円、第1子・第2子234,800円、第3子以降78,300円

なお、在職支給停止の仕組みにより老齢厚生年金の全額が支給停止されない限り、加給年金額は全額支給される。配偶者には特別加算額173,300円（昭和18年4月2日以後生まれの場合）を合算して、408,100円になる。

また、老齢厚生年金の繰下げ待機期間中は、加給年金も支給停止となる。

(5) 遺族厚生年金との併給調整

老齢厚生年金は全額支給されたうえで、差額分のみ遺族厚生年金として支給される。

遺族厚生年金	遺族厚生年金 または $遺族厚生年金 \times \dfrac{2}{3} + 老齢厚生年金 \times \dfrac{1}{2}$
老齢厚生年金	
老齢基礎年金	

6. 特別支給の老齢厚生年金（60歳台前半）⇒定額部分の額＋報酬比例部分の額（本来水準による価額）

> 定額部分：1,701円×被保険者期間の月数※
>
> 報酬比例部分：老齢厚生年金（報酬比例部分）と同じ計算方法

※　1946年4月2日以降生まれの者の場合、480月が上限

7. 遺族年金（2024年度価額）

(1) 遺族基礎年金の計算式

子のある配偶者（年収850万円未満）が受給する場合の遺族基礎年金の計算式は以下のとおり。

> **816,000円＋子の加算**※
>
> ※　子の加算：2人目までは1人につき234,800円、3人目からは1人につき78,300円

遺族基礎年金を受給できる遺族がいない場合に、死亡一時金が一定の遺族に支給される。

(2) 遺族厚生年金の計算式

配偶者または子（18歳到達年度末日まで、障害等級1級、2級を除く）、父母（55歳以上）、孫（18歳到達年度末日まで、障害等級1級、2級を除く）、祖父母（55歳以上）の順。年収850万円未満。遺族が夫の場合は55歳以上

> **遺族厚生年金の年金額＝老齢厚生年金の報酬比例部分の額×$\dfrac{3}{4}$**
>
> ※　短期要件の場合は、加入期間が300月に満たなくても被保険者月数300月として計算する

中高齢寡婦加算（遺族基礎年金×$\dfrac{3}{4}$）：612,000円

8．障害年金（2024年度価額［1956年４月２日以降生まれの者］）

(1)　障害基礎年金

> ・１級：1,020,000円（２級障害基礎年金×1.25)＋**子の加算**※
>
> ・２級：816,000円＋**子の加算**※
>
> ※　子の加算：２人目までは１人につき234,800円、３人目からは１人につき78,300円

(2)　障害厚生年金

> １級：老齢厚生年金の報酬比例部分の額×1.25＋配偶者加給年金※
>
> ２級：老齢厚生年金の報酬比例部分の額＋配偶者加給年金※
>
> ３級：老齢厚生年金の報酬比例部分の額（最低保障額　612,000円＝２級障害基礎年金×$\frac{3}{4}$）
>
> ※　配偶者加給年金：65歳未満であり、年収850万円未満の配偶者がいる場合は、234,800円

　　　初診日から５年以内に治り、治った日に軽度の障害状態であれば障害手当金を請求できるが、労働者災害補償保険の障害補償給付等と併給されない。

9．公的年金等に係る所得税

(1)　公的年金の源泉徴収額の計算

> 所得税＝（年金額－社会保険料控除等、各種控除）×5.105%※

　※　「扶養親族等申告書」を提出していない場合も、所得税率は5.105%で源泉徴収される。提出した場合は、配偶者控除等の人的控除が受けられる。

(2)　申告手続
　①　公的年金等に係る雑所得の金額から所得控除を差し引いて残額があれば、確定申告して税額を精算する。
　②　公的年金等に係る確定申告不要制度
　　　公的年金等に係る雑所得を有する居住者で、その年中の公的年金等の収入金額が400万円以下であり、かつ、その年分の公的年金等に係る雑所得以外の所得金額が20万円以下である場合には確定申告の必要はない。
　　　※　医療費控除による所得税の還付を受けるためには確定申告する必要がある。
　　　※　公的年金等以外の所得金額が20万円以下で確定申告の必要がない場合でも、住民税の申告が必要な場合がある。
　③　死亡等により、未支給の年金を遺族が受け取った場合は、遺族の一時所得として所得税の対象となる。

7 企業年金等

1．確定拠出年金

(1)　確定拠出年金とは
　　　掛金を企業が拠出する企業型DCと、個人が自分で加入して掛金を自分で拠出する個人型DC（iDeCo）がある。ただし、第１・３号被保険者は国民年金に（任意）加入している者に限る。海外居住者でも国民年金に任意加入していれば、iDeCoに加入できる。

(2)　加入可能年齢
　　・企業型：70歳未満
　　・個人型：65歳未満※
　　※　60歳以降も厚生年金に加入する第2号被保険者と、第1・3号被保険者で国民年金に任意加入
　　　　している者は65歳まで加入可能になる。

(3)　加入者と拠出限度額

加入対象者			拠出限度額	
			～2024年12月	2024年12月～
個人型DC（iDeCo）	国民年金の第1号被保険者		年額81.6万円	
	国民年金の第3号被保険者		年額27.6万円	
	国民年金の第2号被保険者	会社員 企業型DC＋DB等	月額1.2万円	月額2万円
		会社員 企業型DCのみ	月額2万円	
		会社員 DB等のみ	年額14.4万円	
		会社員 企業年金なし	年額27.6万円	
		公務員等	年額14.4万円	月額2万円
企業型DC	企業型DC＋DB等		年額33万円	年額66万円
	iDeCoとの合計※		月額2.75万円	月額5.5万円
	企業型DCのみ		年額66万円	
	iDeCoとの合計※		月額5.5万円	

DBとは、確定給付企業年金のこと。
※　規約の定めがなくても、個人型DC（iDeCo）の拠出が認められるように改正（2022年10月）。各月
　　の事業主掛金との合算拠出限度額あり。なお、マッチング拠出とするか個人型DC（iDeCo）に加入
　　するかは、加入者ごとに選択できる。
　（例）　企業型DCのほか、他の企業年金がある場合に、事業主掛金が月2.3万円とDB等の掛金が月1.7万円であ
　　　　れば、iDeCoの拠出可能額は月4,500円（2024年12月以降は月1.5万円）

(4)　ポータビリティ
　　　加入者が退職して国民年金の加入者となった場合は個人型DC（iDeCo）年金へ、転職した場合は
　　転職先の企業型年金または個人型年金へ資産を移換することができる。

(5)　掛金と課税関係
　　　個人が拠出した掛金は、**小規模企業共済等掛金控除**として全額所得控除になる。

(6)　給付
　①　種類：老齢給付金・障害給付金・死亡一時金（障害給付金の支給を請求すれば老齢給付金の受給

権消滅）

② 通算加入者等期間10年以上の老齢給付金：60歳から受給可能

（遅くとも75歳までに受給開始。企業型の場合、請求がなくても75歳に達すれば支給。）

③ 有期年金の場合：期間は5年以上20年以下

④ 一括受取の場合：退職所得として所得税の対象

(7) 企業型DCの脱退一時金を受給できる要件

【要件】(1)～(7)の全てに該当すること

(1) 企業型DCの加入者・運用指図者、iDeCoの加入者・運用指図者でない

(2) 企業型DCの資格喪失した日の翌月から6ヵ月以内に請求

(3) 60歳未満

(4) iDeCoに加入できない

(5) 日本国籍を有する海外移住者（20歳以上60歳未満）でない

(6) 障害給付金の受給権者でない

(7) 企業型DC及びiDeCoの加入者として掛金拠出期間が5年以内、または、個人別管理資産25万円以下

２．中小事業主掛金納付制度（愛称：iDeCo＋（イデコプラス））

(1) 中小事業主掛金納付制度とは

従業員が個人型確定拠出年金（iDeCo（イデコ））に加入している場合、従業員の掛金に企業が中小事業主掛金を上乗せ拠出する助成制度である。

(2) 実施要件

・従業員数300人以下

・企業年金（厚生年金基金・確定給付企業年金・企業型DC）を実施していない。

・加入者掛金を給与天引きで納付している。

・中小事業主掛金納付制度の実施について労使合意している。

(3) 拠出額

加入者掛金と事業主掛金の合計が、月額5,000円以上2.3万円以下（年額27.6万円以下）

(4) 掛金と課税関係

・加入者掛金：小規模企業共済等掛金控除の対象

・事業主掛金：損金算入

３．小規模企業共済制度

掛金月額：1,000～70,000円（500円単位、増額や減額は可能）

前納割引：前納月数に応じた前納減額金を受け取れる

解　　約：掛金合計額の80～120%相当額、納付月数240月未満に任意解約は元本割れ

納付月数12月未満の任意解約は解約手当金なし

・65歳以上または廃業による解約→（一括）退職所得、（分割）公的年金等の雑所得

・その他任意解約→一時所得

受取方法：一括・分割・併用。分割は300万円以上、併用は330万円以上あることが要件

3 リスク管理

1 保険契約者保護機構

国内で営業を行うすべての保険会社は、生命保険契約者保護機構・損害保険契約者保護機構に強制加入する。

1．補償対象契約の補償割合
(1) 生命保険契約者保護機構

国内の元受保険契約で、運用実績連動型保険契約の特定特別勘定部分以外について、破綻時点の責任準備金等の90％（高予定利率契約等を除く）

かんぽ生命保険の生命保険契約や国内で事業を行う生命保険会社の外貨建保険も対象

(2) 損害保険契約者保護機構
・自賠責保険・家計地震保険は、破綻後も100％補償
・火災保険・任意の自動車保険は、破綻後3ヵ月間は100％補償、3ヵ月経過後は80％補償

2 生命保険の商品

1．総合福祉団体定期保険
契約者：法人、被保険者：役員・従業員、受取人：被保険者の遺族（法人も可）
主契約に、ヒューマン・バリュー特約（受取人は法人）や災害総合保障特約を付加できる。
保険料は全額法人負担（損金算入）。保険期間は1年の告知書扱い
被保険者の同意が必要となる（受取人を法人とするときも被保険者の同意が必要）。

2．財形貯蓄（勤労者財産形成貯蓄）

貯蓄型	銀行・証券会社等の財形貯蓄商品
保険型	保険会社の財形貯蓄商品（生命保険料控除の対象とならない）

保険型の場合、一般財形・財形住宅（払込保険料550万円まで非課税）・財形年金（払込保険料385万円まで非課税）のいずれも、保険期間中（財形年金については年金開始前）に被保険者が不慮の事故で死亡した場合は払込保険料累計額の5倍相当額が災害保険金として支払われる。

3 損害保険と法律

1．自動車事故と損害保険
(1) 自動車損害賠償保障法（自賠法）
被害者保護のため、加害者に無過失責任に近い責任を負わせている。

(2) 自動車賠償責任保険（自賠責保険）
加入せずに自動車を運転した場合、1年以下の懲役または50万円以下の罰金が科される。

① 補償対象：対人賠償事故のみ
② 保険金等の請求方法
　　被害者請求と加害者請求の２つがある（仮渡金に加害者請求はない）。
　・本請求：すべての治療が終わってからまとめて請求すること
　・仮渡金請求：被害者の当座の出費に充てるために被害者が請求すること
③ 補償内容（被害者１名ごとの支払限度額）
　　傷害：120万円、後遺障害：4,000万円、死亡：3,000万円
　　※　被害者に70％以上の過失がある場合、保険金額は減額される（重過失減額）。
④ 保険料：車種や保険期間に応じて定める。損害保険会社、年齢、走行距離等による差異なし

(3) 政府による自動車損害賠償保障事業（政府保障事業）
　　ひき逃げ事故や無保険車にひかれた被害者救済のため、被害者は自動車損害賠償保障事業に対して直接請求して補償を受けることができる。
　① 損害のてん補請求
　　　被害者請求のみ（内払金請求、仮渡金請求の制度はない）
　② 補償内容
　　　支払限度額は、自動車賠償責任保険と同様
　　　※　被害者が社会保険から給付を受けた場合や、加害者から支払いがあった場合は、その金額が差し引かれる。

(4) 時効
　① 民法上（第709条）の不法行為による損害賠償請求権の時効
　　・被害者またはその法定代理人が損害および加害者を知ったときから３年
　　　（ただし、人の生命または身体の侵害による損害賠償請求権は５年）
　　・事故が発生したときから20年
　② 保険金請求権の時効
　　　自賠責保険・自動車損害賠償保障事業（政府の保障事業）

加害者請求	被害者に損害賠償金を支払ったときから３年
被害者請求	・傷害は事故発生日から３年 ・後遺障害は症状固定日から３年 ・死亡は死亡日から３年

　　※　自賠責保険では、治療が長引いたり、加害者と被害者の話し合いがつかないなど３年以内に請求できない場合、時効の更新ができる。仮渡金が支払われたときも、時効が更新する。
　　※　自動車損害賠償保障事業（政府保障事業）では、時効の更新はできない。

(5) 任意の自動車保険（対人・対物）は法律上の損害賠償責任の額が示談・判決などにより確定したときから３年

⑹　自動車保険（任意保険）

	ノンフリート契約	フリート契約
契約台数	1〜9台	10台以上 （異なる保険会社に分割して付保している場合は必ず登録申請する。共済は含まない）
契約単位 （割引・割増の適用単位）	自動車1台単位	契約者単位
割引・割増の決定方法等	・1台ごとの事故件数（保険金の額とは無関係） ・年齢条件 ・運転者条件 ・等級（1〜20）が上がるほど割引率は高くなり、保険料は安くなる ・対人・対物事故は3等級下がる ・台風、洪水、窓ガラス破損等により車両保険を使用すると1等級下がる ・人身傷害保険・個人賠償責任特約を使用しても、ノーカウント事故で1級上がる ・同じ等級でも事故の有無により保険料に適用される割引率は異なる	・自動車の総契約台数 ・契約全体での損害率（保険料と支払保険金の割合）によって、優良割引率・第一種デメリット料率 ・1つの保険証券で契約するとフリート多数割引（全車両一括特約） ・用途車種別基本保険料を適用（運転者年齢条件はなし）

・リスク細分型保険では、年齢、運転免許証の色、使用目的、年間走行距離、地域等により細分化している。衝突被害軽減ブレーキ（ＡＥＢ）が装着されている場合、一律9％のＡＳＶ割引（発売後約3年以内の型式に限る）を適用。
・自動車を廃棄・譲渡した場合や海外渡航（一時的に被保険自動車を所有または使用しない）ときは保険契約の「中断制度」がある。「中断制度」とは、保険会社を問わず、中断証明書の有効期限内に新たに契約する自動車保険に中断前の等級を引き継ぐことができる制度。

⑺　テレマティクス保険
　走行距離や運転者の運転の特性の情報を取得・評価して保険料に反映させる保険

２．失火責任法

⑴　失火により隣家を焼失させた場合

軽過失による失火	失火責任法が適用され、損害賠償責任を負わない
重過失または故意による失火・爆発による損壊	失火責任法は適用されず、損害賠償責任を負う（民法の不法行為責任）

4 損害保険商品

１．地震保険

⑴　保険の目的
　居住用建物（店舗併用住宅含む）および家財（生活用動産）
　※　区分所有建物の共用部分も契約することができる。
　※　通貨、有価証券、1個または1組の価値が30万円超の貴金属、骨董品、書画等は含まれない。

※　紛失、盗難による損害は対象外

※　目的が建物の場合、門・堀・給排水設備が単独で損害を受けると対象外

(2)　補償の対象

地震・噴火・津波を直接または間接の原因とする火災・損壊・埋没・流失による損害（全損・大半損・小半損・一部損）を補償

(3)　地震保険の保険金額

火災保険の保険金額の30〜50％、かつ、建物5,000万円、家財1,000万円が限度

(4)　加入方法

・火災保険に新規加入する場合、原則自動付帯となる。加入を希望しない場合は、「付帯しない」旨の確認印が必要

・保険期間は、短期（１年）および長期（２〜５年）となる。

・火災保険の保険期間が５年の場合、付帯する地震保険の保険期間は、１年の自動継続または５年の自動継続となる。

・既加入の火災保険にも中途付帯できる。

(5)　保険料

構造（イ構造・ロ構造の２区分、イ構造の保険料が安い）と所在地（都道府県による等地別の３区分、１等地の保険料が安い）によって保険料が異なる。保険会社によって保険料が異なることはない。

〈保険料の割引制度〉

「建築年割引（10％）」・「耐震等級割引（等級１：10％、等級２：30％、等級３：50％）」・「耐震診断割引（10％）」・「免震建築物割引（50％）」の４つの割引制度があるが、重複適用はできない。

(6)　地震保険の損害区分の細分化

損害区分は４区分ある。

損害の程度	保険金の支払割合
全　損	100％
大半損	60％
小半損	30％
一部損	5％

２．会社役員賠償責任保険（Ｄ＆Ｏ保険）

経営判断に関わる責任を追及する株主代表訴訟、会社訴訟、第三者から役員に対する訴訟など、役員を取り巻く訴訟リスクに備える目的

・被保険者：取締役・監査役・執行役などすべての役員

　　　　　　（保険期間中に退任した役員・新選任された役員を含む）

・契約内容の決定：株主総会（取締役会設置会社の場合は、取締役会）の決議

・支払い対象：第三者訴訟や社員代表訴訟の損害賠償金や争訟費用（弁護士報酬等）

　　　　　　　インサイダー取引を行ったことに起因する損害賠償請求は対象外

・税務上の取扱い：役員個人に給与課税されない（株主総会の決議による加入が条件）

3．その他、事業活動に係る損害保険の商品性

サイバー保険	事業者の情報漏えいや他人の業務阻害等による賠償金や対応費用を補償（第三者への賠償責任、情報漏えい対応費用や再発防止実施費用等、利益損害など）
請負業者賠償責任保険	請負作業遂行中に発生した偶然な事故、または請負作業遂行のために所有・使用・管理している施設の欠陥や管理不備等に起因する対人・対物事故による賠償責任を補償
生産物賠償責任保険	マンションの改修工事など作業完了後、工事結果の不良に起因する対人・対物事故を補償
建設工事保険	住宅、事務所ビル等の建物の建築工事期間中における、火災・爆発・落雷・盗難等の不測かつ突発的な事故による工事の目的物について生じる損害を補償
施設所有（管理）者賠償責任保険	各種施設・設備・用具等の構造上の欠陥や管理の不備による事故と業務活動等での不注意による事故で生じる損害を補償
労働災害総合保険	政府労災保険の上乗せ補償となる法定外補償と使用者賠償責任を補償

5 保険料と税金

1．生命保険料控除

(1) 一般の生命保険料控除・介護医療保険料控除

　　保険金受取人が契約者、配偶者またはその他の親族（6親等以内血族と3親等以内姻族）である保険が対象

　　※　財形貯蓄保険や少額短期保険は対象外

　　※　自動振替貸付によりその年中の払込分として充当された保険料は対象

　　※　特定疾病保障定期保険（3大疾病など）は、一般の生命保険料控除の対象

(2) 個人年金保険料控除

　　以下①〜④の要件をすべて満たし、「個人年金保険料税制適格特約」を付加した個人年金保険が対象。

　　※　変額個人年金保険は一般生命保険料控除の対象になる。

　　①　年金受取人が保険契約者または配偶者であること

　　②　年金受取人と被保険者が同一であること

　　③　保険料払込期間が10年以上（一時払は除く）であること

　　④　年金種類が確定年金・有期年金の場合、年金受取開始年齢が60歳以上、かつ、年金支払期間が10年以上であること（終身年金の場合は年金受取開始年齢要件はない）

(3) 控除限度額

契約時期	所得税の控除限度額		住民税の控除限度額	
	2011年まで	2012年以降	2011年まで	2012年以降
一般生命保険料控除	5万円	4万円	3.5万円	2.8万円
個人年金保険料控除	5万円	4万円	3.5万円	2.8万円
介護医療保険料控除	―	4万円	―	2.8万円
控除限度額	10万円	12万円	7万円	7万円
新旧通算控除限度額	12万円		7万円	

※ 新制度と旧制度ともに適用がある場合、適用の最高限度額は、所得税12万円、住民税7万円となる。

6 個人の損害保険契約と税金

1．人身傷害補償保険
事故の相手方の過失割合に相当する金額は非課税

2．車両保険
自家用車の盗難で受け取った保険金は非課税

3．火災保険
雑損控除の対象金額は、損害額から受け取った保険金額を控除する

4．所得補償保険
医療控除の対象金額は、医療費から受け取った保険金額を控除しない

7 個人事業主の損害保険契約と税金

1．棚卸資産（個人事業主が所有する店舗内の商品）に対する損害
受け取った保険金は事業収入となる。

2．事業用固定資産（店舗や設備）そのものに対する損害
受け取った保険金は非課税

（損失額から受け取った保険金額を差し引き、損失額が上回った場合は必要経費に計上できる。逆に、保険金が上回ったとしても税金の対象にはならない）

3．休業に対する損害
受け取った保険金は事業収入となる。

4．従業員の傷害に対する損害
受け取った死亡保険金は事業収入となる。

8 法人契約と経理処理

1．生命保険料の経理処理

(1) 保険期間３年以上の定期保険または第三分野保険

〈最高解約返戻率が50％超の場合（2019年７月８日以降の契約分から適用）〉

最高解約返戻率	保険期間		
	当初４割期間（資産計上期間）	次の3.5割期間	最後2.5割期間（資産取崩期間）
50％超70％以下	40％資産計上 （60％損金算入）	全額損金算入	全額損金算入 資産計上額を均等に取り崩し、損金算入
70％超85％以下	60％資産計上 （40％損金算入）		
85％超	［当初10年間］ 「保険料×最高解約返戻率×90％」を資産計上（残額を損金算入） ［11年目以降※］ 「保険料×最高解約返戻率×70％」を資産計上（残額を損金算入） ［資産計上期間と資産取崩期間の間の期間］ 全額損金算入 ［資産取崩期間］ 解約返戻金が最も高くなる時期（解約返戻金額ピーク）から資産計上額を均等に取り崩し、損金算入		

※ 11年目以降は、「最高解約返戻率となる期間（解約返戻率ピーク）」または「年間の解約返戻金増加額÷年間保険料（解約返戻金増加率）≦70％になる年」のいずれか遅いほうまでの期間

- 最高解約返戻率50％以下の場合は、**全額損金算入**
- 保険期間が終身である第三分野保険については、保険期間の開始の日から被保険者の年齢が116歳に達する日までを計算上の保険期間とする。
- 最高解約返戻率が50％超70％以下で、かつ、年換算保険料相当額が30万円以下の場合、年間保険料は**全額損金算入**

(2) 上記(1)以外の定期保険または第三分野保険

〈保険期間を通じて解約返戻金がなく（ごく少額を含む）、保険料の払込期間が保険期間よりも短い場合（2019年10月８日以降の契約分から適用）〉

年間の支払保険料	経理処理
30万円以下	支払った日の属する事業年度で損金算入
30万円超	保険期間の経過に応じて損金算入（保険期間を116歳満了とみなす）

(3) 払済終身保険に変更時の経理処理

> **変更時における解約返戻金相当額－前払保険料（資産計上額）**
> = {＋の場合：雑収入として**益金算入**
> 　 －の場合：雑損失として**損金算入**

（例）定期保険（長期平準定期保険ではない）から払済終身保険に変更時
定期保険の場合、前払保険料（資産計上額）は０円であるため、解約返戻金相当額を雑収入として益金

算入する。

借　　方	貸　　方
保険積立金：解約返戻金相当額 【資産の増加（⇒資産計上）】	雑収入：解約返戻金相当額 【収益の発生（⇒益金算入）】

２．契約者および保険受取人の地位（権利）を法人→個人に名義変更

（2019年7月8日以後に加入した契約において、2021年7月1日以後に名義変更した場合に適用）

名義変更時の評価額

・原則：解約返戻金相当額

・例外（解約返戻金相当額が資産計上額の70％未満）：資産計上額

３．保険金と圧縮記帳

　工場など事業用固定資産が全焼し、法人が受け取った火災保険金で新しい工場を代替取得する場合には、一定要件を満たせば保険差益に課税されず課税を繰り延べることができる。

(1) 圧縮限度額

保険差益＝保険金[※1]−（建物等の損失発生前の帳簿価額のうち被害部分相当額＋支出費用[※2]）

※1　保険金（企業費用・利益総合保険の保険金は含まれない）

※2　支出費用とは、取壊し費、焼跡の整理費など（見舞金や賠償金は含まれない）

$$圧縮限度額＝保険差益×\frac{代替資産の取得に充てた保険金（分母の金額が限度）}{保険金−支出費用}$$

　保険差益のうち圧縮限度額を損金算入し、その額を保険金で購入した新たな資産の帳簿価額から減額する。

［図解］

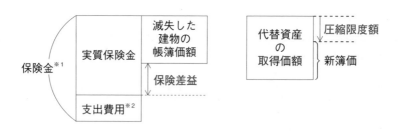

(2) 留意点

・保険金で購入する代替資産が被災した資産と同種であること

・固定資産が被災した日から3年以内に保険金が支払われることが確定していること

・圧縮記帳の対象は、法人所有の固定資産に限られる（個人所有不可、棚卸資産不可）。

・保険金等の額が確定する前に、代替資産を取得した場合には、保険金等の額が確定日の属する事業年度において圧縮記帳の適用対象となる。

・車両保険の保険金で代替車を取得した場合も圧縮記帳が認められる。

9 健全性・収益性に関する指標等

指標など	内容
基礎利益	期間損益の状況を表す指標 基礎利益＝経常利益－キャピタル損益（有価証券売却損益など）－臨時損益（危険準備金繰入額など）
ＥＶ （エンベディッド・バリュー）	企業価値を表す指標 ＥＶ＝修正純資産（内部留保や含み損益を含む）＋保有契約価値（保有契約から将来的にもたらされる利益）
ソルベンシー・マージン比率	保険金等の支払余力を表す指標 200％を下回ると、金融庁による業務改善命令などの早期是正措置の対象
実質純資産額	実質純資産額＝時価ベースの資産合計－負債合計（価格変動準備金や危険準備金など資本性の高い負債） マイナスになると、金融庁による業務停止命令の対象
リスク管理債権	何らかの理由で返済されない、延滞しているといった状況にある貸出金のこと。破綻先債権・延滞債権・3ヵ月以上延滞債権・貸付条件緩和債権がある。

10 キャッシュフロー計算書（間接法）

構成する主な要素は、「営業活動」「投資活動」「財務活動」で、キャッシュの動きを示す。

	現金が減少する要因
営業活動によるキャッシュフロー （本業による現金の増減）	● 売上高の減少 ● 販売費および一般管理費の増加
投資活動によるキャッシュフロー （固定資産等の取得・売却による現金の増減）	● 有形固定資産の取得 ● 投資有価証券の取得
財務活動によるキャッシュフロー （借入や返済による現金の増減）	● 自己株式の取得 ● 社債の償還

※　フリー・キャッシュフロー（会社が自由に使える現金のこと。投資余力があり事業成長の可能性を示す）
　＝「営業活動によるキャッシュフロー」－「投資活動によるキャッシュフロー」

4 金融資産運用

1 マーケット環境の理解

1．経済指標

企業物価指数	企業間で取引される財の価格の変動を指数化したもので、日本銀行が毎月公表。サービス価格は含まれていない
消費者物価指数	全国の世帯が購入する家計に係る財およびサービスの価格等を総合した物価の変動を時系列的に測定するもので、総務省が毎月公表。消費税などの間接税は、物価指数に反映される
完全失業率	労働力人口（15歳以上の就業者数および完全失業者数）に占める完全失業者数の割合で、総務省が「労働力調査」で毎月公表。完全失業者とは、求職活動をしたが職につかなかった者
有効求人倍率	公共職業安定所で扱った有効求人数を求職者数で除したもので、厚生労働省が「職業安定業務統計」で毎月公表
マネーストック統計	通貨保有主体が保有する現金通貨や預金通貨などの通貨量の残高。通貨・発行主体の範囲により、Ｍ１、Ｍ２、Ｍ３、広義流動性の４つの指標がある。日本銀行が毎月公表
鉱工業指数	鉱工業製品を生産する国内事業所における生産、出荷、在庫に係る諸活動、設備の稼働状況、生産能力の動向、生産の先行き２ヵ月の計画の把握を行うことを目的とするもので、経済産業省が毎月調査・公表

2．景気動向指数

　内閣府が毎月公表。コンポジット・インデックス（ＣＩ）とディフュージョン・インデックス（ＤＩ）があるが、ＣＩ中心の公表形態となっている。

　また、2020年６月速報から、先行指数11、一致指数10、遅行指数９の30系列※になっている。

ＣＩ	採用系列の変化量を合成することで、景気変動の大きさやテンポを測定することを目的とする。一致ＣＩが上昇している時は景気拡張局面、低下している時は景気後退局面である
ＤＩ	採用系列のうち改善している指標の割合で、景気の各経済部門への波及度合いを測定することを目的とする。一致ＤＩは、景気拡張局面では50％を上回り、景気後退局面では50％を下回る傾向がある
ヒストリカルＤＩ	景気転換点の判定に用いられる

※　2021年１月速報から、一致指数のうち「所定外労働時間指数」が除外され、「労働投入量指数」が採用された。

3．長短金利操作付き量的・質的金融緩和の導入とその見直し

　2016年９月の金融政策決定会合において、「量的・質的金融緩和」導入以降の経済・物価動向と政策効果についての総括的な検証が行われ、その結果を踏まえて、金融緩和強化のための新しい枠組みである「長短金利操作（イールドカーブ・コントロール）付き量的・質的金融緩和」が導入された。

　なお、消費者物価上昇率の実績値が安定的に２％の「物価安定の目標」を超えるまで、マネタリーベースの拡大方針を継続する「オーバーシュート型コミットメント」も同時に行うこととされた。

　その後、2023年10月に開催された金融政策決定会合では、イールドカーブ・コントロールにおいて許容する長期金利の上限を1.0％超も許容する方針に変更した。

さらに、2024年３月における金融政策決定会合では、「長短金利操作（イールドカーブ・コントロール）付き量的質的金融緩和」および「マイナス金利政策」はその役割を終えたものとして、無担保コール翌日物レートを０〜0.1％に誘導することなどを決定し、オーバーシュート型コミットメントも廃止された。

※　2024年７月における金融政策決定会合では、無担保コール翌日物レートの0.25％程度への引き上げ、国債買い入れの減額計画が公表された。

2 投資信託

１．投資信託の運用スタイル

(1)　パッシブ運用

目標となるベンチマークと連動する投資成果を目指す運用スタイル

(2)　アクティブ運用

目標となるベンチマークを上回る投資成果を目指す運用スタイル

〈トップダウン・アプローチとボトムアップ・アプローチ〉

トップダウン・アプローチ	金利、為替、景気などのマクロ経済の動向を分析して投資比率・業種などを決める手法
ボトムアップ・アプローチ	個別企業の情報を基にして投資魅力の高い銘柄をピックアップする手法

〈グロース運用とバリュー運用〉

グロース運用	個別銘柄の成長性を重視して銘柄選択を行うスタイル
バリュー運用	個別銘柄の割安性を重視して銘柄選択を行うスタイル

２．個別元本方式

同じファンドを追加で買付けした場合には、移動平均法により個別元本がその都度変更される。公募追加型株式投資信託における収益分配金は、配当所得として20.315％（所得税15.315％（復興特別所得税を含む）、住民税５％）源泉徴収となる普通分配金と、非課税となる元本払戻金（特別分配金）の２つに区分される。

(1)　分配落ち後の基準価額≧個別元本　の場合

・全額が普通分配金として課税される。

・分配金受取後の個別元本は修正されない。

(2)　分配落ち後の基準価額＜個別元本　の場合

・個別元本と分配落ち後の基準価額の差額は元本払戻金として非課税である。

・残額は普通分配金として課税される。

・分配金受取後の個別元本は、元本払戻金の分だけ減額修正される。

3 債券投資

1．個人向け国債

	変動10年	固定5年	固定3年
金利水準	基準金利×0.66	基準金利−0.05%	基準金利−0.03%
下限金利	0.05%		
発行頻度	毎月		
中途換金	第2期利子支払日以後（発行後1年経過後）、中途換金可能（国が額面金額で買取る） 直前2回分の各利子（税引前）×0.79685が差し引かれる		

2．債券の利回り計算

$$利付債券の最終利回り（単利）（\%）=\dfrac{クーポン+\dfrac{100-単価}{残存年数}}{単価}\times100$$

$$割引債券の最終利回り（1年複利）（\%）=\left(\sqrt[残存年数]{\dfrac{100}{単価}}-1\right)\times100$$

$$割引債券の単価（円）=\dfrac{100}{（1+利回り）^{残存年数}}$$

4 株式投資

1．配当性向と内部留保率

配当性向は、利益の株主還元状況を示す指標

$$配当性向（\%）=\dfrac{配当金総額}{当期純利益}\times100 \quad 内部留保率（\%）=1-配当性向$$

2．資本利益率（ROAとROE）

⑴ 使用総資本事業利益率（ROA）

$$使用総資本事業利益率（ROA）（\%）=\dfrac{事業利益}{使用総資本（総資産）}\times100$$

【2指標分解】＝売上高事業利益率×総資本回転率

※ 事業利益＝営業利益＋受取利息および受取配当＋有価証券利息

※ 分子の利益を経常利益にすると、総資産経常利益率となる

⑵ 自己資本当期純利益率（ＲＯＥ）

$$自己資本当期純利益率（ＲＯＥ）（\%）＝\frac{当期純利益}{自己資本}×100$$

【3指標分解】＝売上高純利益率×総資本回転率×財務レバレッジ

$$＝売上高純利益率×総資本回転率×\frac{1}{自己資本比率}$$

※　$自己資本比率（\%）＝\frac{自己資本}{総資本}×100$

※　自己資本＝純資産－新株予約権－非支配株主持分

３．サスティナブル成長率（内部成長率）

企業の内部留保を事業に再投資して得られる理論成長率

サスティナブル成長率（%）＝ＲＯＥ×内部留保率
＝ＲＯＥ×（1－配当性向）

４．インタレスト・カバレッジ・レシオ

金融費用の支払原資が事業利益でどの程度まかなわれているかを示す。

$$インタレスト・カバレッジ・レシオ（倍）＝\frac{事業利益}{金融費用}$$

※　事業利益＝営業利益＋受取利息および受取配当＋有価証券利息
※　金融費用＝支払利息および割引料＋社債利息

5 外貨建商品

１．外貨預金の利回り計算

預入時（円を外貨に両替）にはＴＴＳ、換金時（外貨を円に両替）にはＴＴＢを用いる。

２．外貨建MMF

購入時には外国証券取引口座の開設が必要である。いつ換金しても信託財産留保額は徴収されない。為替差益は申告分離課税。なお、外貨建MMFだけの利用であれば外国証券口座管理手数料は不要である。

6 金融派生商品

１．先物取引

保有している現物が今後値下がりすると予想されてもすぐに売却できない場合、先物を売建て、値下がりしたときに先物を買戻す（売りヘッジ）。

２．オプション取引

原資産を買う権利をコール・オプション、原資産を売る権利をプット・オプションという。買い手はプレミアムを支払い、売り手はプレミアムを受け取る。

(1) プレミアムの価格変動要因

要　因	条　件	コールのプレミアム	プットのプレミアム
権利行使価格	高い	低い	高い
	低い	高い	低い
原資産価格	上昇	高い	低い
	下落	低い	高い
残　存　期　間	長い	高い	
	短い	低い	
ボラティリティ	上昇	高い	
	下落	低い	

(2) 金利オプション

キャップ	変動金利の上限のこと。金利上昇リスクのヘッジに利用される
フ ロ ア	変動金利の下限のこと。金利低下リスクのヘッジに利用される

(3) 通貨オプション

輸入企業	将来の米ドルに対するドル高/円安をヘッジするためには、円プット/ドルコールの通貨オプションを購入することが効果的
輸出企業	将来の米ドルに対するドル安/円高をヘッジするためには、ドルプット/円コールの通貨オプションを購入することが効果的

3．スワップ取引

金利スワップ	同一通貨間の異なる種類の金利（固定金利と変動金利）の将来のキャッシュフローを交換する取引
通貨スワップ	異なる通貨間の異なる種類の金利の将来のキャッシュフローを交換する取引で、原則として元本の受払いが行われるが、元本の受払いを行わないもの（クーポンスワップ）もある

7 ポートフォリオ理論

1．期待収益率と標準偏差

(1) 期待収益率

　　複数のシナリオと、そのシナリオの実現しそうな確率（生起確率）を決めて、それぞれの予想収益率を加重平均したもの

(2) 標準偏差

　　リスクとは、収益率の散らばり具合のこと。分散とは、各シナリオの予想収益率から期待収益率を差し引き、その差を二乗した値に各シナリオの生起確率を乗じ、これらの数値を合計したもの。分散

の平方根が標準偏差（標準偏差＝$\sqrt{分散}$）

2. 資本資産評価モデル（ＣＡＰＭ）

資本資産評価モデルでは、資産の期待収益率を下記の算式によって求める。

> **資産の期待収益率＝安全資産利子率＋(市場の期待収益率－安全資産利子率)×β**
>
> ※　$\beta = \dfrac{資産と市場の共分散}{市場の分散}$
>
> ※　β（ベータ）とは、市場に対する資産のリスクを図る指標

3. シャープ・レシオ

> シャープ・レシオ＝$\dfrac{ポートフォリオの収益率－安全資産利子率}{ポートフォリオの標準偏差}$

8 金融商品と税金（新NISA）

1. つみたて投資枠（特定非課税累積投資勘定）

2024年1月から、従来の「つみたてNISA」の機能を拡充して適用されている。

利用可能者	口座開設の年の1月1日において18歳以上の居住者等
年間投資上限額	120万円
生涯非課税限度額	1,800万円（うち成長投資枠1,200万円）
非課税期間	無期限
口座開設期間	恒久化
投資対象商品	長期の積立・分散投資に適した公募・上場株式投資信託
投資方法	契約に基づき、定期かつ継続的な方法で投資
金融商品取引業者等の変更	年ごとに変更可能
スイッチング	可能

2．成長投資枠（特定非課税管理勘定）

2024年1月から、従来の「一般NISA」の機能を拡充して適用されている。

利用可能者	口座開設の年の1月1日において18歳以上の居住者等
年間投資上限額	240万円
生涯非課税限度額	1,800万円（うち成長投資枠1,200万円）
非課税期間	無期限
口座開設期間	恒久化
投資対象商品	上場株式・公募株式投資信託等（特定上場株式等）
投資方法	制限なし
金融商品取引業者等の変更	年ごとに変更可能
スイッチング	可能

※ つみたて投資枠と成長投資枠は同一年中においても併用が可能である。なお、2024年における新NISAの導入により、従来のジュニアNISAは廃止された。

9 セーフティネット・関連法規

1．預貯金の保護

(1) 預金保険制度
- ① 対象外の預金等
  - ・国内金融機関の海外支店、外国銀行の在日支店の預金等は対象外
  - ・外貨預金は保護の対象外
- ② 保護される預金等の範囲
  - ・決済用預金（無利息、要求払い、決済サービスを提供できること、という3要件を満たす預金）は全額保護
  - ・決済用預金以外の一般預金等は、1金融機関ごとに預金者1人当たり元本1,000万円までとその利息等が保護

(2) ゆうちょ銀行の貯金

預金保険制度の保護の対象（政府による保証なし）。振替口座（振替貯金）は決済用預金として全額保護の対象。なお、ゆうちょ銀行の預入限度額は2,600万円（通常貯金1,300万円、定期性貯金1,300万円）である。

2．金融サービス提供法

民法の特別法。金融商品販売業者が顧客（特定投資家を除く）に金融商品を販売する際には重要事項の説明を義務付けているほか、断定的判断の提供による勧誘を禁止している。金融商品販売業者がこれらに違反し、顧客に損失が生じた場合には、顧客は損害賠償を請求できる。

3．金融商品取引法

金融商品取引業者を規制する業法。企業内容等の開示や金融商品取引業者の行為規制、インサイダー取引の禁止などの禁止行為等を定めている。

5 タックスプランニング

1 所得税

1．納税義務者

　所得税法では、所得税の納税義務者を居住者、非居住者、内国法人、外国法人に分けてそれぞれ納税義務を定めている。

種　類		課税所得の範囲
居住者 （国内に住所を有し、または、引き続いて1年以上居所を有する個人）	非永住者以外	すべての所得 （国内源泉所得および国外源泉所得）
	非永住者 （日本国籍がなく、かつ過去10年以内に日本に住所または居所を有していた期間が5年以下の個人）	国内源泉所得および国外源泉所得のうち国内で支払われまたは国外から送金されたもの
非居住者（居住者以外の個人）		国内源泉所得

・1年以上の予定で海外支店勤務や海外子会社に出向する場合は出国当初から非居住者となる。
・職業に従事するために国内に居住することになった者は、滞在期間が明らかに1年未満でない場合には入国当初から居住者となる。
・国家公務員または地方公務員は、国内に住所を有しない期間も原則として国内に住所を有するものとする。

2．非課税所得

・当座預金の利子（年利1％以下のもの）、「マル優制度」の一定の利子、**財形貯蓄制度（住宅・年金）**の一定の利子、納税準備預金の利子（目的外引き出しは課税）
・オープン型証券投資信託（追加型株式投資信託）の**元本払戻金**（特別分配金）
・遺族の受ける恩給・年金（遺族年金、障害者年金など）
・給与所得者の通勤手当（月額**15万円**まで）、出張旅費、制服等の現物給付
・生活用動産の譲渡による所得（貴金属、宝石、書画、骨董等で1個または1組の価額が30万円を超えるものは課税）
・**損害保険金、損害賠償金、慰謝料等**
・オリンピック・パラリンピックにおける報奨金

3．不動産所得

(1) 他の所得との区分
　・アパートなどの家賃収入
　　食事を供さない場合…不動産所得
　　食事を提供する場合（下宿など）…事業所得または雑所得
　・駐車場収入
　　保管責任がない場合…不動産所得
　　保管責任がある場合…事業所得または雑所得

(2) 不動産貸付業の規模の大小（5棟10室基準）により取り扱いが異なる規定

	事業的規模	事業的規模以外
専 従 者 給 与	適用あり	適用なし
青色申告特別控除	最高65万円※	最高10万円
固定資産の資産損失	全額必要経費算入	不動産所得の金額を限度として必要経費に算入

※ 事業的規模の場合の青色申告特別控除額は、原則55万円である。ただし電子申告等をした場合には65万円となる。

4. 事業所得

(1) 租税公課
- ・必要経費となるもの…事業税、固定資産税、登録免許税、印紙税など
- ・必要経費とならないもの…所得税、住民税、加算税、延滞税など

(2) 親族が事業から受ける対価
  ① 原則
   - ・事業主が同一生計親族に対して支払う給与、賃借料、利子などは、その事業主の所得の計算上必要経費に算入しない。
   - ・親族側では、受け取った対価はなかったものとみなす。
  ② 青色事業専従者給与（青色申告者）
   - ・青色事業専従者に対して支払った給与は、事業所得の計算上必要経費に算入する。
   - ・青色事業専従者とは、同一生計の親族（15歳以上）で、その事業に1年を通じて6ヵ月を超える期間、もっぱら従事する者をいう。
   - ・青色事業専従者に対するものでも、退職金は必要経費に算入できない。
  ③ 専従者控除（白色申告者）
    次のイとロのうちいずれか少ない金額を必要経費に算入する。
    イ　配偶者の場合は86万円、配偶者以外の場合は専従者一人につき50万円
    ロ　$\dfrac{\text{適用前の事業の所得の金額}}{\text{事業専従者の数}+1}$

(3) 減価償却
  ① 償却方法
   - ・減価償却費の計算方法には、定額法と定率法があり、償却方法を選定し、届け出をする。
   - ・届け出をしなかった場合は法定償却方法（個人の場合は定額法）により償却をする。
   - ・1998年4月1日以後に取得した建物は定額法のみとなる。
   - ・2016年4月1日以後に取得した建物附属設備および構築物は定額法のみとなる。
  ② 少額減価償却資産
   - ・使用可能期間が1年未満のもの、または取得価額が10万円未満のもの※については、取得価額の全額を事業の用に供した年分の必要経費に算入する。
   - ・中小企業者である青色申告者は、取得価額30万円未満（年間300万円を限度）のもの※については、取得価額の全額を事業の用に供した年分の必要経費に算入することができる。

※　2022年より一定の貸付用のものには適用できない。

5.　給与所得

(1) 所得金額調整控除

①　子育て・介護世帯

給与等の収入金額が850万円を超え、かつ、本人が特別障害者または年齢23歳未満の扶養親族を有する者もしくは特別障害者である同一生計配偶者・扶養親族を有する者のいずれかに該当した場合には、給与所得の金額から、次の算式で計算した所得金額調整控除額を総所得金額の計算上控除する。

> 所得金額調整控除＝（給与等の収入金額（1,000万円限度）－850万円）×10%

②　給与収入と公的年金等の受給がある場合

給与所得控除後の給与等の金額および公的年金等に係る雑所得の金額があり、かつ、これらの合計額が10万円を超える場合には、給与所得の金額から、次の算式で計算した所得金額調整控除額を総所得金額の計算上控除する。

> 所得金額調整控除＝給与所得控除後の給与等の金額（10万円限度）＋公的年金等に係る雑所得の金額（10万円限度）－10万円

6.　退職所得

(1) 退職所得の範囲

・退職手当、一時恩給など、退職により一時に受ける給与や、社会保険制度・退職金共済制度に基づく一時金が該当する。

・解雇予告手当は、退職所得に該当する。

・年金として支払われる場合は、雑所得となる。

(2) 退職所得の計算

> 退職所得の金額＝（収入金額－退職所得控除額）×$\frac{1}{2}$

・役員等としての勤続年数が5年以下の者が受けるもの（特定役員退職手当等）は、2分の1を乗じない。

・2022年より特定役員以外の者が受ける勤続年数5年以下の退職手当（短期退職手当等）のうち、300万円超部分（退職所得控除額控除後の金額）は、2分の1を乗じない。

〈退職所得控除額〉

勤続年数	退職所得控除額
20年以下	40万円×勤続年数（最低80万円）
20年超	800万円＋70万円×（勤続年数－20年）

※　勤続年数の1年未満の端数は、1年に切上げる。

※　障害者になったことに直接起因して退職した場合は、上記の金額に100万円を加算

(3)　退職所得の受給に関する申告書
　①　退職所得の受給に関する申告書を提出した場合
　　・所得税・住民税について適正額が源泉徴収される（住民税の税率は10％）。
　　・原則として確定申告は不要
　②　退職所得の受給に関する申告書を提出しない場合
　　・「退職金の収入金額×20.42％」相当額の所得税（復興特別所得税を含む）が源泉徴収される。
　　・確定申告により税額の精算をする。

7.　配当所得
(1)　源泉徴収税率（復興特別所得税を含む）

区　分		税　率
上場株式等	大口株主以外	20.315% （所得税15.315%、住民税5％）
	大口株主	所得税のみ20.42% （住民税は徴収されないため総合課税）
非上場株式等		

※　源泉徴収税率における大口株主とは、個人で発行済株式総数の3％以上を所有している株主をいう。

※　申告不要制度：大口株主が受け取る上場株式等の配当（2023年10月1日以降に支払いを受ける上場株式等の配当）および非上場株式等の配当のうち、少額配当（年1回配当の場合は10万円以下）は申告不要を選択できる。上場株式等の配当（大口株主が支払いを受けるものを除く）は金額等の要件はなく、任意に選択できる。

※　2023年10月1日以降に支払いを受ける上場株式等の配当については、源泉徴収税率における大口株主と異なり、個人株主およびその者の同族株主を合わせた持株割合が3％以上であるものをいう。

(2)　上場株式等の配当所得（大口株主が支払を受けるものを除く）の課税方法
　①　総合課税（配当控除の適用あり）
　②　申告分離課税（上場株式等の譲渡損失と損益通算可）
　③　申告不要制度を選択

		上場株式等の譲渡損失との損益通算	配当控除の適用
申告不要とした場合		※	×
申告した場合	総合課税	×	○
	申告分離課税	○	×

※　源泉徴収を選択した特定口座に受け入れた上場株式等の配当は、特定口座内において上場株式等の譲渡損失と損益通算され、申告不要とすることができる。

8.　株式等の譲渡所得
(1)　税率（復興特別所得税を含む）
　　20.315%（所得税15.315%、住民税5％）

⑵　所得の区分

　　株式等に係る譲渡所得等は、次の2つに分類される。

①　特定公社債等及び上場株式等に係る譲渡所得等の分離課税

②　一般公社債等及び非上場株式等に係る譲渡所得等の分離課税

　　※1　特定公社債とは、国債、地方債、外国国債、公募公社債、上場公社債などをいう。

　　※2　上記①と②の所得の間で、損益通算はできない。

⑶　内部通算・損益通算および繰越控除

　　上場株式等に係る譲渡所得等

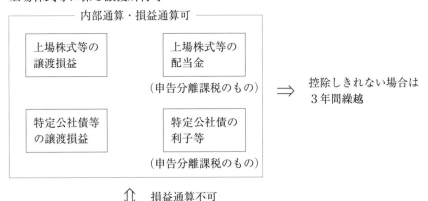

　　非上場株式等に係る譲渡所得等

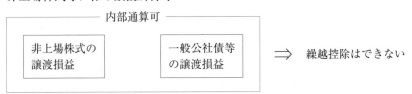

9. 損益通算

⑴　損益通算の対象となる所得

　　不動産所得、事業所得、山林所得、譲渡所得の損失

⑵　上記⑴のうち損益通算の対象とならないもの

①　不動産所得の損失のうち土地等の取得のための借入金利子に相当する部分の金額

②　国外不動産所得の損失の金額のうち国外中古建物の償却費に相当する部分の金額

③　非課税所得の計算上生じた損失

　・生活用動産の譲渡損失

④　株式等の譲渡損失

　　※　ただし、上場株式等の譲渡損失は、上場株式等の配当所得（申告分離課税を選択したもの）、特定公社債等の譲渡益および利子と損益通算できる。

⑤　土地建物等の譲渡損失

　　※　ただし、居住用財産の買換え等の譲渡損失、特定の居住用財産の譲渡損失は、一定要件を満たした場合には損益通算できる。

⑥　生活に通常必要でない資産に係る所得の計算上生じた損失

　・ゴルフ会員権、別荘、30万円超の貴金属・書画・骨董品など

10. 損失の繰越控除

(1) 純損失の繰越控除

① 損益通算をしても控除しきれなかった純損失の金額は、連続して確定申告書を提出することにより、翌年以後3年間繰り越すことができる。なお、特定被災事業用資産の損失については、一定の場合、翌年以降5年間繰り越すことができる。

② 繰越控除の対象

・損失発生年が青色申告…純損失の全額を繰り越すことができる。

・損失発生年が白色申告…変動所得の金額の計算上生じた損失の金額および被災事業用資産の損失の金額などを繰り越すことができる。

③ 純損失の繰戻還付

青色申告者は、損失発生の前年も青色申告をしている場合には、純損失の繰越控除に代えて繰戻還付を選択することもできる。

(2) 雑損失の繰越控除

雑損控除の適用を受けても控除しきれなかった金額は、連続して確定申告書を提出することにより、翌年以後3年間繰り越すことができる。なお、特定非常災害の指定を受けた災害により生じた損失については、翌年以後5年間繰り越すことができる。

・雑損控除は青色申告者、白色申告者ともに適用を受けられる。

11. 所得控除

(1) 医療費控除

① 医療費控除の原則

本人または生計を一にする配偶者その他の親族に対する医療費を支払った場合に、適用できる。

イ　医療費控除の対象となる医療費

・医師や歯科医師による診療や治療の費用、入院費用、出産費用

ロ　対象とならないもの

・人間ドック、健康診断料（診断の結果、重大な疾病が見つかり、かつ治療した場合は控除の対象）

・美容整形費

・疾病予防や健康増進などのための医薬品や健康食品の購入費用

・通院のための自家用車のガソリン代や駐車代

・医師や看護師などに対する謝礼、診断書の作成料

ハ　医療費控除の額

控除額（最高200万円）
＝支出した医療費の額－保険金等の額※－（次の①、②のうち少ない方）
①総所得金額等の合計額×5%　②10万円
※　保険金等の額：健康保険からの給付金、生命保険・損害保険等からの給付金（ただし、給付金の対象となった医療費の額を限度とする）

---

② 医療費控除の特例（セルフメディケーション税制）

健康の保持増進及び疾病の予防への取組として一定の取組を行っている納税者が、本人又は自己と生計を一にする配偶者その他の親族のために特定一般用医薬品等購入費（スイッチOTC医薬品購入費）を支払った場合には、一定の金額の所得控除（医療費控除）を受けることができる。

イ　特定一般用医薬品等購入費の範囲

　　特定一般用医薬品等購入費とは、医師によって処方される医薬品（医療用医薬品）から、ドラッグストアで購入できるＯＴＣ医薬品に転用された医薬品（スイッチＯＴＣ医薬品）等の購入費をいう。

　　なお、一部の対象医薬品については、その医薬品のパッケージにセルフメディケーション税制の対象である旨を示す識別マークが掲載されている。

ロ　控除額

> 控除額（最高88,000円）
> ＝支出した特定一般用医薬品等購入費の合計額－保険金等の額－12,000円

ハ　選択適用
　　従来の医療費控除と選択適用となる。

(2)　寄附金控除

　　居住者が支払った特定寄附金の額の合計額が２千円を超えるときは、その超える部分の金額を、一定額を限度として総所得金額等から控除する。

①　特定寄附金の範囲
・国、地方公共団体に対する寄附金、指定寄附金
・学校法人（入学に関するものを除く）、社会福祉法人等に対する寄附金
　※　宗教法人に対する寄附金は、寄附金控除の対象とならない。
・政党または政治資金団体に対する政治活動に関する寄附金
　※　政党等に対する寄附金は、所得控除に代えて税額控除を選択できる。
・認定特定非営利法人（認定NPO法人）に対する寄附金

②　控除額

> 控除額＝特定寄附金の額の合計額－２千円

③　ふるさと納税ワンストップ特例制度
　　確定申告が不要な給与所得者等は、寄附先が５自治体以内であれば寄附時に「寄附金税額控除に係る申告特例申請書」を提出することにより、確定申告をしなくても住民税からの控除が受けられる。

(3)　配偶者控除および配偶者特別控除

　　配偶者控除については、①居住者本人の所得要件（合計所得金額1,000万円以下）、②居住者本人の所得に応じた３段階の控除額（38万円、26万円、13万円）となっている。

居住者の合計所得金額	控　除　額	
	控除対象配偶者	老人控除対象配偶者
900万円以下	38万円	48万円
900万円超　950万円以下	26万円	32万円
950万円超　1,000万円以下	13万円	16万円

　　また、配偶者特別控除についても居住者本人の合計所得金額を３段階に区分し、各区分ごとに配偶者の合計所得金額に応じて９段階の控除額となっている。

居住者の合計所得金額／配偶者の合計所得金額	900万円以下	900万円超 950万円以下	950万円超 1,000万円以下
48万円超　　95万円以下	38万円	26万円	13万円
95万円超　　100万円以下	36万円	24万円	12万円
100万円超　　105万円以下	31万円	21万円	11万円
105万円超　　110万円以下	26万円	18万円	9万円
110万円超　　115万円以下	21万円	14万円	7万円
115万円超　　120万円以下	16万円	11万円	6万円
120万円超　　125万円以下	11万円	8万円	4万円
125万円超　　130万円以下	6万円	4万円	2万円
130万円超　　133万円以下	3万円	2万円	1万円

・同一生計配偶者

　…居住者の配偶者でその居住者と生計を一にするもの（青色事業専従者等を除く）のうち、合計所得金額が48万円以下である者（従来の控除対象配偶者）。

・控除対象配偶者

　…同一生計配偶者のうち、合計所得金額が1,000万円以下である居住者の配偶者。

・源泉控除対象配偶者

　…居住者（合計所得金額が900万円以下であるものに限る）の配偶者でその居住者と生計を一にするもの（青色事業専従者等を除く）のうち合計所得金額が95万円以下である者。

(4)　扶養控除

区　分		控除額
原則（16歳以上）		38万円
特定扶養親族（19歳以上23歳未満）		63万円
老人扶養親族（70歳以上）	同居老親等以外	48万円
	同居老親等	58万円

※　年齢は、その年の12月31日現在。年の中途で死亡した場合は死亡時点

(5)　寡婦控除およびひとり親控除

①　寡婦控除

　　居住者本人が寡婦である場合に27万円の所得控除を適用できる。

　　なお、寡婦（②のひとり親を除く）とは、合計所得金額が500万円以下で、次の要件のいずれかを満たす者をいう。

　(1)　夫と離婚した後婚姻していない者のうち、扶養親族を有すること

　(2)　夫と死別（生死不明を含む）した後婚姻していない者であること

②　ひとり親控除

　　従来の寡婦（寡夫）控除のうち35万円の控除を受けられた寡婦、寡夫および未婚のひとり親に対する控除として、ひとり親控除が新設され、本人がひとり親である場合に35万円の所得控除を適用できることとされた。

　　なお、ひとり親とは、合計所得金額が500万円以下で、次のすべての要件を満たす者をいう。

(1) 現に婚姻していない者（配偶者の生死不明を含む）であること

(2) 総所得金額等の合計額が48万円以下の同一生計の子があること

(3) 事実上婚姻関係にあると認められる者がいないこと

		本人の合計所得金額500万円以下					
		死別		離婚		未婚	
		女性	男性	女性	男性	女性	男性
扶養親族等あり	子[1]	35万円[2]	35万円[2]	35万円[2]	35万円[2]	35万円[2]	35万円[2]
	その他	27万円[3]	−	27万円[3]	−	−	−
扶養親族なし		27万円[3]	−	−	−	−	−

[1]　総所得金額等の合計額が48万円以下で同一生計

[2]　ひとり親控除

[3]　寡婦控除

(6) 基礎控除

　2020年分以降、基礎控除額が一律10万円引き上げられ、また、合計所得金額が2,400万円を超える場合には、その合計所得金額に応じて基礎控除額が逓減し、合計所得金額が2,500万円を超える場合にはその適用はできない。

合計所得金額	基礎控除額	
	2019年分以前	2020年分以後
2,400万円以下	38万円（33万円）	48万円（43万円）
2,400万円超　2,450万円以下		32万円（29万円）
2,450万円超　2,500万円以下		16万円（15万円）
2,500万円超		0円（0円）

※　カッコ内は住民税の控除額である。

　また、基礎控除額の引き上げに伴い、配偶者控除、配偶者特別控除および扶養控除について、配偶者や扶養親族の合計所得金額を基準とする所得制限額を次のように改正することで、控除の対象となる配偶者や扶養親族の適用範囲に影響を及ぼさないように調整されている。

① 同一生計配偶者および扶養親族の合計所得金額要件は48万円以下である。

② 源泉控除対象配偶者の合計所得金額要件を95万円以下（改正前：85万円以下）に引き上げる。

③ 配偶者特別控除の対象となる配偶者の合計所得金額要件を48万円超133万円以下とし、その控除額の算定の基礎となる配偶者の合計所得金額の区分を、それぞれ10万円引き上げられている。

④ その他一定の措置

12.　税額控除

(1) 住宅借入金等特別控除

　償還期間が10年以上の住宅ローンを利用して住宅の取得等（増改築含む）をした場合に、居住開始年から10年間（一定のものについては13年間）、借入金の年末残高に控除率を乗じた金額等を、各年分の所得税額から控除できる。なお、特例対象個人の場合において、認定住宅等の新築等（中古住宅は対象外）をして2024年1月1日から2024年12月31日までの間に居住の用に供したときの借入限度額は、認定住宅5,000万円、ZEH住宅4,500万円および省エネ住宅4,000万円となる。

① 借入限度額と控除率など

		種類	居住年				控除期間
			2022年	2023年	2024年	2025年	
借入限度額	新築	認定住宅	5,000万円		4,500万円		13年間 ＊10年間
		ZEH住宅	4,500万円		3,500万円		
		省エネ住宅	4,000万円		3,000万円		
		一般住宅	3,000万円		2,000万円＊		
	中古	認定住宅	3,000万円				10年間
		ZEH住宅					
		省エネ住宅					
		一般住宅	2,000万円				

＊ 2024年以降、一般住宅は借入限度額が2,000万円、控除期間が10年間となる。なお、一般住宅について2024年以降適用が受けられるのは、2023年12月31日までに建築確認を受けたもの（2024年以降に建築確認を受けたものであっても、登記上の建築日が2024年6月30日以前であるものを含む）に限られる。

※ 控除率0.7%

※ 住宅の床面積は50㎡以上を原則とするが、合計所得金額が1,000万円以下の場合には40㎡以上50㎡未満であっても適用可能

※ 合計所得金額2,000万円以下（床面積40㎡以上50㎡未満の場合には合計所得金額1,000万円以下）の年に適用可能。ただし、2023年12月31日までに建築確認を受けたものに限られる。なお、子育て特例対象個人の場合には、2024年12月31日までに建築確認を受けていればよい。

② 適用要件等
・返済期間が10年以上の住宅ローンで住宅を取得等したこと。
・新築または取得の日から6ヵ月以内に居住の用に供し、適用を受ける各年の12月31日まで引き続き居住していること。
・床面積50㎡（一定の場合には40㎡）以上かつ床面積の2分の1以上が居住用の家屋であること。
・適用を受ける年分の合計所得金額が、2,000万円以下（床面積40㎡以上50㎡未満の住宅については、合計所得金額1,000万円以下）であること。
・転勤等で住宅に居住しなくなった場合でも、適用期間中に再び居住することになれば、残存期間について再適用を受けることができる（その家屋を賃貸の用に供していた場合は、再居住年の翌年から再適用）。
・災害等で住宅が滅失した場合でも、残存期間について引き続き適用を受けられる。
・所得税から控除しきれない場合には控除不足を翌年度分の個人住民税から控除できる（ただし、所得税の課税総所得金額等×5%（最高97,500円）が限度）。

2 法人税

1．法人税の申告と納付

(1) 青色申告

① 青色申告承認申請書

・青色申告を受けようとする事業年度開始の日の前日までに「青色申告承認申請書」を提出する。

※　新設法人は、設立日以後３ヵ月経過日と設立後最初の事業年度終了日のうちいずれか早い日の前日までに提出

② 青色申告の特典

・欠損金の繰越控除…10年間の繰越控除ができる（2018年３月までは９年間）。

※　控除限度額＝所得の金額×50％（2018年３月までは55％）

ただし、中小法人等（期末資本金が１億円以下の法人）は、所得の全額を控除できる。

なお、特例対象欠損金額については控除限度額が所得の金額の100％になる。

・欠損金の繰戻還付（中小法人等のみ認められる）

(2) 申告期限

原則として、各事業年度終了の日の翌日から２ヵ月（特例として３ヵ月、さらに一定の場合には６ヵ月）以内

(3) 中間申告（予定申告）

前年度実績による予定申告	事業年度が６ヵ月を超える場合、事業年度開始の日以後６ヵ月経過日から２ヵ月以内に中間申告書を提出しなければならない
仮決算による中間申告	事業年度開始日以後６ヵ月の期間を１事業年度とみなして、所得金額・納付税額を計算して中間申告書を提出することができる

ただし、納付税額が10万円以下である場合には、中間申告を要しない。

(4) 税率

原　則		23.2%
中小法人	所得金額のうち年800万円以下の部分	15%
	所得金額のうち年800万円を超える部分	23.2%

2．役員給与

(1) 定期同額給与

① 定期同額給与とは、その支給時期が毎週、毎月のように１月以下の一定の期間ごとである定期給与で支給額が同額であるものをいう。特に届出等は必要なく損金算入が認められる。

② 定期給与の改定が認められる場合は以下のケースに限られる。

・通常改定：その事業年度開始の日から３ヵ月を経過する日までに改定されたもの。

・臨時改定：役員の職制上の地位の変更、職務の内容の重大な変更その他これらに類するやむを得ない事情によりされたその役員に係る改定

・業績悪化改定：経営状況が著しく悪化したことその他これに類する理由によりされた改定（その定期給与の額を減額した改定に限られる）

(2) 事前確定届出給与

① 事前確定届出給与とは、所定の時期に確定額を支給する旨の定めに基づいて支給する給与で、一定の届出期限までに納税地の所轄税務署長に届出をしているものをいう。

② 実際支給額が、あらかじめ届出た支給額と異なる場合は、実際の支給額が増額支給・減額支給のどちらであっても、その支給額全額が損金不算入となる。

③ 非常勤役員に対し、年俸または期間俸として年に1回または2回支給するようなものは事前確定届出給与に該当し、届出が必要である。ただし、同族会社以外の法人は、届出をしなくても損金算入が認められる。

3．交際費

資本金が1億円以下の中小法人は、交際費の損金算入額について、次のいずれかを選択することができる。

イ　交際費の額のうち、800万円以下の金額（定額控除制度）

ロ　交際費の額のうち接待飲食費の額の50％

※　資本金が1億円超の法人は、上記ロのみが適用される。なお、資本金の額等が100億円を超える法人については、上記ロの適用もできない。

4．中小法人向け特例措置の取り扱い

資本金5億円以上の法人に株式の100％を保有されている資本金1億円以下の子法人等には、次の中小法人向け特例措置が適用されない。

① 中小法人の軽減税率

② 特定同族会社の特別税率（留保金課税）の不適用

③ 交際費等の損金不算入制度における定額控除制度

④ 欠損金の繰戻しによる還付制度

⑤ 繰越欠損金の100％控除

⑥ 貸倒引当金の損金算入

3 消費税

1．税率

10％（国税7.8％、地方税2.2％）

なお、外食を除く飲食料品および一定の新聞については軽減税率8％（国税6.24％、地方税1.76％）

2．不動産と消費税

① 土地等の譲渡・貸付は原則として非課税

※　貸付期間が1ヵ月未満の貸付、駐車場施設の貸付は課税

② 建物の譲渡・貸付は原則として課税

※　居住用建物の貸付（貸付期間が1ヵ月未満の貸付を除く）は非課税

3．課税事業者と免税事業者

次の①、②のいずれかに該当した場合には、当期は課税事業者となる。

① 基準期間の課税売上高が1,000万円を超えた場合

② 前年上半期の課税売上高および給与の額が1,000万円を超えた場合

4．仕入税額控除

　課税売上割合が95％以上の場合、課税仕入れ等に係る消費税額の全額を仕入税額控除できる。ただし、その課税期間の課税売上高が5億円を超える事業者には認められない（課税仕入に係る税額のうち、課税売上に対応する部分の税額だけが仕入税額控除の対象となる）。

5．簡易課税制度

　基準期間の課税売上高が5,000万円以下で、原則として課税期間の開始の前日までに「消費税簡易課税制度選択届出書」を提出した事業者に適用される。

※　簡易課税を選択すると、2年間は継続適用となる。

〈納付税額の計算〉

納付税額＝課税売上に係る消費税額－課税売上に係る消費税額×みなし仕入率

〈みなし仕入率〉

第1種（卸売業）	90％
第2種（小売業）	80％
第3種（製造業等）	70％
第4種（飲食店業、事業用資産の譲渡等）	60％
第5種（サービス業、金融・保険業等）	50％
第6種（不動産業）	40％

4 住民税

1．ふるさと納税制度の規制

　総務大臣は、次の基準に適合する都道府県等をふるさと納税（特例控除）の対象として指定し、指定対象外のものについては、住民税の寄附金税額控除のうち特例控除の適用対象とならないこととなる。

① 寄附金の募集を適正に実施する都道府県等

② ①の都道府県等で返礼品を送付する場合には、次のいずれも満たす都道府県等

　イ　返礼品の返礼割合を3割以下とすること

　ロ　返礼品を地場産品とすること

6 不動産

1 不動産の見方

1．不動産登記記録

(1)　各部の記録事項

表　題　部		土地や建物の表示に関する事項	・土地：所在、地番、地目、地積等 ・建物：所在、家屋番号、種類、構造、床面積等
権利部	甲区	所有権に関する事項	所有権保存、所有権移転、差押等
	乙区	所有権以外の権利に関する事項	抵当権、賃借権、地上権等

(2) 仮登記

　　仮登記では第三者に対抗できないが、順位保全の効力がある。

| 1号仮登記 | 実体上の権利変動は生じているが、書類の不備など、手続き上の条件が整っていない場合に行う登記 |
| 2号仮登記 | 実体上の権利変動は生じていないが、売買の予約契約を仮登記する場合など、将来の請求権を保全するために行う登記 |

① 仮登記の申請

　　原則として、仮登記権利者と仮登記義務者の共同申請によるが、以下の場合は、仮登記権利者が単独で申請することができる。

・仮登記義務者の承諾があるとき

・裁判所の仮登記を命ずる処分があるとき

② 仮登記を本登記にする手続き

　　仮登記義務者と仮登記権利者との共同申請による。

　　なお、所有権に関する仮登記を本登記にする際に、登記上の利害関係を有する第三者がいるときには、第三者の承諾が必要である。

③ 仮登記の抹消

　　仮登記の抹消は、仮登記名義人が単独で申請できる。また、仮登記名義人の承諾がある場合は、仮登記の登記上の利害関係人が単独で申請できる。

２．土地の公的価格

(1) 公的価格の4種

	公示価格	基準地標準価格	相続税評価額 （路線価）	固定資産税評価額
目　的	土地取引の指標	・土地取引の指標 ・公示価格の補完	相続税、贈与税の算出	固定資産税、都市計画税、不動産取得税等の算出
決定機関	国土交通省 （土地鑑定委員会）	都道府県	国税局	市町村
評価時点	毎年1月1日	毎年7月1日	毎年1月1日	基準年度の前年の1月1日 ※3年に一度評価替え
公表日	3月下旬	9月下旬	7月初旬	3月1日 （基準年度は4月1日）
価格水準	100%	100%	公示価格の80%	公示価格の70%

① 公示価格の標準地は、都市計画区域内および都市計画区域外の土地取引が相当見込まれる区域（公示区域）に設けられている。

② 基準地標準価格の基準地は、公示価格の標準地の不足を補い、基準地の指標性を高めるため一部は公示価格の標準地と同一地点に設定している。

③ 固定資産課税台帳を閲覧することができるのは、本人、同一世帯の家族または代理人となるが、借地人・借家人については、借地・借家の対象となる土地・建物について記載された部分については閲覧が可能である。

2 不動産の取引

1．重要事項説明書

　宅地建物取引業者は、契約を締結する前に、宅地建物取引士が記名した重要事項説明書を交付し、宅地建物取引士に説明をさせなければならない。

① 説明および交付は、権利を取得しようとする者に対して行う（売買の場合は買主）。
② 宅地建物取引士は説明をする際に、宅地建物取引士証を提示しなければならない。
③ 重要事項説明書への記名および説明、契約書（37条書面）への記名は宅地建物取引士のみ行うことができるが、専任の宅地建物取引士でなくてもよい。
※ 2022年5月18日以降、電磁的方法による交付が可能となり押印は不要となった。

2．媒介契約

　宅地・建物の売買や貸借を宅地建物取引業者に依頼する場合には、依頼者と宅地建物取引業者との間で媒介契約を締結する。

	一般媒介契約	専任媒介契約	専属専任媒介契約
他の業者へ重ねての依頼	できる	できない	できない
自己発見取引※1	できる	できる（業者への通知義務あり）	できない
有効期間の上限	定めなし	3ヵ月※2	3ヵ月※2
依頼者への業務報告義務	報告義務なし	2週間に1回以上	1週間に1回以上
指定流通機構への物件情報の登録義務	登録義務なし	7日以内（休業日を除く）	5日以内（休業日を除く）

※1 自己発見取引とは、依頼者が自ら契約の相手方をみつけること
※2 契約の有効期間を3ヵ月超とした場合、3ヵ月を超えた部分は無効となり、契約期間は3ヵ月となる。

3．手付金

① 手付金の目的には、証約手付、違約手付、解約手付があり、当事者間で取り決めがない場合は解約手付と推定される。
② 解約手付が交付された場合、相手方が契約の履行に着手するまでは、買主からは手付金の放棄、売主からは手付金を返還し、さらに同額（合計して手付の倍額）を買主に現実に提供することにより契約を解除できる。
③ 解約手付による契約の解除により損害が発生しても損害賠償の請求をすることはできない。
④ 宅地建物取引業法では、売主が宅地建物取引業者で、買主が宅地建物取引業者以外の場合、手付金の目的は当事者間の取り決めにかかわらず解約手付とみなされる。また、売買代金の2割を超える手付金を受領することは禁止されている。

4．筆界特定制度

① 筆界とは、公法上の境界線であり、隣接する土地の所有者が合意したとしても、筆界を変更することはできない。
② 筆界特定が行われた土地については、利害関係の有無に係らず、誰でも手数料を納付して筆界特

定書等の写しの交付を請求できる。

③ 筆界の特定は、筆界調査委員の意見を踏まえて、筆界特定登記官が行う。

5. 危険負担

不動産の売買契約締結後、引き渡しまでの間に契約内容に従った履行ができない（建物の引渡しができない）場合、買主は売買代金の支払いを拒むことができる。

6. 売主の契約不適合責任

① 売買により引渡された目的物が、種類、品質または数量に関して契約の内容に適合しない場合は、当該不適合が買主の責めに帰すべき事由である場合を除いて、売主は買主に対して契約不適合責任を負う。

② 民法の規定では、原則として、買主は、目的物の種類または品質に関する契約不適合を知ったときから**1年以内**に売主に対して通知すれば、履行の追完請求（補修等）、代金の減額請求、損害賠償請求ができる。また、債務不履行の要件を満たせば、債務不履行が買主の責めに帰すべき事由であるときを除いて、契約を解除することもできる。

③ 売主が宅地建物取引業者で、買主が宅地建物取引業者以外の場合、宅地建物取引業法により売主に対して通知する期間を「**引渡日から2年以上とする**」という特約を除き、民法の規定よりも買主に不利となる契約を締結することはできない。

※ 住宅の品質確保の促進等に関する法律（品確法）では、新築住宅の構造耐力上主要な部分等に係る瑕疵についての担保期間は、物件の引渡日から10年（特約により物件の引渡日から20年間に伸長することができる）とされている（中古住宅は対象外）。

3 不動産に関する法令上の制限

1. 建築基準法

(1) 建蔽率の緩和

次のいずれかに該当するときは、建蔽率が10％緩和される。

① 建蔽率が80％となっている地域以外で、防火地域内に耐火建築物等を建築する場合

② 準防火地域において、耐火建築物等または準耐火建築物等を建築する場合

③ 特定行政庁が指定した角地の場合

④ ①と③または②と③の両方を満たす場合は、20％緩和される。

(2) 建蔽率の不適用（制限なし）

① 建蔽率が80％となっている地域内でかつ、防火地域内に耐火建築物等を建築する場合

② 派出所、公衆便所、公共用歩廊（アーケード）等

③ 公園、広場、道路、川等のうちにある建築物で特定行政庁が安全上、防火上および衛生上支障がないものと認めて建築審査会の同意を得て許可したもの

(3) 容積率不算入規定（主なもの）

① 住宅の地階：住宅または老人ホーム等の地階（天井が地盤面から高さ1m以下にあるもの）の床面積は、建築物の住宅等部分の延べ面積の3分の1を限度として容積率の計算上、延べ面積に算入しない。

② 共同住宅の共用部分：共同住宅の共用の廊下、階段、エントランスホール、エレベーターホール部分は、容積率の計算上、延べ面積に算入しない。

③ 老人ホーム、福祉ホームその他これらに類するものについては、共用の廊下または階段の用に

供する部分の床面積を容積率の算定基礎となる延べ面積に算入しない。

(4) 防火地域・準防火地域における構造制限

防火地域・準防火地域においては、建物規模および階数によって、耐火建築物等または準耐火建築物等にしなければならない。

規模　　　　　階数	防火地域[1]		準防火地域[2]		
	100㎡以下	100㎡超	500㎡以下	500㎡超 1,500㎡以下	1,500㎡超
4階建て以上	耐火建築物等[3]		耐火建築物等[3]		
3階建て				耐火・準耐火建築物等[3]	
2階建て	耐火・準耐火建築物等[3]		防火構造の建築物等[4]でも可		
1階建て					

※1　防火地域の場合、階数は地階を含める。

※2　準防火地域の場合、階数は地階を除く。

※3　同等以上の延焼防止性能を有する建築物を含む。

※4　木造建築物以外の場合は一定の延焼防止性能を有する建築物

2．農地法

以下の行為を行うには、原則として農地法の許可が必要であり、許可を受けない契約は無効となる。また、転用も原状回復を命じられることがある。併せて罰則もある。

(1) 権利移動（農地法3条）

農地や採草放牧地を農地や採草放牧地として売却などにより権利移動する場合は農業委員会の許可が必要である。

(2) 転用（農地法4条）

農地を農地以外のものに自ら転用する場合には、原則として都道府県知事の許可が必要である。

(3) 権利移動と転用（農地法5条）

農地や採草放牧地を他の用途に転用する目的（採草放牧地を農地に転用する目的で権利移動する場合は3条の許可）で権利移動する場合には、原則として都道府県知事の許可が必要である。

※　4条と5条の許可の場合、**市街化区域内の農地を他の用途に転用する場合は、あらかじめ農業委員会に届出**をすることで、面積に関わらず都道府県知事の許可は不要となる。

3．区分所有法

(1) 管理組合

・区分所有者は全員で管理組合を構成する（**任意の脱退はできない**）。

・管理者は、規約に別段の定めがなければ、集会の決議によって選任または解任される。

・管理組合は、区分所有者および議決権の**各4分の3以上**の多数による集会の決議で、管理組合法人になることができる。

(2) 区分所有者の権利義務

区分所有建物の売主が管理費を滞納したまま譲渡した場合、管理組合は売主および買主の双方に管理費を請求することができる。

(3) 規約

・規約は区分所有者だけでなく、区分所有建物の承継人に対しても効力を生ずる。

・専有部分を賃借している者等の占有者は、建物、敷地、付属施設の使用方法について、区分所有者が規約または集会の決議に基づいて負う義務と同一の義務を負う。

(4) 集会

・管理者は、少なくとも毎年1回は集会を招集しなければならない。

・管理者がいないときは、区分所有者の5分の1以上で議決権の5分の1以上を有するものは、集会を招集することができるが、この定数は規約で減ずることができる。

・集会の招集の通知は、開催日の少なくとも1週間前に、会議の目的たる事項を示して各区分所有者に発しなければならないが、この期間は規約で伸縮することができる。

・集会の議事録を書面で作成するときは、議長および集会に出席した区分所有者の2人が、当該議事録に署名しなければならない。

〈主な集会の決議事項〉

各過半数の賛成（主なもの）	・管理者の選任・解任 ・共用部分の変更（形状・効用の著しい変更を伴わないもの） ・建物価格の2分の1以下の滅失（小規模滅失）の復旧決議
各4分の3以上の賛成（主なもの）	・共用部分の変更（形状・効用の著しい変更を伴わないものを除く） 　→規約で区分所有者の定数を過半数まで減ずることができる ・規約の設定・変更・廃止 ・管理組合法人の設立、解散 ・建物価格の2分の1を超える滅失（大規模滅失）の復旧決議
各5分の4以上の賛成	建替え ・建替え決議を目的とする集会を招集するときは、開催日の2ヵ月前までに、招集通知を出す必要がある。この期間は、規約により伸長できるが、短縮はできない ・決議に賛成した区分所有者は、反対した区分所有者に対して、建物およびその敷地に関する権利を時価で売り渡すべきことを請求できる

4 不動産の譲渡に係る税金

1．居住用財産を譲渡した場合の3,000万円の特別控除の特例

個人が自己の居住用財産を譲渡した場合は、譲渡益から3,000万円を特別控除できる。

〈適用要件〉

・所有期間の要件はない。

・その年およびその年の前年、前々年に本特例または特定の居住用財産の買換えの特例を受けている場合は適用できない。

・転勤等のやむをえない事情により本人が単身赴任した場合、その家屋に配偶者や扶養親族が住み、転勤等の解消後、本人がその家屋に住むと認められた場合の家屋は、適用対象となる。

・家屋を共有している場合には、共有者それぞれが3,000万円まで特別控除を適用できる。

2．居住用財産の譲渡に関する特例

居住用家屋の譲渡に関する特例の「居住用財産を譲渡した場合の3,000万円の特別控除の特例」、「居住用財産の軽減税率の特例」、「特定の居住用財産の買換えの特例」の適用には、次のような共通の要件がある。

〈適用要件〉
- 現に自己の居住の用（生活の拠点）に供している家屋を譲渡すること
- 上記の家屋と同時に譲渡する土地または借地権の譲渡の場合も適用できる。
- 家屋に自己が居住しなくなった日から３年を経過する日の属する年の12月31日までに譲渡すること
- 家屋が災害等により滅失した場合は、滅失した家屋の敷地であった土地または借地権のみの譲渡でも適用できる。
- 家屋を先に取り壊して土地または借地権を譲渡する場合にも適用できるが、その場合、取壊しから１年以内に譲渡に関する契約を締結し、かつ、家屋に居住しなくなった日から３年経過した日の属する年の12月31日までの譲渡であること。ただし、取壊し後に土地を貸し付けた等の場合には適用できない。
- 配偶者、直系血族、生計を一にする親族への譲渡ではないこと

３．固定資産の交換の特例

　個人が１年以上所有していた固定資産を同種類の資産に交換し、交換譲渡資産の譲渡直前の用途と同一の用途に使用した場合には、譲渡がなかったものとして課税が繰り延べられる。

(1) 適用要件
- 交換譲渡資産・交換取得資産とも固定資産であること（棚卸資産は不可）
- 交換譲渡資産・交換取得資産は同種の資産であること
  - （例）土地と土地、土地と借地権、建物と建物等。土地と建物は不可
- 交換譲渡資産は所有期間１年以上であること
- 交換取得資産は、交換の相手方の所有期間が１年以上で、かつ、交換の目的のために取得したものでないこと
- 交換取得資産は、交換譲渡資産の譲渡直前の用途と同一の用途に使用すること
  - （例）宅地と宅地、田畑と田畑、居住用建物（自宅）と居住用建物（賃貸）は可。宅地と田畑、居住用建物と店舗は不可
- 交換時の交換譲渡資産の時価と交換取得資産の時価との差額が、いずれか高い方の時価の20％以内であること

(2) 留意点
- 「土地・建物」と「土地・建物」を交換した場合、土地と土地、建物と建物を交換したものとみなしてそれぞれ適用要件を判定する。
- 地域や面積についての要件はない。
- 当事者間において合意された資産の時価が、交換に至った事情等に照らし合理的に算定されていると認められるときは、その合意された資産の時価によることができる。

(3) 取得日と取得費
- 交換取得資産の取得日は、交換譲渡資産の取得時期が引き継がれる。
- 交換取得資産の取得費は、交換譲渡資産の取得費が引き継がれる。

４．「既成市街地等内にある土地等の中高層耐火建築物等の建設のための買換えの場合の譲渡所得の課税の特例」（立体買換えの特例）

　個人が、次の事業の施行される区域内にある土地等、建物および構築物を譲渡し、当該事業の施行によりその譲渡した土地等の上に建築された構築物等の全部または一部を取得したときは、一定の要件の

もとで買換えの特例が適用される。

(1) 適用要件
- 既成市街地等内およびそれに準じる区域内において、**地上３階以上の中高層耐火共同住宅の建築を**する事業の用に供すること
- 中高層耐火共同住宅は、譲渡資産を取得した者か、または譲渡資産を譲渡した者が建築した建築物で、次のいずれにも該当すること
- 耐火構造または簡易耐火構造を有すること
- その建築物の延べ床面積の２分の１以上に相当する部分が、もっぱら居住の用に供されるものであること
- 買換資産は、譲渡資産の譲渡をした者の事業の用もしくは居住の用に供すること
- 買換資産は、原則として譲渡資産を譲渡した年中または翌年中までに取得し、かつ、取得の日から１年以内に事業の用もしくは居住の用に供すること

(2) 取得日と取得費
- 買換資産の取得日は、譲渡資産の取得日を引き継がず実際の取得日となる。
- 買換資産の取得費は、譲渡資産の取得費が引き継がれる。

５．特定の事業用資産の買換えの特例

　一定の要件を満たした事業用資産を買換えた場合、買換えた金額の80％[※]に相当する金額について、収入がなかったものとして譲渡所得の計算ができる。

(1) 適用要件
- 買換資産は、譲渡資産を譲渡した年か、その前年中、あるいは譲渡した年の翌年中に取得すること
- 事業用資産を取得した日から１年以内に事業の用に供すること。なお、事業の用に供した場合でも、１年以内に事業の用に供しなくなった場合には適用されない。
- 買換資産が土地の場合、譲渡した土地の面積の５倍以内の部分について適用される。
- ※　本社の買換えの場合は、東京23区および首都圏近郊整備地帯等を除いた地域から、東京23区への買換えは60％、東京23区および首都圏近郊整備地帯等を除いた地域から東京23区を除く首都圏既成市街地、首都圏近郊整備地帯、近畿圏既成都市区域、名古屋の一部への買換えは75％、東京23区から東京23区および首都圏近郊整備地帯等を除いた地域への買換えは90％。

６．空き家に係る譲渡所得の特別控除の特例

　相続により旧耐震基準しか満たしていない空き家を取得した者が、耐震改修を施し、もしくは除却して土地のみを譲渡する場合、一定の要件を満たせば譲渡益から3,000万円（2024年１月１日以後の譲渡については、相続人が３人以上の場合には１人当たり2,000万円に制限される）を控除できる。

(1) 適用要件
- 2016年４月１日から2027年12月31日までの間に譲渡すること（相続の開始があった日以後３年を経過する日の属する年の12月31日までの間に譲渡したものに限る）
- 相続の開始の直前において被相続人の居住の用に供されていた家屋（1981年５月31日以前に建築された家屋（区分所有建築物を除く。））であって、当該相続の開始の直前において当該被相続人以外に居住をしていた者がいなかったもの、およびその土地を取得したこと
- 被相続人が相続開始直前まで老人ホーム等に入所していた場合にも、次に掲げる①および②の要件、その他一定の要件を満たせば適用を受けられる。
  ①　被相続人が介護保険法に規定する要介護認定等を受け、かつ相続の開始の直前まで老人ホーム

等に入所をしていたこと

② 被相続人が老人ホーム等に入所をした時から相続の開始の直前まで、その家屋について、その者による一定の使用がなされ、かつ事業の用・貸付けの用またはその者以外の者の居住の用に供されていたことがないこと

・譲渡の時において地震に対する安全性に係る規定またはこれに準ずる基準に適合する家屋、もしくは家屋を除却した土地であること（一定要件を満たせば譲渡後の工事実施でも適用される）
・譲渡の対価が1億円以下であること
・当該相続の時から当該譲渡の時まで事業の用、貸付けの用または居住の用に供されていたことがないこと

7　相続・事業承継

1　贈与契約

　贈与は、当事者の一方がある財産を無償で相手方に与える意思表示をし、相手方がこれを受諾することによって成立する諾成契約をいう。贈与契約は、口頭でも成立する。

2　贈与税の配偶者控除

適要要件	戸籍上の婚姻期間が20年以上である配偶者から居住用不動産（土地・家屋）または居住用不動産を取得するための金銭の贈与があった場合、最高2,000万円の贈与税の配偶者控除が受けられる※同一配偶者から過去にこの特例の適用を受けていないこと
居住要件	居住用不動産（または居住用不動産を取得するための金銭）の贈与を受け（またはその金銭で居住用不動産を取得し）、翌年3月15日までに贈与を受けた者の居住の用に供し、かつ、その後も引き続き居住の用に供する見込みであること

◆　店舗併用住宅の贈与があった場合

　店舗併用住宅の贈与を受けた場合、居住用部分のみが適用対象。店舗併用住宅の持分の贈与を受けた場合、居住用部分から優先的に贈与を受けたものとして配偶者控除を適用できる。したがって、贈与を受けた持分の割合が、その家屋全体の面積のうち居住用部分の面積の占める割合の範囲内であれば、贈与を受けた部分はすべて居住用部分とされる。

　※　居住用部分の面積が10分の9以上の場合、全体を居住用不動産として適用を受けられる。

3　相続時精算課税制度

（1）　適用対象者

贈与者（親）	贈与をした年の1月1日において60歳以上の親・祖父母（＝特定贈与者）※住宅取得等資金の贈与の場合、年齢要件はない
受贈者（子）	贈与を受けた年の1月1日において18歳以上の直系卑属である推定相続人および孫（＝相続時精算課税適用者）※推定相続人であるかどうかは、贈与の日において判定する※養子縁組により年の中途で推定相続人になった場合、それ以後に取得した財産について適用を受けることができる

(2) 贈与税額の計算

　　贈与回数に制限はなく、贈与者ごとに基礎控除110万円/年および累計2,500万円に達するまで特別控除額を控除し、2,500万円を超えた部分に一律20%の税率を乗じて贈与税額を算出する。

　　※　「相続時精算課税選択届出書」を提出すると撤回することができず、その特定贈与者からの贈与については暦年課税へ戻れない。

(3) 相続税額の計算

　　特定贈与者の死亡時に、相続時精算課税制度を選択した贈与財産の価額（贈与時の価額）と相続財産の価額を合計した金額を基に相続税額を計算し、その相続税額から、既に納付した贈与税相当額を控除する。相続税額から控除しきれない贈与税相当額は、還付を受けることができる。

　　※　相続時精算課税制度を適用した財産は、受贈者が相続・遺贈により財産を取得していなくても相続税の課税対象となる。

　　※　相続時精算課税制度を選択した財産は小規模宅地等の評価減は適用できず、また、相続税の物納財産とすることはできない。

(4) 相続税の納税義務の承継等

　① 相続時精算課税適用者が特定贈与者よりも先に死亡した場合

　　相続時精算課税適用者の相続人は、相続時精算課税適用者の有していた相続時精算課税制度の適用を受けていたことに伴う納税に関する権利または義務を承継する。ただし、相続時精算課税適用者の相続人が特定贈与者である場合には、特定贈与者は権利または義務を承継しない。

　　※　相続人が特定贈与者しかいない場合は、相続時精算課税制度の適用を受けていたことに伴う権利または義務は誰にも承継されない（相続時における精算は必要ない）。

　② 贈与により財産を取得した者が「相続時精算課税選択届出書」の提出前に死亡した場合

　　贈与により財産を取得した者の相続人は、その相続の開始があったことを知った日の翌日から10ヵ月以内に「相続時精算課税選択届出書」を提出できる。その相続人は、被相続人が有することになる相続時精算課税制度の適用を受けることに伴う納税に関する権利または義務を承継する。

4　直系尊属から住宅取得等資金の贈与を受けた場合の贈与税の非課税

(1) 非課税金額

贈与年	耐震・省エネ等住宅	一般住宅
2024年1月1日～2026年12月31日	1,000万円	500万円

(2) 受贈者の要件

　贈与者の直系卑属で、贈与を受けた年の1月1日において18歳以上であり、贈与を受けた年の合計所得金額が2,000万円（床面積が40㎡以上50㎡未満の場合は1,000万円）以下であること。

(3) 床面積の要件

　住宅用家屋の床面積が40㎡以上240㎡以下であること。

5　直系尊属からの教育資金の一括贈与に係る贈与税の非課税

　金融機関との間で締結した教育資金管理契約に基づき、30歳未満の子や孫の教育資金に充てるための金銭を直系尊属が贈与した場合、受贈者ごとに最大1,500万円まで贈与税が非課税となる。

非課税限度額	受贈者1人につき1,500万円 そのうち学校以外に支払う教育資金は500万円
受贈者の要件	・教育資金管理契約締結の日において30歳未満 ・前年の合計所得金額が1,000万円以下
受贈者が23歳に達した場合	受贈者が23歳に達した日の翌日以後は、学校等以外の者に支払われるものは非課税の対象から除外 ただし、教育訓練の受講費用は非課税の対象
教育資金管理契約の終了事由	・受贈者が30歳に達した場合 ・受贈者が30歳に達しても次の①②のいずれかに該当する場合は、①または②の事由がなくなった年の12月31日または受贈者が40歳に達する日のいずれか早い日 　①　受贈者が学校等に在学中の場合 　②　受贈者が教育訓練給付の支給対象となる教育訓練を受講している場合 ※　契約終了時に管理残額がある場合は贈与税（一般税率）の課税対象 　　ただし、受贈者が30歳前に死亡して教育資金管理契約が終了した場合には、管理残額に贈与税は課税されない
教育資金管理契約期間中に贈与者が死亡した場合	次の①～③に該当する場合を除き、管理残額は贈与者の死亡に係る相続税の課税対象となり、子以外の直系卑属には相続税額の2割加算が適用される 　①　受贈者が23歳未満である場合 　②　受贈者が学校等に在学中の場合 　③　受贈者が教育訓練給付の支給対象となる教育訓練を受講している場合 ※　相続税の課税価格の合計額が5億円を超えるときは①～③に該当しても相続税の課税対象

6　直系尊属からの結婚・子育て資金の一括贈与に係る贈与税の非課税措置

　金融機関との間で締結した結婚・子育て資金管理契約に基づき、18歳以上50歳未満の子や孫等の結婚・子育て資金に充てるための金銭を直系尊属が贈与した場合、受贈者ごとに最大1,000万円まで贈与税が非課税となる。

非課税限度額	受贈者1人につき1,000万円 そのうち結婚資金は300万円
受贈者の要件	・結婚・子育て資金管理契約締結の日において18歳以上50歳未満 ・前年の合計所得金額が1,000万円以下
結婚・子育て資金管理契約の終了事由	・受贈者が50歳に達した場合 ※　契約終了時に管理残額がある場合は贈与税（一般税率）の課税対象 　　ただし、受贈者が50歳前に死亡して結婚・子育て資金管理契約が終了した場合には、管理残額に贈与税は課税されない
結婚・子育て資金管理契約期間中に贈与者が死亡した場合	管理残額は贈与者の死亡に係る相続税の課税対象となり、子以外の直系卑属には相続税額の2割加算が適用される

7 相続の承認と放棄

　原則として、自己のために相続の開始があったことを知った時から**3ヵ月以内**（熟慮期間）に、限定承認・放棄の手続きが必要であるが、次の場合は、単純承認したものとみなされる。

・相続の開始があったことを知った時から3ヵ月以内に限定承認・放棄をしなかった場合
・相続人が相続財産の全部または一部を処分した場合

(1)　承認
　　①　単純承認
　　　　被相続人の権利義務をすべて無制限に承継すること
　　②　限定承認
　　　　積極財産の範囲内で消極財産を支払い、積極財産を超える消極財産の責任を負わない方法
　　　　※　限定承認の場合、相続を放棄した者を除く相続人全員が共同して家庭裁判所へ申述することが必要

(2)　放棄
　　　　一切の権利義務の承継を放棄すること
　　　　※　各相続人が単独で放棄できる（家庭裁判所へ申述することが必要）。
　　　　※　被相続人の相続開始前に相続を放棄することはできない。

〈相続放棄のポイント〉

> ・相続を放棄した者は、相続開始の時から相続人ではなかったものとみなされる
> 　※　被相続人の本来の財産は取得することができないが、死亡保険金・死亡退職金等のみなし相続財産は取得することができる
> ・相続を放棄した者を代襲相続することはない
> ・相続税額計算上の法定相続人の数には、相続を放棄した者も含む

8 遺言書

(1)　自筆証書遺言
・遺言者が、遺言書の全文、日付および氏名を自書し、押印しなければならない。
・財産目録をパソコンで作成することは認められ、預貯金の通帳や不動産の登記事項証明書のコピーを添付することもできる。この場合、その目録のすべてのページに署名・押印をしなければならない。
・保管方法は、自分で保管するほか、自筆証書遺言書保管制度を利用することにより法務局で保管することができる。
・家庭裁判所による**検認が必要**。ただし、自筆証書遺言書保管制度を利用した場合は、**検認が不要**。

(2)　公正証書遺言
・公証役場において2人以上の証人の立ち会いのもとに、遺言者が公証人に対して遺言の内容を口授し、公証人がそれを筆記して遺言書を作成し、遺言者と証人はその筆記が正しいことを確認して承認した上で各自署名押印し、公証人が法律に従って作成した旨を記述して署名押印する。
・家庭裁判所による**検認は不要**

・原本は公証役場で保管されるため紛失や書き換えられる恐れがない。

(3)　秘密証書遺言
・遺言書を作成（パソコンによる作成も可）して封筒に入れて封印し、2人以上の証人とともに公証役場において手続きを行う。
・家庭裁判所による**検認が必要**

※　遺言者はいつでも遺言の全部または一部を撤回することができる。撤回は、遺言の方式（自筆証書、公正証書、秘密証書）によらなければならないが、先に作成した遺言書と同じ方式である必要はない。

9 特別受益

(1)　特別受益の持戻し
　共同相続人の中に、被相続人から遺贈を受け、または婚姻、養子縁組のためもしくは生計の資本として贈与を受けた者があるときは、相続財産の価額にその贈与の価額を加えたものを相続財産とみなして各相続人の相続分を計算する。

(2)　持戻し免除
①　被相続人が特別受益の持戻しをしないという意思表示をした場合は、持戻しは免除される。
②　婚姻期間が20年以上の配偶者間において居住用不動産（配偶者居住権を含む）の遺贈または贈与があった場合は、持戻し免除の意思表示があったものと推定する。持戻しは、持戻し免除をしない意思表示があった場合にのみ行う。

10 遺留分

　遺言に優先して相続人のために残しておくべき最小限の財産の割合を民法で定めている。

(1)　遺留分権利者
　　兄弟姉妹以外の相続人（配偶者、子およびその代襲相続人、直系尊属）

(2)　遺留分の放棄
　　遺留分は、家庭裁判所の許可を得ることにより、相続開始前でも放棄することができる。相続開始後に遺留分を放棄する場合には、家庭裁判所の許可は必要ない。
　　※　遺留分を放棄しても、それ以外の権利（相続に係る権利）は喪失しない。
　　　　共同相続人の一部の者がした遺留分の放棄は、他の各相続人の遺留分に影響を及ぼさない。

(3)　遺留分算定基礎財産

> **遺留分算定基礎財産＝被相続人が相続開始の際に有した財産＋贈与財産－債務**

贈与財産は次のものに限られる。
①　相続人に対する贈与財産は、相続開始前10年以内のもので、特別受益に該当するもの
②　相続人以外に対する贈与財産は、相続開始前1年以内のもの（当事者双方が遺留分権利者に損害を加えることを知って贈与したときは、1年前の日より前にしたものも含む）

⑷　遺留分の割合

| 直系尊属のみが相続人のとき | 遺留分算定基礎財産の３分の１ |
| 上記以外のとき | 遺留分算定基礎財産の２分の１ |

※　各相続人の遺留分は、全体の遺留分の割合に各相続人の法定相続分を乗じた割合

⑸　遺留分侵害額請求権

　　遺留分を侵害された場合には、受遺者または受贈者に対し、遺留分侵害額に相当する金銭の支払い
を請求することができる。遺留分侵害額請求権は、相続の開始および遺留分を侵害する贈与または遺
贈があったことを知ったときから１年間行使しないとき、または相続開始の時から10年を経過したと
きに、時効により消滅する。

　　※　遺留分侵害額請求は、家庭裁判所に申し立てる必要はなく、侵害者に対して金銭の請求の意思
　　　表示をするだけでよい。

⑹　遺留分に関する民法の特例

　　会社の後継者が、旧代表者から生前贈与を受けた株式（自社株式）は、特別受益として遺留分算定
基礎財産に算入される。しかし、「経営承継円滑化法」による民法の特例により、後継者が遺留分権
利者全員と合意した場合、遺留分算定基礎財産から株式を除外したり、遺留分算定基礎財産に算入す
る株式の評価額をあらかじめ固定することができる（２つを組み合わせてもよい）。

| 除外合意 | 生前贈与された自社株式を、遺留分算定基礎財産から除外する
効果：自社株式に係る遺留分侵害額請求を未然に防止でき、株式の分散を回避できる |
| 固定合意 | 生前贈与された自社株式の遺留分算定基礎財産に算入すべき評価額を、あらかじめ合意時の評価額に固定する（本来は、相続時点の評価額である）
効果：後継者の貢献による自社株式の評価額の値上がり分が遺留分侵害額請求の対象外となるため、後継者の経営意欲が阻害されない |

※　適用を受けるためには、経済産業大臣の確認をとり、家庭裁判所の許可を得ることが必要
※　後継者が総議決権数の50％超をすでに所有している場合は、適用できない。
※　後継者は、合意時点において会社の代表者でなければならない。

11 成年後見制度

(1) 法定後見制度

		後 見	保 佐	補 助
要件	〈対象者〉 （判断能力）	精神上の障害（認知症・知的障害・精神障害等）により事理を弁識する能力を欠く常況に在る者	精神上の障害により事理を弁識する能力が著しく不十分な者	精神上の障害により事理を弁識する能力が不十分な者
開始の手続き	申立権者	本人、配偶者、4 親等内の親族、検察官等、市町村長 任意後見受任者、任意後見人、任意後見監督人		
	本人の同意	不要	不要	必要
同意権・取消権	付与の対象	日常生活に関する行為以外の行為 ※ 同意権はなし	民法13条 1 項各号所定の行為	申し立ての範囲内で家庭裁判所が定める「特定の法律行為」
	付与の手続き	後見開始の審判	保佐開始の審判	補助開始の審判 ＋同意権付与の審判 ＋本人の同意
	取消権者	本人・成年後見人	本人・保佐人	本人・補助人
代理権	付与の対象	財産に関するすべての法律行為	申立ての範囲内で家庭裁判所が定める「特定の法律行為」	同左

(2) 任意後見制度

　本人が判断能力のあるうちに、任意後見契約によって選任した任意後見人に財産管理等の事務について代理権のみを付与する。同意権・取消権はない。必ず公正証書により行われる。本人の判断能力が低下後、任意後見人等が家庭裁判所に任意後見監督人の選任を請求し、同監督人が選任された時点から効力が生じる。

　※ 法定後見、任意後見制度ともに後見人として複数人や法人を選任できる。

12 相続税の申告

　相続の開始があったことを知った日の翌日から10ヵ月以内

(1) 申告書の提出義務がない場合

　課税価格の合計額が遺産に係る基礎控除額（3,000万円＋600万円×法定相続人の数）以下である場合。

　※ 課税価格の合計額には、生前贈与加算や相続時精算課税制度による贈与財産も含まれる。

(2) 申告書の提出義務がある場合

> ・課税価格の合計額が遺産に係る基礎控除額を超える場合
> ・「小規模宅地等についての相続税の課税価格の計算の特例」の適用を受ける場合
> ・「配偶者の税額軽減」の適用を受ける場合
> ・相続時精算課税適用者が、相続税から控除しきれない贈与税額の還付を受ける場合

13 債務控除

　相続人（包括受遺者を含む）に適用される。控除できるのは、確実と認められる債務。制限納税義務者は、国内財産に関する債務および被相続人の営業上（国内営業所）の債務について控除できる。

〈適用対象者〉

	債　務	葬式費用
適用者	相続人および包括受遺者 相続を放棄した者および相続権を失った者は債務控除の適用はない	相続人および包括受遺者 相続を放棄した者および相続権を失った者であっても葬式費用は控除できる
留意点	上記適用者のうち、居住、非居住無制限納税義務者には控除の対象の全てについて適用がある	
	制限納税義務者のうち国内財産を取得した者は、その財産にかかる一定の債務のみ控除できる	制限納税義務者は控除できない

〈適用範囲〉

	控除の対象	控除の対象外
債　務	・借入金 ・未払税金（所得税・固定資産税等） ・未払医療費 ・アパート等の預り敷金	・非課税財産にかかる債務 ・保証債務（原則として） ・遺言執行費用 ・団体信用生命保険付住宅ローン ・税理士費用、弁護士費用
葬式費用	・通夜、本葬費用 ・葬式前後の出費で通常葬式に伴うもの ・死体の捜索、運搬費用 ・お布施	・初七日、四十九日法要 ・香典返戻費用 ・墓地の購入費 ・医学上または裁判上特別な処置に要した費用

14 相続税の延納・物納

(1) 延納

　　納付すべき相続税額が10万円を超え、納期限までに金銭一時納付が困難である場合

　　延納する場合、担保を提供しなければならないが、延納税額が100万円以下かつ延納期間が３年以内であるときは、担保は不要となる。

　　延納期間は原則５年だが、「不動産等の占める割合」が50％以上75％未満の場合は不動産等の価額（小規模宅地等の特例適用後の金額）に対応する部分の延納税額の最長延納期間は15年、「不動産等の占める割合」が75％以上の場合は最長延納期間は20年となる。延納税額は、動産等に係る部分と不動産に係る部分とを区分して計算する。

（2）　物納

　　延納によっても金銭で納付することが困難な場合

　①　物納適格財産

　　・相続または遺贈により取得した財産。相続人固有の財産は物納できない。

　　・被相続人から贈与により取得し生前贈与加算の対象となった財産

　　（相続時精算課税制度の適用を受けた財産は物納できない）

　②　物納劣後財産…他に物納財産がない場合に限り物納できる財産

　　・法令の規定に違反して建築された建物およびその敷地

　　・地上権の設定されている土地

　③　管理処分不適格財産…物納できない財産

　　・担保権の目的となっている不動産

　　・境界線が明確でない土地

　　・所有権の帰属が係争中の財産

　　・共有財産（共有者全員の持分を物納する場合を除く）

　④　収納価額

　　相続税の課税価格計算の基礎となった財産の価額による。ただし、小規模宅地等の特例を受けた宅地については評価減適用後の価額となる。収納時までに著しい状況の変化があった場合は、収納時の現況により収納価額が改定される。

　⑤　許可、却下

　　物納の申請があれば税務署長は許可または却下を原則３ヵ月以内に行う。却下された場合、却下された日の翌日から20日以内であれば物納の再申請を１回のみできる。

　⑥　延納から物納への変更（特定物納制度）

　　延納の許可を受けた者が資力の状況の変化等により延納による納付が困難となる事由が生じた場合は、その相続税の申告期限から10年以内の申請により延納から物納へ変更できる。

15 宅地の評価

　宅地は、路線価方式または倍率方式により、１画地（利用単位）ごとに評価する。

（1）　貸宅地と借地権の評価

　　貸宅地とは、借地権の目的となっている宅地のこと

> 貸宅地の価額＝自用地価額×（１－借地権割合）
> 借地権の価額＝自用地価額×借地権割合

（2）　貸家建付地の評価

　　貸家建付地とは、貸家の目的に供されている宅地のこと

> 貸家建付地の価額＝自用地価額×（１－借地権割合×借家権割合×賃貸割合）

（3）　貸家建付借地権の評価

　　貸家建付借地権とは、貸家の目的に供されている借地権のこと

> 貸家建付借地権の価額＝自用地価額×借地権割合×（１－借家権割合×賃貸割合）

(4) 使用貸借に係る宅地の評価

　　無償で貸し付けられている宅地は、家屋の所有を目的としていても借地権は生じずに、自用地価額により評価する。

> 使用貸借に係る宅地の価額＝自用地価額

　　※　使用貸借に係る宅地が貸家の敷地であっても、原則として貸家建付地として評価しない。

(5)　「土地の無償返還に関する届出」がある場合の宅地等の評価

　　建物の所有を目的として宅地を貸し付ける場合で、借地人が将来その宅地を無償で返還する旨を記載した「土地の無償返還に関する届出」を税務署長に提出している場合、借地権の価額は評価せず、貸宅地の価額は借地権割合に関係なく、自用地価額の80％として評価する。

> 貸宅地の価額＝自用地価額×0.8

16 地積規模の大きな宅地の評価

　　地積規模の大きな宅地のうち、普通商業・併用住宅地区および普通住宅地区として定められた地域に所在するものの価額は、「奥行価格補正」「側方路線影響加算」「二方路線影響加算」「三方または四方路線影響加算」「不整形地の評価」等の定めにより計算した価額に、「規模格差補正率」を乗じて計算した価額によって評価する。

地積規模の大きな宅地とは

　　地積規模の大きな宅地とは、三大都市圏においては500㎡以上の地積の宅地、それ以外の地域においては1,000㎡以上の地積の宅地をいう。

17 小規模宅地等についての相続税の課税価格の計算の特例

　　個人が、相続または遺贈により取得した財産のうち、その相続の開始の直前において被相続人等の事業の用または居住の用に供されていた宅地等で一の要件を満たしたものについては、限度面積までの部分について相続税の課税価格に算入すべき価額を減額することができる。

1．減額割合と限度面積

適用対象となる宅地等	減額割合	上限面積
①特定事業用宅地等 　特定同族会社事業用宅地等	80％	400㎡
②特定居住用宅地等		330㎡
③貸付事業用宅地等	50％	200㎡

　　※　対象となる宅地が複数ある場合の評価減の対象面積
　　　・特例を受けようとする宅地等のすべてが、特定居住用宅地等と特定事業用宅地等である場合には、それぞれ330㎡と400㎡のあわせて最大730㎡まで
　　　・貸付事業用宅地等も含めて適用を受ける場合は、面積について次のように調整が行われる。

$$①の面積 \times \frac{200}{400} + ②の面積 \times \frac{200}{330} + ③の面積 \leqq 200㎡$$

2．特例の対象となる宅地等

(1) 特定事業用宅地等の要件
・被相続人の事業（貸付事業を除く）を引き継いで申告期限までその事業を営み、かつ、その宅地等を所有していること
・相続開始前3年以内に事業の用に供された宅地は対象とならない。ただし、事業用減価償却資産の価額が、その宅地等の相続税評価額の15％以上である場合は対象となる。

(2) 特定居住用宅地等の要件
① 配偶者が取得した場合
・被相続人の配偶者が宅地等を取得した場合は、無条件に特定居住用宅地等となる。
② 同居親族が取得した場合
・相続開始時から申告期限まで引き続きその家屋に居住し、かつ、その宅地等を所有していること
③ 同居親族以外が取得した場合
・被相続人に配偶者または同居の法定相続人がいないこと
・相続開始前3年以内に、宅地等を取得した親族、その親族の配偶者、その親族の3親等内の親族またはその親族と特別の関係がある法人が所有する家屋に居住したことがないこと。
・相続開始時に宅地等を取得した親族が居住している家屋を、相続開始前のいずれの時においても所有したことがないこと
・相続開始時から申告期限までその宅地等を所有していること

(3) 特定同族会社事業用宅地等の要件
・相続開始の直前において被相続人および被相続人の親族等が発行済株式総数の50％超を有している法人の事業（貸付事業を除く）の用に供されていた宅地等で、その宅地等を取得した親族が、申告期限において役員であること
・その宅地等を申告期限まで所有していること

(4) 貸付事業用宅地等の要件
・被相続人の貸付事業を引き継いで申告期限までその事業を営み、かつ、その宅地等を所有していること
・相続開始前3年以内に新たに貸付事業の用に供された宅地等は対象外となる。ただし、被相続人が相続開始の日まで3年を超えて事業的規模で貸付事業を行っていた場合は対象となる。

3．その他
・宅地等を共有で取得した場合には、取得者ごとに適用要件を判定する。
・被相続人と親族が居住する二世帯住宅（区分所有建物登記がされているものは除く）の敷地の用に供されている宅地等を親族が取得した場合、その者は被相続人の同居親族とされ、敷地全体に特例が適用される。
・被相続人が老人ホームに入所した場合でも、被相続人に介護が必要なために入所したもので、家屋を貸付けの用に供していないときは、その家屋の敷地は被相続人の居住の用に供されていた宅地等として特例の対象となる。

・被相続人が医療介護院に入所したために居住の用に供されなくなった家屋の敷地も、被相続人の居住の用に供されていた宅地等として特例の対象となる。

18 事業承継税制の特例措置

取引相場のない株式等にかかる贈与税および相続税の納税猶予制度については、従来の事業承継税制に加えて特例措置が講じられ、2018年1月1日から2027年12月31日までの間に取引相場のない株式の贈与、相続等があった場合には、納税猶予制度の要件が緩和される。

(1) 適用期間

2018年1月1日から2027年12月31日までの間の贈与および相続等が特例の対象となる。

(2) 特例承継計画の策定

会社の後継者や承継時までの経営見通し等を記載した「特例承継計画」を策定し、2026年3月31日までに都道府県知事に提出し、その確認を受けなければならない。

(3) 納税猶予対象株式数と猶予割合

贈与税・相続税ともに、後継者が取得した株式の全部が納税猶予の対象となり、また、贈与税・相続税の全額が納税猶予される。

(4) 雇用要件

特例経営承継期間（贈与税・相続税の申告期限の翌日以後5年を経過する日）内に雇用の8割以上を維持できなかった場合でも、維持できない理由を記載した報告書を都道府県に提出することにより、納税猶予が継続される。

(5) 適用対象者の範囲

親族外を含む複数の株主から、代表者である後継者（最大3人まで）への贈与・相続等が対象となる。

(6) 相続時精算課税制度の適用対象者の範囲

60歳以上の贈与者から18歳以上の後継者（推定相続人および孫以外の者も含む）への贈与に相続時精算課税制度を適用することができる。

19 個人の事業用資産についての贈与税・相続税の納税猶予

青色申告（正規の簿記の原則によるものに限る。）に係る事業（不動産貸付事業等を除く。）を行っていた事業者の後継者として円滑化法の認定を受けた者が、個人の事業用資産を贈与または相続等により取得した場合には、一定の要件のもと、贈与税または相続税の納税が猶予される。

(1) 適用期間

2019年1月1日から2028年12月31日までの贈与および相続等が対象となる。

(2) 個人事業承継計画の策定

後継者は、事業の承継を確実にするための計画を記載した「個人事業承継計画」を策定し、2026年3

月31日までに都道府県知事に提出し、その確認を受けなければならない。

(3) 納税猶予額

後継者が贈与または相続等により取得した特定事業用資産に係る贈与税または相続税の全額の納税が猶予される。

特定事業用資産とは、先代経営者の事業の用に供されていた次の資産で贈与または相続があった年の前年の事業所得に係る青色申告書の貸借対照表に計上されていたものをいう。

- ・宅地等（400㎡まで）
- ・建物（床面積800㎡まで）
- ・営業用自動車
- ・建物および乗用自動車以外の減価償却資産で一定のもの

(4) 先代経営者および後継者の要件

① 先代経営者

先代経営者は、贈与または相続開始年、その前年および前々年において青色申告をしていなければならない。

② 後継者

後継者は「中小企業における経営の承継の円滑化に関する法律」の認定を受け、承継した事業について青色申告をする者で、以下の要件を満たすもの

贈与の場合：贈与の日において18歳以上（2022年3月31日以前は20歳以上）で、贈与の日まで引き続き3年以上特定事業用資産に係る事業に従事していること

相続の場合：相続開始の直前において特定事業用資産に係る事業に従事していたこと

20 取引相場のない株式（自社株）の評価

1．自社株評価の概要

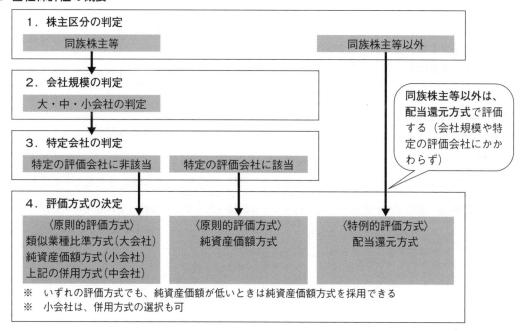

２．株主区分の判定

　株主区分は、「評価会社に同族株主はいるか」「株式の取得者は同族株主等か」「株式の取得者の議決権割合はいくらか」により判定する。

　※　同族株主のいる会社であっても、特例的評価方式となる株主がいる（下表▨▨の部分）。

区分	株主の態様				評価方式
同族株主のいる会社	同族株主※1	議決権割合が５％以上の株主			原則的評価方式
		議決権割合が５％未満の株主	中心的な同族株主がいない場合		
			中心的な同族株主がいる場合	中心的な同族株主※2	
				役員である株主	
				その他の株主	特例的評価方式（配当還元方式）
	同族株主以外の株主				

　※1　同族株主：判定はグループとして行う。
　　　　本人および同族関係者の有する議決権割合の合計が50％超のグループに属する株主。どの同族グループも50％以下の場合は30％以上のグループに属する株主
　※2　中心的な同族株主：判定しようとする個々の株式取得者ごとに行う。
　　　　本人、配偶者、直系血族、兄弟姉妹および１親等の姻族の有する議決権割合の合計が25％以上となる株主

３．会社規模の判定（大会社・中会社・小会社）

　同族株主等である場合、次の３つの基準（従業員数・総資産価額・取引金額）により、会社規模区分を判定する。中会社は、さらに「中会社の大」「中会社の中」「中会社の小」に区分される。

> ・従業員数（直前期）
> 　※　従業員数が70人以上の会社は業種にかかわらず常に大会社とする
> ・総資産価額および従業員数（直前期末）
> ・取引金額（直前期末以前１年間）

４．特定の評価会社の判定

　同族株主等が取得した株式について、以下の会社に該当した場合、会社規模区分にかかわらず純資産価額で評価する。

土地保有特定会社	総資産の一定割合以上が土地である会社（大会社で70％以上、中会社で90％以上）
株式保有特定会社	総資産の一定割合以上が株式である会社（大・中・小会社いずれも50％以上）
新　設　会　社	開業後３年未満の会社等

5. 自社株評価の具体的方法

(1) 類似業種比準方式

$$類似業種比準価額 = A \times \dfrac{\dfrac{ⓑ}{B} + \dfrac{ⓒ}{C} + \dfrac{ⓓ}{D}}{3} \times 斟酌率 \times \dfrac{1株当たりの資本金等の額}{50円}$$

A…類似業種の株価（①課税時期の属する月以前3ヵ月間の各月の株価、②前年の平均額および③課税時期の属する月以前2年間の平均株価のうちいずれか低い金額）

B…類似業種の1株当たり配当金額（課税時期の属する年）

C…類似業種の1株当たり年利益金額（課税時期の属する年）

D…類似業種の1株当たり簿価純資産価額（課税時期の属する年）

ⓑ…評価会社の1株当たり配当金額（直前期末以前2年間の平均額）

 ※ 特別配当、記念配当は除いて計算

ⓒ…評価会社の1株当たり年利益金額（直前期末以前1年間、または2年間の年平均のうちいずれかを選択）

ⓓ…評価会社の1株当たり簿価純資産価額（直前期末）

ⓑⓒⓓ…1株当たりの資本金等の額を50円とした場合の金額。マイナスの場合はゼロ

※ $1株当たりの資本金等の額 = \dfrac{直前期末の資本金等の額}{直前期末の発行済株式数（自己株式を除く）}$

 斟酌率‥**大会社**0.7、**中会社**0.6、小会社0.5

(2) 純資産価額方式

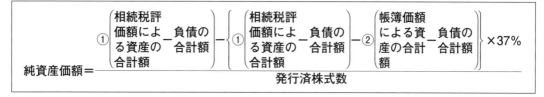

$$純資産価額 = \dfrac{\left(\begin{array}{c}相続税評\\価額によ\\る資産の\\合計額\end{array} - \begin{array}{c}負債の\\合計額\end{array}\right) - \left\{\left(\begin{array}{c}相続税評\\価額によ\\る資産の\\合計額\end{array} - \begin{array}{c}負債の\\合計額\end{array}\right) - ②\left(\begin{array}{c}帳簿価額\\による資\\産の合計\\額\end{array} - \begin{array}{c}負債の\\合計額\end{array}\right)\right\} \times 37\%}{発行済株式数}$$

※ 上記式を整理すると、以下のとおり

$$純資産価額 = \dfrac{① - (① - ②) \times 37\%}{発行済株式数}$$

(3) 併用方式

併用方式による評価額 = 類似業種比準価額 × Lの割合 + 純資産価額 × (1 − Lの割合)

 Lの割合：中会社の大…0.90 中会社の中…0.75 中会社の小…0.60 小会社…0.50

(4) 配当還元方式

$$配当還元価額 = \dfrac{年配当金額}{10\%} \times \dfrac{1株当たりの資本金等の額}{50円}$$

年配当金額：類似業種比準方式における1株当たりの年配当金額を用いる

    年配当金額が2円50銭未満または無配当の場合、年配当金額を2円50銭とする

直前予想模試

解答・解説

第1予想・基礎編

解答一覧・苦手論点チェックシート

※ 間違えた問題に✓を記入しましょう。

問題	科目	論点	正解	難易度	あなたの苦手※ 1回目	あなたの苦手※ 2回目
1	ライフ・年金・社保	後期高齢者医療制度	**1**	B		
2		雇用保険	**4**	B		
3		公的介護保険	**1**	B		
4		遺族給付	**1**	B		
5		確定拠出年金	**4**	B		
6		国民年金基金	**1**	B		
7		生活福祉資金貸付制度	**2**	B		
8		小規模企業共済制度	**4**	B		
9	リスク	個人年金保険	**1**	A		
10		民法・失火責任法	**2**	B		
11		生命保険料控除	**3**	B		
12		法人契約の経理処理	**1**	C		
13		自動車保険	**4**	B		
14		外貨建保険	**3**	B		
15		損害保険と税金	**3**	B		
16	金融	経済指標	**3**	B		
17		ドルコスト平均法	**3**	B		
18		債券の利回り計算	**2**	A		
19		海外の株価指標	**2**	B		
20		サスティナブル成長率	**4**	B		
21		デリバティブ取引	**2**	C		
22		ポートフォリオの収益率の測定方法	**4**	B		
23		配当割引モデル	**3**	B		
24		金融商品取引法	**2**	B		
25	タックス	所得税の納税義務者等	**3**	C		
26		不動産所得	**4**	B		
27		損益通算	**3**	B		
28		住宅借入金等特別控除	**4**	B		

問題	科目	論点	正解	難易度	あなたの苦手※	
					1回目	2回目
29	タックス	青色申告	4	C		
30		法人税（益金）	3	C		
31		法人税（会社・役員間の取引）	2	B		
32		法人税（貸倒損失）	3	B		
33		消費税	4	B		
34	不動産	不動産登記法	4	A		
35		不動産の取引	3	A		
36		借地借家法	2	A		
37		建蔽率・容積率	3	B		
38		区分所有法	4	A		
39		土地および建物に係る固定資産税	1	B		
40		不動産の譲渡に係る各種特例の併用	1	B		
41		不動産の有効活用	2	A		
42	相続	贈与税の配偶者控除	3	B		
43		相続時精算課税制度	2	A		
44		特別寄与料	3	A		
45		相続の承認と放棄	4	B		
46		遺言	1	B		
47		債務控除	3	A		
48		配偶者の税額軽減	2	A		
49		小規模宅地等の特例	1	B		
50		個人の事業用資産の納税猶予	3	C		

配点は各2点　難易度　A…基本　B…やや難　C…難問

科目別の成績

ライフ・年金・社保	リスク	金融
1回目　　　／16	1回目　　／14	1回目　　／18
2回目　　　／16	2回目　　／14	2回目　　／18

タックス	不動産	相続
1回目　／18	1回目　／16	1回目　／18
2回目　／18	2回目　／16	2回目　／18

あなたの得点（基礎編）

1回目
/100

2回目
/100

問1 解答：1

1）**適切**。保険料の年間の賦課限度額は、2023年度の66万円から、2024年度は73万円に引き上げられた。

2）**不適切**。後期高齢者医療制度の保険料の所得割率および均等割額は、都道府県によって異なる。

3）**不適切**。後期高齢者医療制度の被保険者が保険医療機関等の窓口で支払う一部負担金の割合が1割となるのは、単身世帯で住民税に係る課税所得金額が28万円未満の場合である。

4）**不適切**。後期高齢者医療制度の被保険者は、後期高齢者医療広域連合の区域内に住所を有する75歳以上の者、または後期高齢者医療広域連合の区域内に住所を有する65歳以上75歳未満の者であって、一定の障害の状態にある旨の認定を受けた者であるが、生活保護を受けている世帯に属する者は被保険者とされない。

問2 解答：4

1）**適切**。早期退職優遇制度による退職は、自己都合退職に該当し、算定基礎期間が20年以上である場合、所定給付日数は150日となる。

2）**適切**。算定基礎期間が10年未満である場合、所定給付日数は90日である。

3）**適切**。算定基礎期間が1年以上である場合、高年齢求職者給付金の支給額は、原則として基本手当の日額に相当する額の50日分である。

4）**不適切**。人員整理等に伴い事業主から退職勧奨を受けた者は、特定受給資格者に該当する。45歳以上60歳未満の特定受給資格者の算定基礎期間が10年以上20年未満である場合、所定給付日数は270日である。

問3 解答：1

1）**不適切**。課税所得金額が380万円以上690万円未満の単身の第1号被保険者が介護サービスを利用した場合、高額介護サービス費の算定上の自己負担限度額は、月額93,000円である。

2）**適切**。なお、第2号被保険者の自己負担割合は、1割である。

3）**適切**。なお、認定の申請に対する処分は、原則として、申請のあった日から30日以内に行われる。

4）**適切**。なお、組合管掌健康保険に加入する被保険者が40歳未満または65歳以上の場合でも、被扶養者が40歳以上65歳未満であるときは、組合の規約により、被扶養者の介護保険料を徴収されることがある。

問4 解答：1

1）**適切**。30歳未満の妻が支給を受ける遺族厚生年金が5年までとされるのは、年金法上の子を有しないとき（遺族基礎年金の支給を受けることができないとき）である。Aさんの妻は4歳の長男を有しており、遺族基礎年金の支給を受けることができるため、遺族厚生年金の受給権を取得した日から起算して5年を経過しても支給を受けることができる。

2）**不適切**。遺族厚生年金の遺族の範囲は、死亡時に死亡した者との間に生計維持関係がある配偶者、子、父母、孫、祖父母である。兄弟姉妹は、遺族厚生年金の支給を受けることができない。

3）**不適切**。遺族厚生年金の受給権者が2人以上いる場合において、各受給権者に支給される遺族厚生年金の額は、受給権者が1人であるときに算定される額を受給権者の人数で除して得た額となる。

4）**不適切**。子が遺族厚生年金の支給を受けるためには、子が18歳到達年度末日までにある者、または障害等級1級・2級の障害状態にある20歳未満の者で、かつ、未婚の者でなければならない。よって、長男は

遺族厚生年金の支給を受けることができない。なお、遺族厚生年金の支給を受けることができる夫の年齢は、妻の死亡当時、55歳以上でなければならない。

問5 解答：**4**

1) **適切**。なお、個人型確定拠出年金において掛金の拠出を希望しない場合は、「個人別管理資産移換依頼書」のみ運営管理機関等に提出して個人別管理資産の運用だけを行うことも可能である。

2) **適切**。2022年10月以降は、企業型確定拠出年金規約なしでも個人型確定拠出年金への加入が認められる。個人型確定拠出年金へ資産を移換して加入者になることも可能である。マッチング拠出を導入している企業の場合は、マッチング拠出と個人型での拠出を併用することはできないため、どちらかを選択する。

3) **適切**。なお、個人型確定拠出年金に資産を移換した場合、支給開始年齢（原則60歳）まで運用指図者として運用のみを行うことも可能である。

4) **不適切**。脱退一時金を受給できる要件としては、「個人型確定拠出年金の通算拠出期間が5年以下、または、個人別管理資産が25万円以下」である。

問6 解答：**1**

1) **適切**。国民年金基金の給付は、老齢年金と遺族一時金の2種類であり、障害給付はない。

2) **不適切**。老齢基礎年金の繰上げ支給の請求をした場合、国民年金基金から付加年金相当分の年金が繰上げ請求時から減額されて支給される。

3) **不適切**。国民年金基金の加入員が、申請免除（全額免除、4分の3免除、半額免除、4分の1免除）の適用を受けることとなった場合、国民年金基金の加入員資格を喪失する。なお、法定免除または産前産後期間の免除の場合は加入員資格を喪失しない。

4) **不適切**。国民年金基金の加入員が、4月から翌年3月までの1年分の掛金を前納した場合、0.1ヵ月分の掛金が割引される。

問7 解答：**2**

1) **適切**。年金担保融資制度は2022年3月末で新規申込を終了している。申込受付完了分は、借入額を繰り上げ返済することなく、これまで通り返済をすればよい。4月以降は年金担保融資の新規申込ができないため、家計に関する支援が必要であれば、社会福祉協議会が実施する生活福祉資金貸付制度を利用する。

2) **不適切**。65歳以上の高齢者世帯も日常生活上療養または介護を要する場合に、生活福祉資金を貸し付ける対象となる。福祉費として福祉費の貸付限度額は580万円以内である。

3) **適切**。貸付日から6ヵ月以内の据置期間を経過後、20年以内を償還期限とする。

4) **適切**。借入申込者は連帯保証人を立てることが原則必要であり、貸付利子が無利子になる。ただし、連帯保証人を立てない場合も借入は可能であり、貸付利子の利率は年1.5％である。

問8 解答：**4**

1) **不適切**。掛金月額は、1,000円から70,000円の範囲内（500円単位）で選択できる。

2) **不適切**。掛金の納付方法には、月払い、半年払い、年払いがあり、前納することもできる。なお、掛金を前納した場合、前納月数1カ月あたり0.09％相当額の前納減額金を受け取ることができる。

3) **不適切**。掛金納付月数が240月未満の場合、掛金合計額を下回る。なお、解約手当金の額は、掛金合計額の80％〜120％に相当する額である。

4) **適切**。なお、共済金の受取方法を「分割受取り」にするためには、分割で支給を受ける額が300万円以

上あることが要件となる。

問9 解答：**1**

1）**適切**。確定年金の年金支払期間中に被保険者が死亡した場合、被保険者の遺族に対し、残存期間に対応する年金または一時金が支払われる。

2）**不適切**。終身年金は、生存している限り年金が受け取れるため、被保険者（＝年金受取人）の年齢や基本年金額等の他の契約内容が同一である場合、統計上で男性より長寿の傾向にある女性のほうが保険料は高くなる。

3）**不適切**。保険募集に際して、保険契約の内容その他保険契約者等に参考となるべき情報の提供を行わなければならない（情報提供義務）。なお、変額保険や外貨建て保険など金融商品取引法が一部準用される契約（特定保険契約）を締結する際には、契約概要と注意喚起情報に分類の上、契約締結前交付書面の作成・交付が必要となる。契約概要とは、商品内容を理解する上で欠かせない基本的な情報であり、注意喚起情報とは契約者に不利益となるような商品の短所である。

4）**不適切**。個人年金保険料税制適格特約を付加するための要件の1つに「保険料または掛金の払込みは、年金支払開始日前10年以上にわたって定期に行うものであること」がある。保険料の一時払はこの要件を満たさないため、個人年金保険料税制適格特約を付加することができない。

問10 解答：**2**

民法および失火責任法の適用関係は次のとおり。

原因	隣家への賠償	家主への賠償
軽過失による失火	損害賠償責任を負わない（失火責任法の適用）	損害賠償責任を負う（民法の債務不履行責任）(c)(d)
爆発による損壊重過失または故意による失火	損害賠償責任を負う（民法の不法行為責任）(a)(b)	

(a) **適切**。Aさんはガス爆発事故を起こしているため、失火責任法の適用はなく、隣家の所有者に対し民法の不法行為責任（損害賠償責任）を負う。

(b) **不適切**。Bさんに重過失が認められるため、失火責任法の適用はなく、隣家の所有者に対し民法の不法行為責任（損害賠償責任）を負う。

(c) **適切**。Cさんは家主に対して、民法の債務不履行責任（損害賠償責任）を負う。

(d) **不適切**。Dさんは家主に対し失火責任法の適用はなく、民法の債務不履行責任（損害賠償責任）を負う。

よって、不適切なものは2つである。

問11 解答：**3**

1）**不適切**。2012年以後に契約の更新、転換、特約の中途付加等をした場合は、その契約全体の保険料が新制度の対象になる。ただし、保険の一部を転換した場合は、転換後の新しい契約は新制度の対象となるが、存続している元の契約は旧制度の対象のままである。なお、リビング・ニーズ特約・指定代理請求特約など保障がない特約や、災害割増特約・傷害特約など身体の傷害のみに基因して保険金が支払われる特約を中途付加しても新制度の対象にはならない。

2）**不適切**。所得税法上において生命保険料控除の対象は限定されており、保険業法2条3項の生命保険会社または同条8項の外国生命保険会社等との保険契約に限られる。したがって、少額短期保険業者との契

約は生命保険料控除を適用することができない。

3）**適切**。保険金等の受取人が保険料負担者本人またはその配偶者その他の親族であることが生命保険料控除の対象要件である。したがって、離婚した妻は要件から外れるため、生命保険料控除を適用する場合は、遅滞なく死亡保険金受取人を変更する必要がある。

4）**不適切**。自動振替貸付が行われても、生命保険契約は有効に継続しており、失効していない。自動振替貸付により充当された保険料も生命保険料控除の対象となる。

問12 解答：1

2019年7月7日以前の保険契約については、保険の種類ごとの経理処理が適用される。

本問の定期保険は、保険期間満了時の被保険者の年齢が70歳を超えないため、長期平準定期保険ではない。したがって、支払保険料について資産計上額はなく、事業年度に対応する金額が損金算入される。

払済保険に変更する場合、次のとおり、変更前の資産計上額（保険料積立金）と解約返戻金との差額を益金算入（雑収入）または損金算入（雑損失）する。これを洗替処理という。

・資産計上額（保険料積立金）＜ 解約返戻金 → 益金算入（雑収入）
・資産計上額（保険料積立金）＞ 解約返戻金 → 損金算入（雑損失）

本問の定期保険における支払保険料には資産計上額がないため、解約返戻金相当額を保険料積立金として資産計上し、その全額が雑収入（益金算入）となる。

借方		貸方	
保険料積立金	1,200万円	雑収入	1,200万円

問13 解答：4

1）**適切**。自動車を廃棄・譲渡した場合や海外渡航した場合など一時的に被保険自動車を所有または使用しなくなった場合、保険契約の中断制度を利用できる。この制度が利用できる期間は解約日から10年以内である。

2）**適切**。対人・対物事故により自動車保険を使用した場合、3等級ダウン事故として更新後の等級は3等級下がる。また、車両保険のみを使用した場合は、1等級ダウン事故として更新後の等級は1等級下がる。

3）**適切**。車両保険において、契約（更新）時に設定した免責金額がある場合でも、自損事故により被保険自動車が全損したときは、免責金額は差し引かれない。

4）**不適切**。人身傷害保険が補償する損害の額は、一定の損害額基準に従って計算され、治療関係費のみならず、休業損害や精神的損害、葬祭費、将来の介護料、逸失利益（将来にわたる経済的損失）も含まれる。

問14 解答：3

1）**適切**。ドルコスト平均法は、毎回一定金額を支払うことにより、リスク軽減を図る投資手法である。毎回一定額の円貨を支払うことにより、円高の場合は多額の外貨を取得し、円安の場合は少額の外貨を取得することになるため、為替変動リスクを軽減できる。

2）**適切**。なお、一時払終身保険を契約締結日から5年以内で解約し、解約差益が発生した場合、一時所得として総合課税の対象となる。

3）**不適切**。MVA機能を有する外貨建終身保険は、市場金利に応じた運用資産の価格変動が解約返戻金等に反映されるため、契約時と比較した解約時の市場金利の上昇は、解約返戻金額の減少要因となる。

4）**適切**。円換算支払特約を付加した場合、受取時の為替相場で円貨により支払われるため、保険金額に為替差損益が生じる可能性がある。円換算支払特約を付加することにより、為替変動リスクを回避することはできない。

問15 解答：**3**

1）**不適切**。個人事業主が、事業用建物などの棚卸資産以外の事業用資産について火災保険金を受け取った場合、受け取った保険金は<u>非課税</u>となる。

2）**不適切**。商品などの棚卸資産の損害について火災保険金を受け取った場合、<u>全額が事業所得の収入金額</u>となる。よって課税対象となる。

3）**適切**。営業用什器備品は棚卸資産ではないため、受け取った火災保険金は非課税となる。また、廃棄損が発生した場合の取扱いは、以下のとおり。

・受取保険金額＞廃棄損→受取保険金額と廃棄損の差額は非課税

・受取保険金額＜廃棄損→受取保険金額と廃棄損の差額は必要経費

4）**不適切**。店舗休業保険は、火災などによる休業によって失った利益を補償する保険であるため、受け取った保険金は<u>事業所得</u>の収入金額となる。よって課税対象である。

問16 解答：**3**

1）**適切**。なお、有価証券の購入、土地・住宅の購入などの「資産価格」は指数の対象に含まれていない。

2）**適切**。なお、調査結果の中で最も注目度が高いのが、判断項目における業況判断ＤＩである。

3）**不適切**。2022年7月に開催された第21回景気動向指数研究会において、景気を把握する新しい指数（一致指数）が参考指標として公表されたが、毎月の基調判断や景気基準日付（景気の山・谷）の判定は、従来どおり景気動向指数を用いた手法により行われる。なお、景気を把握する新しい指数（一致指数）は、次の17の各採用指数を生産面、分配面、支出面ごとに各指標のウエイトで加重平均し、その指数を基準化して1つの指数に合成するものである。

生産面（供給）	鉱工業生産指数（最終需要財） 鉱工業生産指数（生産財） 建設出来高（民間及び公共） 第3次産業活動指数（広義対個人サービス） 第3次産業活動指数（広義対事業所サービス）
分配面（所得）	実質総雇用者所得（第2次産業） 実質総雇用者所得（第3次産業） 営業利益（第2次産業） 営業利益（第3次産業）
支出面（需要）	実質小売販売額 第3次産業活動指数（広義非選択的個人向けサービス） 第3次産業活動指数（広義し好的個人向けサービス） 資本財総供給 民間建設出来高 無形固定資産（ソフトウエア投資） 輸出数量指数 実質サービス輸出

4）**適切**。名目ＧＤＰは、実際に市場で取引されている価格に基づいて推計された値であり、実質ＧＤＰは、参照年からの物価の上昇・下落分を取り除いた値である。

問17 解答：**3**

ドルコスト平均法とは、価格変動商品を、定期的に一定金額ずつ購入する投資手法である。

購入時期	第1回	第2回	第3回	第4回	第5回	合　計
購入単価	3,750円	6,000円	7,500円	5,000円	6,000円	—
購入金額	15万円	15万円	15万円	15万円	15万円	① 75万円
購入口数	15万円÷ 3,750円 ＝40口	15万円÷ 6,000円 ＝25口	15万円÷ 7,500円 ＝20口	15万円÷ 5,000円 ＝30口	15万円÷ 6,000円 ＝25口	② 140口

平均購入単価＝①75万円÷②140口＝5,357.1…　→　<u>5,357円</u>

問18 解答：**2**

$$利付債券の最終利回り（単利）（\%）＝\frac{クーポン＋\dfrac{100－単価}{残存年数}}{単価}×100$$

$$固定利付債券の最終利回り＝\frac{0.65＋\dfrac{100－101.20}{5}}{101.20}×100＝0.405…　→　\underline{0.41\%}$$

$$割引債券の最終利回り（1年複利）（\%）＝\left(\sqrt[残存年数]{\frac{100}{単価}}－1\right)×100$$

$$割引債券の最終利回り＝\left(\sqrt[4]{\frac{100}{97.95}}－1\right)×100＝0.519…　→　\underline{0.52\%}$$

問19 解答：**2**

1) **不適切**。ダウ・ジョーンズ工業株価平均（ニューヨーク・ダウ）は修正平均株価の指標である。

2) **適切**。S＆P500種株価指数は、米国の大型株の動向を把握することができる指標であり、米国の株式市場の時価総額の約80％をカバーしているといわれている。

3) **不適切**。ナスダック総合指数は、時価総額加重平均型の株価指数である。

4) **不適切**。VIX指数（恐怖指数）は、株式市場に対する投資家心理を表す指数であり、この数値が高まると、投資家が将来の先行きに対して不安を持っている状態であるとされる。

問20 解答：**4**

サスティナブル成長率＝ROE×内部留保率

$$＝\frac{当期純利益}{自己資本}×100×(1－配当性向)$$

$$＝\frac{当期純利益}{発行済株式総数}×\frac{発行済株式総数}{自己資本}×100×(1－配当性向)$$

$$＝\frac{当期純利益}{発行済株式総数}÷\frac{自己資本＝純資産}{発行済株式総数}×100×(1－配当性向)$$

$$＝EPS÷BPS×100×(1－配当性向)$$

$$＝850円÷5,500円×100×(1－33.00\%)＝10.354…\%　→　\underline{10.35\%}$$

問21 解答：**2**

1）**適切**。市場金利が上昇すると債券価格は下落する。よって、金利上昇リスクをヘッジするには債券価格の下落リスクをヘッジすればよいため、長期国債先物の売建てが効果的である。

2）**不適切**。ドル支払いがある輸入企業が、円安による支払額の増加をヘッジするためには、ドルの固定金利受取り／円の固定金利支払いとなるクーポン・スワップが効果的である。

3）**適切**。外貨建債券を発行する国内の会社が、円安による償還負担の増加をヘッジするためには、外貨買い／円売りの為替予約を行うと効果的である。

4）**適切**。保有している国内上場株式（現物）の値下がりに対するヘッジとしては、ＴＯＰＩＸ先物の売建てが効果的である。

問22 解答：**4**

1）**適切**。β（ベータ）とは、市場全体（市場ポートフォリオ）が1％動いたときにその証券が何％変動するかを表した数値で、市場全体のリスク（システマティック・リスク）に対する感応度のことである。

2）**適切**。トレイナーの測度は、安全資産の収益率に対するポートフォリオの超過収益率をβ（ベータ）で除して算出することにより、βによるリスク1単位当たりの超過収益率が算出できる。なお、数値が大きいほど、パフォーマンスが優れていたといえる。

3）**適切**。なお、ジェンセンの測度がプラスであれば、パフォーマンスが優れていたといえる。

4）**不適切**。シャープ・レシオの説明である。インフォメーション・レシオ（情報比）は、ベンチマークの収益率に対するポートフォリオの超過収益率をトラッキングエラー（超過収益率の標準偏差）で除したものにより、ポートフォリオの運用成果を評価する手法である。

問23 解答：**3**

株式の価値は、将来支払われる配当の現在価値の総合計であるとの考え方を、配当割引モデルという。将来にわたって定率で配当が成長して支払われると予想する場合、以下の計算式が成り立つ。

$$株式の内在価値（理論株価）＝\frac{1株当たりの予想配当}{期待利子率－期待成長率}$$

株式の内在価値（理論株価）＝900円、1株当たりの予想配当＝20円、期待利子率＝4％を当てはめて、期待成長率を x として計算する。

$$\frac{20円}{4\％－x}＝900円$$

900円×（4％－x）＝20円

x ×900円＝16円

x ＝16円÷900円＝0.01777… → 1.78％

問24 解答：**2**

1）**不適切**。インサイダー取引規制の対象となる会社関係者には、上場会社等の帳簿閲覧権を持つ株主等も含まれる。

2）**適切**。

3）**不適切**。インサイダー取引規制の対象となる上場会社等の業務等に関する重要事実には、その上場会社等の子会社に生じた重要事実も含まれる。

4）**不適切**。インサイダー取引規制の対象となる上場会社等の業務等に関する重要事実とは、ある事項につ

いて、いったん行うと決定した事項が公表されたあとで、それを行わないことが決定された場合も含まれる。

問25 解答：**3**

個人である納税義務者の課税所得の範囲は、次のとおりである。

種類		課税所得の範囲
居住者	非永住者以外	日本国内および国外で生じたすべての所得
	非永住者	国外源泉所得以外の所得および国外源泉所得で国内で支払われ、または国外から送金されたもの
非居住者		国内源泉所得

(a) **不適切**。非永住者以外の居住者が得た所得については、その所得が生じた場所にかかわらず、所得税が課税される。

(b) **不適切**。非永住者が日本国内で得た所得については、所得税が課税される。

(c) **不適切**。非居住者が日本国内で得た所得については、所得税が課税される。

よって、不適切なものは <u>3</u> つである。

問26 解答：**4**

1）**不適切**。①貸間、アパート等については、貸与することのできる独立した室数がおおむね10室以上であること、②独立家屋の貸付けについては、おおむね5棟以上であること、のいずれかの基準に該当する場合、原則として、事業として行われているものとして取り扱う（5棟10室基準）。

2）**不適切**。土地の時価の2分の1を超える権利金を受け取った場合は、譲渡所得の金額の計算上、総収入金額に算入する。なお、土地の時価の2分の1以下である権利金を受け取ったことによる収入は、不動産所得の金額の計算上、総収入金額に算入する。

3）**不適切**。取壊損失の金額は、貸付けが事業的規模に満たない場合、その損失の金額を控除する前の不動産所得の金額を限度として必要経費に算入することができる。また、貸付けが事業的規模である場合、損失の金額を全額、その損失が生じた年分の必要経費に算入し、その結果、不動産所得が赤字となった場合には、損益通算をすることができる。

4）**適切**。自宅の取壊しに要した費用は、不動産所得の金額の計算上、必要経費とならず、賃貸アパートの取得価額に算入することもできない。

問27 解答：**3**

・損益通算

第1次通算：180万円 −（270万円 − 60万円）＝▲30万円（不動産）

第2次通算：90万円（一時）− 30万円（不動産）＝60万円（一時）

・総所得金額

$$60万円 \times \frac{1}{2} = \underline{30万円}$$

※不動産所得の損失の金額は、まず経常所得の金額から控除する。土地の取得に要した負債の利子は、損益通算の対象外。

※為替差損による雑所得の損失は、損益通算の対象外。

※一時所得の金額は、損益通算後の金額の2分の1を総所得金額に算入する。

問28 解答：**4**

1）**不適切**。2024年中に新築の認定長期優良住宅を取得し、入居した特例対象個人が住宅借入金等特別控除の適用を受ける場合、2024年末のローン残高限度額は5,000万円、控除率は0.7％であるため、最大控除額は35万円（5,000万円×0.7％）である。

2）**不適切**。2024年中に新築のＺＥＨ水準省エネ住宅を取得し、入居した特例対象個人が住宅借入金等特別控除の適用を受ける場合、2024年末のローン残高限度額は4,500万円、控除率は0.7％であるため、最大控除額は315,000円（4,500万円×0.7％）である。

3）**不適切**。住宅借入金等特別控除の適用を受けることができる控除期間は、最長13年間である。

4）**適切**。床面積が50㎡以上である場合、合計所得金額は2,000万円以下でなければならない。なお、小規模居住用家屋（床面積が40㎡以上50㎡未満）である場合、合計所得金額は1,000万円以下でなければならない。

問29 解答：**4**

1）**適切**。青色申告の承認を受けていた被相続人の事業を相続により承継した場合において、相続人が青色申告の承認を受けようとするときは、相続開始を知った日（死亡の日）の時期に応じて、それぞれ次の期間内に青色申告の承認申請書を提出しなければならない。
　　① その死亡の日がその年の1月1日から8月31日までの場合
　　　死亡の日から4ヵ月以内
　　② その死亡の日がその年の9月1日から10月31日までの場合
　　　その年の12月31日まで
　　③ その死亡の日がその年の11月1日から12月31日までの場合
　　　その年の翌年の2月15日まで
　　したがって、本問の5月死亡の場合には死亡日から4ヵ月以内となる。

2）**適切**。青色申告者が不動産所得を生ずべき業務と事業所得を生ずべき業務のいずれも営む場合、損益計算書はそれぞれの業務に係るものの区分ごとに各別に作成しなければならないが、貸借対照表は2つの業務に係るものを合併して作成する。

3）**適切**。事業所得を生ずべき業務を営む青色申告者が、取得価額が10万円以上30万円未満の減価償却資産（少額減価償却資産）を取得して業務の用（一定の貸付けを除く）に供した場合には、取得価額の合計額のうち300万円に達するまでの金額を必要経費に算入することができる。

4）**不適切**。純損失の繰戻還付の適用対象者は、青色申告者であるが、その前年においても青色申告書を提出していなければならない。したがって、青色申告の適用を初めて受ける年分に生じた純損失の金額を青色申告者ではなかった前年に繰り戻すことはできない。

問30 解答：**3**

1）**不適切**。資産評価益は、原則として、所得の計算上益金に算入しない。ただし、一定の場合には資産評価益が益金に算入されることもある。

2）**不適切**。法人税の還付を受けた場合、その還付された金額は、益金の額に算入されない。ただし、還付加算金は益金の額に算入される。

3）**適切**。法人が個人から債務の免除を受けた場合、その免除された債務の金額（債務免除益）は、原則として、所得の計算上益金の額に算入される。

4）**不適切**。完全子法人株式等に係る配当の額は、所定の手続により、その全額が益金不算入となる。

問31 解答：**2**

1）**不適切**。役員が法人に対して無利息で金銭の貸付を行った場合、受取利息の認定は行われず、課税関係は生じない。

2）**適切**。法人が役員に対して無利息で金銭の貸付を行った場合には、法人側では受取利息が認定され、役員側では経済的利益が認定され、給与所得として課税される。

3）**不適切**。役員が所有する資産を適正な時価の2分の1以上の価額で法人に譲渡した場合、法人側では時価と買入価額との差額が受贈益として取り扱われ、役員側では譲渡価額と取得費等の差額が譲渡所得として課税される。

4）**不適切**。役員が所有する資産を適正な時価よりも高い価額で法人に譲渡した場合、法人側では時価と買入価額との差額について、役員に対して給与を支払ったものとして取り扱われ、役員側では時価と譲渡価額との差額が給与所得として課税される。

問32 解答：**3**

1）**適切**。債務者の資産状況、支払能力からみて、債権の全額の回収不能が明らかである場合には、損金経理を要件として、その全額を貸倒損失として損金に算入できる。この取扱いは、担保物がある場合、その担保物を処分した後に限られる。

2）**適切**。売掛金等の債権につき、次の場合には、その債権の額から備忘価額（1円以上）を控除した金額の損金経理を要件として、貸倒損失として損金に算入できる。
 ① 継続的な取引を行っていた取引先との最後の取引から1年以上経過したが、その弁済がなされない。
 ② 売掛金等の額が取立旅費の額に満たない場合において、支払督促したにもかかわらずその弁済がなされない。
 本選択肢は上記①に該当するため、売掛金から備忘価額を控除した残額が貸倒損失として認められる。

3）**不適切**。本選択肢は貸付金であるため、選択肢2と異なり、売掛金等の債権について認められる経理処理を適用することはできない。

4）**適切**。貸金等につき、会社更生法の決定、債権者集会等の協議決定、書面による債務免除等により、法的に取引先に対する債権が消滅した場合、その消滅した金額を、その金額が決定した事業年度に貸倒損失として損金に算入する。

問33 解答：**4**

1）**不適切**。確定申告書の提出期限は、原則として、次のとおりである。
 ・法人…課税期間の末日の翌日から2カ月以内（なお、法人税の申告期限延長の特例の適用を受けている法人は、消費税の申告期限を1カ月延長できる）
 ・個人…翌年3月31日まで

2）**不適切**。免税事業者は、消費税について何ら会計処理をする必要はない。したがって、通常の会計処理（税込経理方式）によって記帳しなければならず、税抜経理方式によって記帳することはできない。

3）**不適切**。基準期間における課税売上高が5,000万円を超える場合、簡易課税制度の適用を受けることはできない。

4）**適切**。納税義務は個人と法人を分けて考えるため、前々年の課税売上高が1,000万円を超える個人が法人成りした場合であっても、事業年度開始の日の資本金または出資金の額が1,000万円未満の法人であるときは、設立第1期および第2期は免税事業者となる。

問34 解答：**4**

1）**不適切**。合筆する予定の土地については、抵当権等の所有権以外の権利の登記がないことが条件にあり、抵当権者の承諾書を添付したとしても合筆登記はできない。よって、本肢のように2筆の土地のうち、1筆のみに抵当権の設定がなされている場合も合筆の登記をすることはできない。

2）**不適切**。所有権に関する仮登記に基づく本登記は、登記上の利害関係を有する第三者がいる場合には、原則として当該第三者の承諾があるときに限り、申請することができる。なお、抵当権など所有権以外の仮登記を本登記にする場合は、第三者の承諾は不要である。

3）**不適切**。登記事項証明書は、誰でもその交付を請求することができる。

4）**適切**。なお、登記事項証明書については、インターネットを利用したオンラインによる交付請求をすることができ、交付方法は、請求時に郵送または登記所の窓口で受け取る方法のいずれかを選択する。

問35 解答：**3**

(a) **不適切**。買主が相当期間を定めて履行の追完の催告をし、その期間内に履行の追完がない場合、帰責事由のない買主は、不適合の程度に応じた代金減額請求をすることができる。

(b) **不適切**。売主が引渡時にその不適合を知っていた場合や重大な過失により知らなかったときは、1年経過後の通知でも各種請求等をすることができる。

(c) **不適切**。目的物の不適合が買主の責めに帰すべき事由によるものでない場合、売主に帰責事由がないときでも、買主は売主に対し、目的物の修補を請求（追完請求）をすることができる。

よって、不適切なものは3つである。

問36 解答：**2**

1）**適切**。なお、10年以上30年未満の事業用借地権には、契約更新、建物築造による存続期間の延長、建物買取請求権は適用されないため、設定契約時に特約でこれらを排除する旨を定める必要はない。

2）**不適切**。事業用借地権は契約の更新が排除されるが、当事者間の合意により、法定の範囲内で存続期間を延長することはできる。

3）**適切**。1年以上の期間を有する定期建物賃貸借において、賃貸人は、期間満了の1年前から6カ月前までの間（通知期間）に、賃借人に賃貸借が終了する旨の通知をすることで、その終了を賃借人に対抗することができる。

4）**適切**。床面積が200㎡未満の居住用建物の定期建物賃貸借契約において、転勤、療養、親族の介護その他やむを得ない事情により、建物を自己の生活の本拠として使用することが困難となったときは、賃借人は、解約の申入れから1カ月後に当該賃貸借を終了させることができる。

問37 解答：**3**

1）**適切**。用途地域が商業地域の場合は、指定建蔽率が80％となる。指定建蔽率が80％の地域でかつ防火地域内に耐火建築物等を建てる場合は、建蔽率の制限はなくなる（建蔽率100％となる）。

2）**適切**。アパート・マンション等の共同住宅の場合、共用廊下や階段部分の床面積は、容積率の計算の基礎となる延べ面積に算入しない（容積率の不算入措置）。

3）**不適切**。容積率は、前面道路の幅が12m未満の場合に、用途地域ごとの法定乗数によって制限される。なお、住居系用途地域の場合は、「前面道路幅×4/10」、その他の用途地域の場合は、「前面道路幅×6/10」で計算し、指定容積率と比較して小さいほうの数値を容積率の上限とする。

4）**適切**。建築物の地階で天井が地盤面からの高さ1m以下にあるものの住宅部分の床面積は、原則として、当該建築物の住宅部分の床面積の合計の3分の1までは、容積率を計算する際の延べ面積に算入され

ない。

問38 解答：**4**

1）**不適切**。管理組合の法人化にあたっては、区分所有者および議決権の各4分の3以上の多数による集会の決議と、その主たる事務所の所在地において登記をする必要がある。

2）**不適切**。各区分所有者の議決権の割合は、規約に別段の定めがない限り、原則として専有部分の床面積の割合によるが、規約で別段の定めをすることにより、専有部分の床面積の割合以外で定めることができる。

3）**不適切**。集会において区分所有者および議決権の各5分の4以上の多数による建替え決議がなされた場合、決議に賛成した区分所有者等は、建替えに参加しない旨を回答した区分所有者に対し、一定期間内に、区分所有権および敷地利用権を時価で売り渡すべきことを請求することができる。

4）**適切**。形状または効用の著しい変更を伴う共用部分の変更を行うための決議要件については、規約で区分所有者数の定数のみ過半数まで減ずることができる。

問39 解答：**1**

1）**適切**。「住宅用地に対する固定資産税の課税標準の特例」は、賃貸マンション等の自己の居住用住宅以外の住宅（貸家）の敷地である宅地についても適用を受けることができる。

2）**不適切**。固定資産税には還付制度がない。年の途中で土地や家屋の売買があった場合、売主と買主の間で、その年度分の固定資産税額の相当分を日割り按分して負担する等の取り決めを行うことが一般的である。

3）**不適切**。住宅用敷地の固定資産税評価額は、小規模住宅用地の特例（200㎡までの部分は1/6、200㎡を超える部分は1/3に軽減する特例）が適用される。本特例においては、その年の1月1日現在に住宅（自宅や賃貸住宅等）の建物が存在する土地を住宅用地としているので、1月1日時点で建物の所有権の保存登記が未了であっても、小規模住宅用地の特例は適用可能となる。

4）**不適切**。「新築された認定長期優良住宅に対する固定資産税の減額」の適用を受けた場合、新たに課税されることとなった年度から次の期間、固定資産税額の2分の1相当額が減額される。

	認定長期優良住宅	認定長期優良住宅以外
中高層耐火建築物	7年間	5年間
中高層耐火建築物以外	5年間	3年間

問40 解答：**1**

1）**不適切**。「居住用財産を譲渡した場合の3,000万円の特別控除」と「被相続人の居住用財産（空き家）に係る譲渡所得の特別控除」については、重複して適用を受けることができる。ただし、同一年内に適用を受ける場合、2つの特例を合わせて3,000万円が控除限度額となる。

2）**適切**。「特定の居住用財産の買換えの場合の長期譲渡所得の課税の特例」と「居住用財産を譲渡した場合の3,000万円の特別控除」については、重複して適用を受けることはできない。

3）**適切**。「被相続人の居住用財産（空き家）に係る譲渡所得の特別控除」と「相続財産に係る譲渡所得の課税の特例」（相続税の取得費加算の特例）については、重複して適用を受けることはできない。

4）**適切**。「居住用財産を譲渡した場合の3,000万円の特別控除」と「居住用財産を譲渡した場合の長期譲渡所得の課税の特例」（軽減税率の特例）については、重複して適用を受けることができる。

問41 解答：**2**

(a) **不適切**。建設協力金方式は、事業者が建設協力金を地主に差し入れ、地主は建設協力金により建物を建築し、建物が完成すると、事業者が賃借人として入居する事業方式である。建設協力金の提供は金銭消費貸借契約の性質を有するため、賃料を基に建設協力金を返済することになる。なお、建物は事業者の指示するデザイン・仕様となるため、賃貸期間中に事業者が撤退すると、建物の転用が難しい場合がある。

(b) **不適切**。等価交換方式は、地主の土地に事業者が建物を建て、完成後の土地・建物を地主と事業者が分け合うという一種の共同事業であり、土地の譲渡の範囲によって、全部譲渡方式と部分譲渡方式に分けられる。

　　　・全部譲渡方式：地主が土地の全部を事業者に譲渡し、建物完成後、土地代相当の区分所有建物およびその敷地（共有持分）を取得する方式。

　　　・部分譲渡方式：地主が土地の一部を事業者に譲渡し、その等価の建物の一部（区分所有権）を取得する方式。

(c) **適切**。事業用定期借地権は、期間満了後、更新せず建物を収去して土地を明け渡す借地権である。地主は残存建物を買い取る必要がない。

　　よって、不適切なものは **2つ** である。

問42 解答：**3**

1）**適切**。贈与税の配偶者控除の適用を受けるには、戸籍の謄本または抄本、戸籍の附票の写し、居住用不動産の登記事項証明書を添付して、贈与税の申告書を翌年3月15日までに提出することが必要である。なお、戸籍の附票の写しとは、その戸籍に記載されている者について戸籍が作られてから現在に至るまでの住所を記録したものをいう。

2）**適切**。贈与税の配偶者控除の適用を受けるには、贈与の日において婚姻期間が20年以上であることが必要である。

3）**不適切**。店舗併用住宅の場合、居住用部分から優先して贈与を受けたものとして適用を受けられる。本肢では、居住用部分の割合（40%）が贈与を受けた持分（3分の1 ≒ 33%）以上であるため、贈与を受けた部分がすべて居住用であるものとして計算することができる。また、贈与を受けた持分3分の1の価格1,600万円は、配偶者控除額（最高2,000万円）以内であるため、贈与税額は算出されない。

4）**適切**。店舗併用住宅の場合、贈与税の配偶者控除の対象は居住用部分のみに認められる。この居住の用に供されている部分の面積の割合がおおむね90%以上である場合には、その家屋および敷地全体を居住用不動産として、贈与税の配偶者控除の適用を受けることができる。

問43 解答：**2**

1）**適切**。相続時精算課税を選択した場合、選択した年以後その特定贈与者からの贈与については、特定贈与者が死亡するまで継続して適用され、暦年課税に変更することはできない。したがって、養子縁組を解消して特定贈与者の推定相続人でなくなった場合でも、その特定贈与者からの贈与により取得した財産については、引き続き相続時精算課税が適用される。

2）**不適切**。2024年1月1日以降の相続時精算課税制度においては、その年の贈与を受けた財産の金額が基礎控除110万円以下の場合、贈与税の申告書を提出する必要はない。

3）**適切**。相続時精算課税の特定贈与者が死亡した場合、相続時精算課税適用者は、相続時精算課税を適用して贈与を受けた財産を相続財産に加算した金額が遺産に係る基礎控除額以下であれば、相続税の申告書を提出する必要はない。

4）**適切**。相続時精算課税の特定贈与者の死亡以前に相続時精算課税適用者が死亡した場合、その相続時精

算課税適用者の相続人（包括受遺者を含む）は、その相続時精算課税適用者が有していた相続時精算課税の適用を受けていたことに伴う納税に係る権利または義務を承継する。ただし、特定贈与者がその相続時精算課税適用者の相続人である場合、その特定贈与者はその権利または義務を承継しない。

問44 解答：**3**

1）**適切**。特別寄与料の支払いの請求をすることができるのは、相続人以外の被相続人の親族である。内縁関係者は親族でないため、特別寄与料の支払いを請求することはできない。

2）**適切**。特別寄与料は金銭に限られる。遺産の全部または一部の分割を請求することはできない。

3）**不適切**。相続人が複数いる場合、各相続人は、特別寄与料の額に当該相続人の法定相続分、代襲相続分または指定相続分を乗じた額を負担する。

4）**適切**。特別寄与料の支払いについて当事者間で協議が調わない場合、または協議することができない場合、特別寄与者は、特別寄与者が相続開始および相続人を知ったときから6カ月を経過するとき、または相続開始時から1年を経過するときのいずれか早い日までに、家庭裁判所に対して協議に代わる処分を請求することができる。

問45 解答：**4**

1）**適切**。相続人が、相続について単純承認したものとみなされた場合、自己のために相続の開始があったことを知った時から3カ月以内であっても、相続の放棄や限定承認をすることはできない。

2）**適切**。契約者（＝保険料負担者）および被保険者を被相続人、保険金受取人を相続人とする生命保険契約の死亡保険金を当該相続人が受け取った場合でも、その死亡保険金は相続人の固有財産であるため、受け取っただけでは単純承認したことにはならない。

3）**適切**。限定承認は資産を上回る負債を相続しないという制度であるため、資産額が負債額を超える場合は、通常の相続と同じである。したがって、本肢では、相続人が2,500万円の資産と2,000万円の負債を承継する。

4）**不適切**。相続の放棄をした者は、相続開始時にさかのぼって相続人とならなかったものとみなされる。したがって、相続の放棄をした者を除いた残りの相続人全員で限定承認をすることができる。

問46 解答：**1**

1）**不適切**。遺言書の保管の申請は、遺言書を保管する法務局に遺言者本人が出頭して行わなければならず、遺言者本人以外の者が申請することはできない。

2）**適切**。遺言書の保管は、遺言者の住所地もしくは本籍地または遺言者が所有する不動産の所在地を管轄する法務局である。

3）**適切**。保管されている自筆証書遺言については、家庭裁判所による検認の手続きが不要である。なお、保管されている遺言書は、相続人であっても返却を受けることができないため、相続開始後、遺言書情報証明書の交付または遺言書の閲覧により、その内容を確認する。

4）**適切**。保管申請をする遺言書は、無封の自筆証書遺言に限られる。公正証書遺言や秘密証書遺言は保管制度を利用できない。

問47 解答：**3**

1）**適切**。連帯債務者のうち債務控除を受けようとする者の負担すべき金額が明確になっている場合は、当該負担金額を控除する。また、連帯債務者のうちに弁済不能者がおり、かつ、求償しても弁済を受ける見込みがなく、当該弁済不能者の負担部分を負担しなければならないと認められる場合は、その負担すべき

部分の金額も当該債務控除の対象となる。よって、本肢では、他の連帯債務者が弁済不能の状態になく、負担割合が2分の1とされているため、当該連帯債務の2分の1に相当する額が債務控除の対象となる。

2）**適切**。相続人が準確定申告をして納付した所得税額は、債務控除の対象となる。

3）**不適切**。債務控除は、相続人または包括受遺者（相続時精算課税の適用を受ける贈与により財産を取得した者を含む）が適用を受けることができる。ただし、葬式費用は、相続放棄した者および相続権を失った者でも、その費用を現実に負担した場合に限り、控除することができる。

4）**適切**。相続開始後に発生した相続財産に関する費用は、債務控除の対象とならない。

問48 解答：**2**

1）**不適切**。遺産分割が確定していて、期限内申告を失念してしまった場合でも本制度の適用を受けることができる。

2）**適切**。本制度は、被相続人の配偶者が無制限納税義務者または制限納税義務者のいずれに該当する場合でも、適用を受けることができる。

3）**不適切**。相続の放棄をしていても、遺贈により財産を取得し、相続税額が算出されていれば本制度の適用を受けることができる。

4）**不適切**。配偶者は、1億6千万円と配偶者の法定相続分相当額とのいずれか大きい金額まで財産を取得しても、納付すべき相続税額は算出されない。

問49 解答：**1**

1）**適切**。貸付事業とは、相続開始の直前において被相続人等の不動産貸付業、駐車場業、自転車駐車場業および事業と称するに至らない不動産の貸付けその他これに類する行為で相当の対価を得て継続的に行う準事業のことをいい、その規模、設備の状況および営業形態等を問わない。したがって、被相続人Aさんが6年前から自転車駐車場業の用に供していた宅地は、本特例における貸付事業用宅地等の対象となる。

2）**不適切**。被相続人が老人ホームに入居し、相続開始の直前において被相続人の居住の用に供されていない宅地は、原則として、特定居住用宅地等に該当しない。ただし、要介護認定または要支援認定を受けて入居している場合は、他の要件を満たすことにより、特定居住用宅地等に該当する。本肢のBさんが、要介護認定または要支援認定を受けて老人ホームに転居している場合、Bさんの転居前から同居していた子Cさんが取得したBさんの居住の用に供されていた宅地は、本特例の適用を受けることができる。

3）**不適切**。「相続開始前3年以内に日本国内にあるその者またはその者の配偶者が所有する家屋に居住したことがないこと」という要件は、非同居親族が宅地を取得した場合に必要である。本肢において、子Eさんは被相続人Dさんと同居していたため、当該要件を満たす必要はない。したがって、子Eさんは本特例の適用を受けることができる。

4）**不適切**。内縁関係にある者は、特定居住用宅地等として本特例の適用を受けることができる配偶者に該当しない。本特例の適用を受けるためには、入籍していることが必要である。

問50 解答：**3**

1）**適切**。納税が猶予されるのは、本制度の適用を受ける特定事業用資産の課税価格の100％に相当する贈与税額である。

2）**適切**。なお、贈与者（先代事業者等）の死亡により相続が発生した場合、相続税額の計算上、本制度の適用を受けた特定事業用資産について「小規模宅地等についての相続税の課税価格の計算の特例」の適用を受けることはできない。

3）**不適切**。特定事業用資産の一部の贈与では、本制度の適用を受けることができない。受贈者は贈与者が

事業の用に供している特定事業用資産のすべてを贈与により取得しなければならない。

4）**適切**。なお、棚卸資産は、本制度の対象となる特定事業用資産に該当しない。

第1予想・応用編

解答一覧・苦手論点チェックシート

※ 間違えた問題に✓を記入しましょう。

大問	問題	科目	論点	正解	難易度	配点	あなたの苦手※ 1回目	あなたの苦手※ 2回目
第1問	51	年金・社保	健康保険の傷病手当金	①3　②イ　③9,000　④1年6カ月	A	各1		
	52		障害年金	①1年6カ月　②1,020,000　③子 ④5　⑤300　⑥配偶者	B	各1		
	53		遺族年金	①1,285,600(円)　②435,585(円) ③63,720(円)	C	①③各3 ②4		
第2問	54	金融	財務分析	①4.98　②0.73　③8.18 ④0.53	B	各2		
	55		損益分岐点分析	①311,300(百万円) ②3,850,000(百万円)	A	各3		
	56		外国債券の利回り	4.25(%)	B	6		
第3問	57	タックス	別表四	①7,650,000　②1,200,000 ③6,200,000　④300,000　⑤400,000 ⑥357,350　⑦33,000,000	A	各1		
	58		税額計算	5,242,600(円)	B	5		
	59		給与等の支給額が増加した場合の法人税額の特別控除	①2,000　②10　③4　④15 ⑤くるみん　⑥0.05　⑦1.5　⑧20	C	各1		
第4問	60	不動産	不動産の取得および保有に係る税金等	①200　②貸家建付地　③1,200 ④120　⑤3　⑥3	A	各1		
	61		建蔽率・容積率	①370(㎡)　②3,120(㎡)	A	各4		
	62		譲渡所得の特例	①12,800,000(円) ②1,960,300(円)　③640,000(円)	A	各2		
第5問	63	相続	類似業種比準価額	1,912(円)	A	6		
	64		純資産価額・併用方式	①2,626(円)　②2,090(円)	A	各4		
	65		遺留分の特例、相続税の納税猶予	①6,250　②除外 ③固定　④経済産業大臣 ⑤特例承継計画　⑥都道府県知事	B	各1		

難易度　A…基本　B…やや難　C…難問

科目別の成績		

年金・社保	金融	タックス
1回目　　　/20	1回目　　　/20	1回目　　　/20
2回目　　　/20	2回目　　　/20	2回目　　　/20

不動産	相続
1回目　　　/20	1回目　　　/20
2回目　　　/20	2回目　　　/20

あなたの得点（基礎編）	あなたの得点（応用編）	合格点	合格への距離
1回目 /100	1回目 /100	120/200	
2回目 /100	2回目 /100	120/200	

【第1問】

問51 解答：①3 ②イ ③9,000 ④1年6カ月

「Aさんが私傷病による療養のために連続して長期間労務に服することができず、その期間について事業主から給与が支払われない場合、Aさんは、労務に服することができない期間が連続して（①3）日間（待期）の後、4日目以降の労務に服することができない日について、全国健康保険協会の都道府県支部に対し、傷病手当金を請求することができます。なお、待期には、（②イ．有給休暇、土日・祝日等の公休日いずれも含まれます）。

仮に、傷病手当金の支給開始日の属する月以前の直近の継続した12カ月間のAさんの各月の標準報酬月額の平均額が40万5,000円であり、傷病手当金の支給対象となる日について事業主から給与が支払われないとした場合、Aさんが受給することができる傷病手当金の額は、1日につき（③9,000）円となります。傷病手当金の支給期間は、同一の疾病または負傷およびこれにより発した疾病に関しては、その支給開始日から通算して（④1年6カ月）です」

〈解説〉
① 傷病手当金の支給要件は、次のとおりである。
　・病気やケガのため療養中であること
　・療養のため仕事に就くことができないこと
　・事業主から傷病手当金の額より多い給料をもらっていないこと
　・連続3日を含み4日以上仕事に就けなかったこと
② 待期には有給休暇、土日・祝日等の公休日のいずれも含むため、給与の支給の有無を問わない。
③ 傷病手当金の額は、休業1日につき「支給開始日以前の継続した12カ月間の各月の標準報酬月額を平均した額を30で除した額」の3分の2相当額である。

$$40万5,000円 \div 30 \times \frac{2}{3} = \underline{9,000円}$$

問52 解答：①1年6カ月 ②1,020,000 ③子 ④5 ⑤300 ⑥配偶者

I 「国民年金の被保険者期間中に初診日のある傷病によって、その初診日から起算して（①1年6カ月）を経過した日、または（①1年6カ月）以内に傷病が治ったときはその治った日において、国民年金法に規定される障害等級1級または2級に該当する程度の障害の状態にあり、かつ、一定の保険料納付要件を満たしている場合は、障害基礎年金の支給を請求することができます。

1956年4月2日以降生まれの人の障害基礎年金の額は、障害等級1級に該当する場合は816,000円の1.25倍相当額である（②1,020,000）円（2024年度価額）です。また、受給権者によって生計を維持している一定の要件を満たす（③子）があるときは、障害基礎年金の額に加算額が加算されます」

II 「厚生年金保険の被保険者期間中に初診日のある傷病によって、その初診日から起算して（①1年6カ月）を経過した日、または（①1年6カ月）以内に傷病が治ったときはその治った日において、厚生年金保険法に規定される障害等級1級から3級までのいずれかに該当する程度の障害の状態にあり、かつ、一定の保険料納付要件を満たしている場合は、障害厚生年金の支給を請求することができます。

また、厚生年金保険の被保険者期間中に初診日のある傷病が、初診日から（④5）年以内に治った日に

おいて、その傷病により障害等級3級の障害の程度より軽度の障害の状態にある者は、一定の要件を満たすことにより障害手当金の支給を受けることができます。

障害厚生年金の額は、原則として、老齢厚生年金と同様に計算されます。ただし、受給権者の被保険者期間が（⑤300）月に満たない場合は、（⑤300）月とみなして計算されます。また、受給権者によって生計を維持している一定の要件を満たす（⑥配偶者）があるときは、障害等級1級または2級に該当する者に支給される障害厚生年金の額に加給年金額が加算されます」

〈解説〉

Ⅰ　障害の程度を認定する日のことを障害認定日という。障害認定日は初診日から起算して1年6カ月を経過した日、または1年6カ月以内に治った場合にはその治った日とされている。

新規裁定者の障害基礎年金の額（2024年度）は次のとおりであり、1級は2級の1.25倍である。また、受給権者によって生計を維持している一定の要件を満たす子がいる場合には、子の加算額（2人目までは234,800円／人、3人目以降は78,300円／人）が加算される。

| 1級 | 1,020,000円＋子の加算 |
| 2級 | 816,000円＋子の加算 |

Ⅱ　障害手当金の受給要件は、次のとおりである。

① 厚生年金保険の被保険者期間中に初診日があること。
② 初診日から起算して5年を経過する日までの間に傷病が治り、かつ、一定の障害の状態にあること。
③ 保険料納付要件を満たしていること。

障害厚生年金の額は、老齢厚生年金の報酬比例部分の金額が基準となる。2級と3級は報酬比例部分相当額であり、1級は報酬比例部分の1.25倍である。被保険者期間の月数が300月に満たない場合には300月として計算する。また、障害等級1級または2級に該当する受給権者によって生計を維持している一定の要件を満たす配偶者がいる場合には、配偶者加給年金額（234,800円、2024年度価額）が加算される。

問53 解答：①**1,285,600（円）** ②**435,585（円）** ③**63,720（円）**

① 遺族基礎年金の年金額
816,000円＋234,800円＋234,800円＝<u>1,285,600円</u>

② 遺族厚生年金の年金額

$$\left(225,000円 \times \frac{7.125}{1,000} \times 12月 + 356,000円 \times \frac{5.481}{1,000} \times 261月\right) \times \frac{300月}{273月} \times \frac{3}{4}$$

＝435,585.2…　→　<u>435,585円</u>（円未満四捨五入）

③ 遺族年金生活者支援給付金の額
5,310円×12月＝<u>63,720円</u>

〈解説〉

① Cさん（長男）およびDさん（二男）が18歳到達年度末日までの子に該当するため、Bさん（妻）は遺族基礎年金を受給することができる。よって、基本年金額816,000円（2024年度価額、1956年4月2日以降生まれの人）に2人分の子の加算額（第1子および第2子とも234,800円）が加算される。

② Aさんは死亡当時、厚生年金保険の被保険者であり、被保険者期間が273月（12月＋261月）であるた

め、短期要件に該当する。よって、300月のみなし計算が適用される。

　なお、総報酬制は2003年4月に導入されている。2002年4月〜2003年3月は12月、2003年4月〜2024年12月は261月。本来水準による価額を算出する場合、給付乗率は新乗率を用いる。また、遺族厚生年金の年金額は老齢厚生年金の報酬比例部分の4分の3相当額であり、遺族基礎年金を受給できるため、中高齢寡婦加算額は加算されない。

③　一定の所得要件を満たし、遺族基礎年金を受給している者は、月額5,310円の遺族年金生活者支援給付金を受給することができる。

【第2問】

問54 解答：①**4.98**　②**0.73**　③**8.18**　④**0.53**

〈解説〉

① 総資産経常利益率（％）＝ $\dfrac{\text{経常利益}}{\text{総資産}} \times 100$

　　X社：$\dfrac{412,000\text{百万円}}{8,280,000\text{百万円}} \times 100 = 4.975\cdots \rightarrow \underline{4.98\%}$

　　Y社：$\dfrac{411,000\text{百万円}}{8,250,000\text{百万円}} \times 100 = 4.981\cdots \rightarrow 4.98\%$　　∴　X社とY社はほぼ同じ水準

② 総資産回転率（回）＝ $\dfrac{\text{売上高}}{\text{総資産}}$

　　X社：$\dfrac{5,850,000\text{百万円}}{8,280,000\text{百万円}} = 0.706\cdots \rightarrow 0.71\text{回}$

　　Y社：$\dfrac{6,000,000\text{百万円}}{8,250,000\text{百万円}} = 0.727\cdots\cdots \rightarrow \underline{0.73\text{回}}$　　∴　X社はY社を下回っている

③ ＰＥＲ（倍）＝ $\dfrac{\text{株価}}{\text{1株あたり純利益}}$

　　X社：$\dfrac{4,500\text{円}}{165,000\text{百万円} \div 300\text{百万株}} = 8.181\cdots \rightarrow \underline{8.18\text{倍}}$

　　Y社：$\dfrac{8,000\text{円}}{96,000\text{百万円} \div 200\text{百万株}} = 16.666\cdots \rightarrow 16.67\text{倍}$　　∴　X社のほうが割安

④ ＰＢＲ（倍）＝ $\dfrac{\text{株価}}{\text{1株あたり純資産}}$

　　X社：$\dfrac{4,500\text{円}}{3,150,000\text{百万円} \div 300\text{百万株}} = 0.428\cdots \rightarrow 0.43\text{倍}$

　　Y社：$\dfrac{8,000\text{円}}{3,000,000\text{百万円} \div 200\text{百万株}} = 0.533\cdots \rightarrow \underline{0.53\text{倍}}$　　∴　X社のほうが割安

問55 解答：①**311,300（百万円）**　②**3,850,000（百万円）**

① X社の当期の変動費率が変わらずに売上高が10％少なくなった場合の営業利益

　・変動費

　　5,850,000百万円－1,287,000百万円＝4,563,000百万円

　・固定費

　　1,287,000百万円－440,000百万円＝847,000百万円

・変動費率

$$\frac{4,563,000百万円}{5,850,000百万円} \times 100 = 78\%$$

・10%少なくなった売上高

$$5,850,000百万円 \times (1-10\%) = 5,265,000百万円$$

・変動費率が変わらずに売上高が10%少なくなった場合の営業利益

$$5,265,000百万円 \times (1-78\%) - 847,000百万円 = \underline{311,300百万円}$$

② X社の損益分岐点売上高

・限界利益率

$$\frac{1,287,000百万円}{5,850,000百万円} \times 100 = 22\%$$

・損益分岐点売上高

$$\frac{847,000百万円}{22\%} = \underline{3,850,000百万円}$$

〈解説〉

① 変動費は売上原価に等しいため、次のようになる。

売上総利益 = 売上高 − 売上原価 = 売上高 − 変動費 ∴ 変動費 = 売上高 − 売上総利益

この場合、変動費率は次のとおりである。

$$変動費率(\%) = \frac{変動費}{売上高} \times 100 = \frac{売上高 − 売上総利益}{売上高} \times 100$$

$$= \frac{5,850,000百万円 − 1,287,000百万円}{5,850,000百万円} \times 100 = 78\%$$

ここで「1 − 変動費率 = 売上総利益率」となるため、変動費率が変わらずに売上高が10%少なくなった場合の売上総利益は、次のとおりである。

$$5,850,000百万円 \times (1-10\%) \times (1-78\%) = 1,158,300百万円 \cdots ⓐ$$

また、売上総利益と営業利益は、次の関係にある。

営業利益 = 売上総利益 − 販売費及び一般管理費

∴ 販売費及び一般管理費 = 売上総利益 − 営業利益

$$= 1,287,000百万円 − 440,000百万円 = 847,000百万円 \cdots ⓑ$$

したがって、変動費率が変わらずに売上高が10%少なくなった場合の営業利益は、次のとおりである。

営業利益 = 売上総利益 − 販売費及び一般管理費 = ⓐ − ⓑ = $\underline{311,300百万円}$

なお、「変動費率が変わらない」ことから「限界利益率も変わらない」ため、「限界利益が10%少なくなった場合の営業利益」と考えて求めてもよい。

$$1,287,000百万円 \times (1-10\%) − ⓑ = \underline{311,300百万円}$$

② 損益分岐点売上高は、次のように求める。

$$損益分岐点売上高 = \frac{固定費}{限界利益率}$$

固定費は販売費及び一般管理費に等しいため、①ⓑより847,000百万円である。また、「限界利益率 = 1 − 変動費率」であるため、次のようになる。

限界利益率 = 1 − 変動費率 = 1 − 78% = 22%

したがって、損益分岐点売上高は、次のとおりである。

$$847,000百万円 ÷ 22\% = \underline{3,850,000百万円}$$

問56 解答：**4.25（%）**

① 投資額

94.90米ドル×147.00円（ＴＴＳ）＝13,950.3円

② 収入金額

売却金額＋利息＝（99.40米ドル＋100米ドル×0.040×1.5年）×140.80円（ＴＴＢ）＝14,840.32円

③ 所有期間利回り

$$\frac{②-①}{①} \times \frac{1}{1.5年} \times 100 = 4.253\cdots \rightarrow \underline{4.25\%}$$

【第3問】

問57 解答：①7,650,000　②1,200,000　③6,200,000　④300,000　⑤400,000
　　　　　⑥357,350　⑦33,000,000

〈略式別表四（所得の金額の計算に関する明細書）〉　　　　　（単位：円）

区　　　分		総　　額
当期利益の額		18,892,650
加算	損金経理をした納税充当金	（① 7,650,000）
	減価償却の償却超過額	（② 1,200,000）
	交際費等の損金不算入額	（③ 6,200,000）
	小　計	15,050,000
減算	減価償却超過額の当期認容額	（④ 300,000）
	納税充当金から支出した事業税等の金額	600,000
	受取配当等の益金不算入額	（⑤ 400,000）
	小　計	1,300,000
仮　計		32,642,650
法人税額から控除される所得税額（注）		（⑥ 357,350）
合　計		33,000,000
欠損金又は災害損失金等の当期控除額		0
所得金額又は欠損金額		（⑦ 33,000,000）

（注）法人税額から控除される復興特別所得税額を含む。

〈解説〉

・損金経理をした納税充当金

見積納税額（未払法人税等の当期末残高）7,650,000円（空欄①）は、損益計算書上、費用とされているが、法人税では損金算入できないため、「損金経理をした納税充当金」として加算する。

・減価償却の償却超過額および減価償却超過額の当期認容額

機械装置の減価償却費は、償却限度額を超過した1,200,000円（9,200千円－8,000千円、空欄②）が損金不算入となる。

器具備品は当期が償却不足であり、前期からの繰越償却超過額があるため、繰越償却超過額を限度として、償却不足額を認容（減算）する。

償却不足額＝2,500千円－2,000千円＝500千円＞繰越償却超過額300千円

∴　認容額300,000円（空欄④）

・交際費等の損金不算入額

　中小企業者等は、交際費等の額のうち、ⓐ8,000千円とⓑ接待飲食費×50％とのいずれかを選択することができる。〈条件〉に「所得の金額が最も低くなる方法を選択すること」とあるため、ⓐとⓑのうち、大きいほうを損金の額に算入する。

　　損金算入限度額：ⓐ8,000千円＞ⓑ11,000千円×50％＝5,500千円　　∴　　8,000千円

　　損金不算入額＝15,000千円－800千円－8,000千円＝6,200,000円（空欄③）

・受取配当等の益金不算入額

　非支配目的株式等から受ける配当金は、配当金の20％に相当する金額が益金不算入となる。

　　2,000千円×20％＝400,000円（空欄⑤）

・法人税額から控除される所得税額（復興特別所得税額を含む）

　預金の利子および受取配当金から源泉徴収された所得税額および復興特別所得税額の合計額357,350円は、当期の法人税額から控除することを選択するため加算する（空欄⑥）。

・所得金額又は欠損金額

　　所得金額＝18,892,650円（当期利益）＋15,050,000円（加算項目小計）－1,300,000円（減算項目小計）

　　　　　　＋357,350円（所得税額および復興特別所得税額）

　　　　　　＝33,000,000円（空欄⑦）

問58 解答：**5,242,600（円）**

8,000,000円×15％＋（33,000,000円－8,000,000円）×23.2％＝7,000,000円

10,000,000円×15％＝1,500,000円＞7,000,000円×20％＝1,400,000円　　∴　　1,400,000円

7,000,000円－357,350円－1,400,000円＝5,242,650円 → 5,242,600円（百円未満切捨て）

〈解説〉

　「源泉徴収された所得税額および復興特別所得税額は、当期の法人税額から控除することを選択する」とあるため、357,350円を控除する。

　中小企業者等における賃上げ促進税制において、上乗せ措置の適用要件を満たしていない場合の税額控除額は、控除対象雇用者給与等支給増加額の15％相当額である。ただし、法人税額の20％相当額が限度となる。

問59 解答：①**2,000**　②**10**　③**4**　④**15**　⑤**くるみん**　⑥**0.05**　⑦**1.5**　⑧**20**

　2024年度税制改正により、次のように制度の拡充が行われている。

　なお、税額控除額は、「給与等支給増加額×控除率」により計算し、いずれの場合も法人税額の20％を控除限度額とする。

　また、控除限度額超過額は最長5年間の繰越控除が認められる。ただし、繰越税額控除をする事業年度において雇用者給与等支給額が比較雇用者給与等支給額を超える場合に限り適用することができる。

(1) 大企業

	適用要件	控除率
原則	給与等支給増加割合※1が3％以上	10%
上乗せ措置	給与等支給増加割合※1が4％以上	5％加算
	給与等支給増加割合※1が5％以上	10％加算
	給与等支給増加割合※1が7％以上	15％加算
	プラチナくるみん※3認定またはプラチナえるぼし※4認定	5％加算
	教育訓練費増加割合※210％以上かつ教育訓練費が雇用者給与等支給額の0.05％以上	5％加算

※1　給与等支給増加割合

$$\frac{継続雇用者給与等支給額＋継続雇用者比較給与等支給額}{継続雇用者比較給与等支給額}$$

※2　教育訓練費増加割合

$$\frac{教育訓練費の額＋比較教育訓練費の額}{比較教育訓練費の額}$$

※3　プラチナくるみん認定：次世代育成支援対策推進法に基づき、一定の基準を満たした企業は申請を行うことによって「子育てサポート企業」として、厚生労働大臣の認定（くるみん認定）を受けることができ、そのうち、高い水準の取組を行っている企業にプラチナくるみん認定を行っている。

※4　プラチナえるぼし認定：女性活躍推進法に基づき、一定の基準を満たした企業は申請を行うことによって「女性活躍推進企業」として、厚生労働大臣の認定（えるぼし認定）を受けることができ、そのうち、高い水準の取組を行っている企業にプラチナえるぼし認定を行っている。

(2) 中堅企業

	適用要件	控除率
原則	給与等支給増加割合が3％以上	10%
上乗せ措置	給与等支給増加割合が4％以上	15％加算
	プラチナくるみん認定、プラチナえるぼし認定またはえるぼし認定（3段階目）	5％加算
	教育訓練費増加割合10％以上かつ教育訓練費が雇用者給与等支給額の0.05％以上	5％加算

※　中堅企業：大企業のうち、青色申告書を提出する法人で常時使用する従業員の数が2,000人以下であるもの（その法人及びその法人との間にその法人による支配関係がある法人の常時使用する従業員の数の合計数が1万人を超えるものを除く）をいう。

(3) 中小企業者等

	適用要件	控除率
原則	給与等支給増加割合が1.5％以上	15％
上乗せ措置	給与等支給増加割合が2.5％以上	15％加算
	プラチナくるみん認定、くるみん認定、プラチナえるぼし認定またはえるぼし認定（2段階目以上）	5％加算
	教育訓練費増加割合5％以上かつ教育訓練費が雇用者給与等支給額の0.05％以上	10％加算

【第4問】

問60 解答：①**200** ②**貸家建付地** ③**1,200** ④**120** ⑤**3** ⑥**3**

Ⅰ 「賃貸アパートを取り壊して更地にし、駐車場として貸し出せば、安定した駐車場収入を得ることができ、管理のわずらわしさも減少する。また、更地であれば資産処分や遺産分割が比較的容易にできるというメリットがある。一方、更地にした場合、固定資産税は、住居1戸当たり（①**200**）㎡までの小規模住宅用地について、課税標準となるべき価格を6分の1とする特例の適用を受けられなくなる。また、賃貸アパートの敷地は、相続税法上、（②**貸家建付地**）として評価されるが、駐車場の敷地は、自用地等として評価される。土地の有効活用は、物件の収益性だけでなく、Aさんの相続等を含めて総合的に判断する必要がある」

Ⅱ 「不動産取得税は、不動産の取得者に課される税金である。仮に、Aさんが、甲土地の賃貸アパートを撤去し、耐火建築物の賃貸マンション（認定長期優良住宅ではない）を建築した場合、居住の用に供するために独立的に区画された部分の床面積が40㎡以上240㎡以下であれば、課税標準の算定にあたり1戸につき（③**1,200**）万円を住宅の価格から控除することができる」

Ⅲ 「新たに賃貸マンションを建築する場合、固定資産税の特例も利用できる可能性がある。新しく建築したマンションの専有部分の床面積の2分の1以上が居住用に供され、一定の床面積要件を満たすと、（④**120**）㎡までの部分の固定資産税が2分の1に減額される。新築したマンションが認定長期優良住宅でない場合、この減額措置は（⑤**3**）年間適用されるが、地上（⑥**3**）階建て以上の中高層耐火住宅の場合は5年間に延長される」

問61 解答：①**370（㎡）** ②**3,120（㎡）**

〈解説〉

① 準防火地域内に耐火建築物を建築する場合、建蔽率は10％緩和される。

400㎡×（60％＋10％）＋100㎡×（80％＋10％）＝**370㎡**

② 甲土地および乙土地に係る前面道路の幅員は同一敷地とみなされるために8mとなる。

・甲土地および乙土地に係る容積率の上限

第一種住居地域：$8m × \dfrac{4}{10} = 320\% > 300\%$ ∴ 300％を適用

商業地域：$8m × \dfrac{6}{10} = 480\% < 500\%$ ∴ 480％を適用

・甲土地と乙土地を一体とした場合の延べ面積

$$400\text{m}^2 \times 300\% + (100\text{m}^2 + 300\text{m}^2) \times 480\% = \underline{3,120\text{m}^2}$$

問62 解答：①**12,800,000（円）** ②**1,960,300（円）** ③**640,000（円）**

① 課税長期譲渡所得金額
　・総収入金額
　　　$70,000,000円 - 56,000,000円 = 14,000,000円$
　・取得費および譲渡費用
　　　$\underbrace{(70,000,000円 \times 5\% + 2,500,000円)}_{（概算取得費）} \times \dfrac{14,000,000円}{70,000,000円} = 1,200,000円$
　・課税長期譲渡所得金額
　　　$14,000,000円 - 1,200,000円 = \underline{12,800,000円}$

② 所得税額および復興特別所得税額の合計額
　・所得税額
　　　$12,800,000円 \times 15\% = 1,920,000円$
　・復興特別所得税額
　　　$1,920,000円 \times 2.1\% = 40,320円$
　・合計額
　　　$1,920,000円 + 40,320円 = 1,960,320円 \rightarrow \underline{1,960,300円}$（100円未満切捨て）

③ 住民税額
　　　$12,800,000円 \times 5\% = \underline{640,000円}$

【第5問】

問63 解答：**1,912（円）**

・1株当たりの資本金等の額を50円とした場合の株数
　　$3,000万円 \div 50円 = 60万株$
・1株当たりの年配当金額
　　$\dfrac{(380万円 - 20万円 + 260万円) \div 2}{60万株} = 5.16\cdots \rightarrow 5.1円$
・1株当たりの年利益金額
　　$1,200万円 > (1,200万円 + 1,000万円) \div 2 = 1,100万円$
　　$1,100万円 \div 60万株 = 18.3\cdots \rightarrow 18円$
・1株当たりの資本金等の額
　　$3,000万円 \div 60,000株 = 500円$
・類似業種の株価は、「課税時期の属する月の平均株価」「課税時期の属する月の前月の平均株価」「課税時期の属する月の前々月の平均株価」「課税時期の前年の平均株価」「課税時期の属する月以前2年間の平均株価」の5つの中から最も低い金額を選択するため、322円となる。

$$322円 \times \dfrac{\dfrac{5.1}{6.7} + \dfrac{18}{16} + \dfrac{250}{225}}{3} \times 0.6 \times \dfrac{500円}{50円}$$

$$= 322円 \times \dfrac{0.76 + 1.12 + 1.11}{3} \times 0.6 \times \dfrac{500円}{50円}$$

$= 322円 \times 0.99 \times 0.6 \times 10$

$= 191.2円 \times 10 = \underline{1,912円}$

〈解説〉

類似業種比準価額の算式は次のとおりである。

類似業種比準価額 $= \dfrac{\dfrac{ⓑ}{B} + \dfrac{ⓒ}{C} + \dfrac{ⓓ}{D}}{3} \times E \times \dfrac{1株当たりの資本金の額等}{50円}$

A＝類似業種の株価

B＝類似業種の１株（50円）当たりの年配当金額

C＝類似業種の１株（50円）当たりの年利益金額

D＝類似業種の１株（50円）当たりの簿価純資産価額

ⓑ＝評価会社の１株（50円）当たりの年配当金額

ⓒ＝評価会社の１株（50円）当たりの年利益金額

ⓓ＝評価会社の１株（50円）当たりの簿価純資産価額

E＝斟酌率（大会社0.7、中会社0.6、小会社0.5）

※類似業種の株価については、課税時期の属する月以前３ヵ月間の各月の類似業種の株価のうち最も低いものとする。ただし、納税義務者の選択により、類似業種の前年平均株価または課税時期の属する月以前２年間の平均株価によることができる。

問64 解答：①**2,626**（円） ②**2,090**（円）

〈解説〉

① 純資産価額の算式は次のとおりである。

$\dfrac{(A-B) - \{(A-B) - (C-D)\} \times 37\%}{E}$

A：課税時期における相続税評価額で計算した総資産額

B：課税時期における相続税評価額で計算した負債額（引当金等除く）

C：課税時期における帳簿価額で計算した総資産額

D：課税時期における帳簿価額で計算した負債額（引当金等除く）

E：課税時期における議決権総数

- 相続税評価額による純資産 　67,700万円 － 51,500万円 ＝ 16,200万円
- 帳簿価額による純資産 　66,500万円 － 51,500万円 ＝ 15,000万円
- 評価差額 　16,200万円 － 15,000万円 ＝ 1,200万円
- 評価差額に対する法人税額等 　1,200万円 × 37％ ＝ 444万円
- 純資産価額 　16,200万円 － 444万円 ＝ 15,756万円
- 純資産価額方式による株価 　15,756万円 ÷ ６万株 ＝ \underline{2,626円}

② 類似業種比準方式と純資産価額方式の併用方式による価額の算式は次のとおりである。

> 類似業種比準価額×Lの割合＋純資産価額×（1－Lの割合）
> ※Lの割合
> 　中会社の大　0.90
> 　中会社の中　0.75
> 　中会社の小　0.60
> 　小会社　　　0.50

1,912円×0.75＋2,626円×（1－0.75）＝2,090.5 → <u>2,090円</u>

問65 解答：**①6,250　②除外　③固定　④経済産業大臣　⑤特例承継計画　⑥都道府県知事**

〈遺留分の額〉

Ⅰ　「Aさんが遺言により、相続財産の大半を妻Bさんおよび長男Cさんに相続させた場合、長女Dさんの遺留分を侵害する可能性があります。仮に、遺留分を算定するための財産の価額が5億円である場合、長女Dさんの遺留分の額は（**①6,250**）万円となります」

〈遺留分に関する民法の特例（以下、「本特例」という）〉

Ⅱ　「Aさんが長男CさんにX社株式を贈与する際に、本特例の適用を受けることにより、Aさんの相続開始時において、X社株式の価額を、遺留分を算定するための財産の価額に算入しないこと（（**②除外**）合意）、または遺留分を算定するための財産の価額に算入すべき価額を合意時における価額とすること（（**③固定**）合意）ができます。ただし、長男Cさんが所有するX社株式のうち、（**②除外**）合意または（**③固定**）合意の対象とするX社株式を除いた残りのX社株式の議決権の数がX社株式のすべての議決権の数の50％を超える場合は、（**②除外**）合意または（**③固定**）合意をすることはできません。

本特例の適用を受けるにあたっては、妻Bさん、長男Cさんおよび長女Dさんが書面によって合意し、（**④経済産業大臣**）の確認を受けたうえで、家庭裁判所の許可を受ける必要があります」

〈非上場株式等についての相続税の納税猶予及び免除の特例（特例措置）〉

Ⅲ　「Aさんの相続が開始した際に、取得した株式について、『非上場株式等についての相続税の納税猶予及び免除の特例』（特例措置）の適用を受ける場合には、（**⑤特例承継計画**）を策定して2026年3月31日までに（**⑥都道府県知事**）に提出し、その確認を受ける必要があります。また、現時点においてAさんの相続が開始した場合、相続開始後に（**⑤特例承継計画**）を提出することも可能です」

〈解説〉

Ⅰ　遺留分の額

遺留分の割合（総体的遺留分）は、直系尊属のみが相続人である場合を除き、2分の1である。なお、遺留分算定基礎財産には、被相続人が相続人に対して生前に行った贈与のうち、特別受益に該当する贈与で、かつ、原則として相続開始前10年以内にされたものの価額が算入される。

遺留分算定基礎財産の価額：5億円

総体的遺留分：$\dfrac{1}{2}$

長女Dの法定相続分：$\dfrac{1}{2} \times \dfrac{1}{2} = \dfrac{1}{4}$

長女Dの遺留分の額：5億円 $\times \dfrac{1}{2} \times \dfrac{1}{4} = 6{,}250万円$

Ⅱ　遺留分に関する民法の特例

本特例の適用を受けることができる後継者の主な要件は、次のとおりである。

・特例中小会社の現代表者であること

・議決権の過半数を保有すること

・株式等を旧代表者からの贈与により取得した者であること

・後継者が保有することとなる株式等から特例合意の対象となる株式等を除いた場合の議決権は、総議決権数の50％を超えていないこと

本特例の適用を受けるためには、後継者が推定相続人全員と書面によって合意し、合意をした日から1カ月以内に経済産業大臣の確認を申請し、当該確認を受けた日から1カ月以内にした申立により、家庭裁判所の許可を受ける必要がある。

Ⅲ　非上場株式等についての相続税の納税猶予及び免除の特例（特例措置）

「非上場株式等についての相続税の納税猶予及び免除の特例」（特例措置）の概要は、次のとおりである。

事前の計画策定等	特例承継計画を都道府県知事に提出（2026年3月31日まで）
都道府県知事の認定	認定を受けるためには、原則として、相続開始後8カ月以内にその申請を行わなければならない。
適用期限	10年以内の贈与・相続等（2027年12月31日まで）
先代経営者である被相続人の主な要件	相続開始前のいずれかの日において会社の代表権を有していたことがあること　など
特例経営承継相続人等の主な要件	相続開始の日の翌日から5カ月を経過する日において会社の代表権を有していること　など
対象株式数	全株式
納税猶予割合	100％
雇用確保要件（承継後5年間で平均8割維持）	要件未達成の場合でも、猶予は継続可能（経営悪化等が理由の場合、認定経営革新等支援機関の指導助言が必要）

第2予想・基礎編

解答一覧・苦手論点チェックシート

※ 間違えた問題に✓を記入しましょう。

問題	科目	論点	正解	難易度	あなたの苦手※	
					1回目	2回目
1	ライフ・年金・社保	関連法規	3	A		
2		雇用保険	2	B		
3		社会保険	2	A		
4		公的年金の各種加算	1	B		
5		老齢給付の額	1	B		
6		障害給付	3	B		
7		フラット35	3	B		
8		育児・介護休業法	3	B		
9	リスク	法人契約の損害保険商品	2	B		
10		地震保険	3	A		
11		個人年金と税金	1	C		
12		保険契約者保護機構	2	A		
13		信用保証制度	4	B		
14		災害減免法	3	B		
15		圧縮記帳	1	C		
16	金融	金融政策	3	B		
17		ＥＴＦ	4	B		
18		債券の商品性	3	B		
19		株式累積投資および株式ミニ投資	3	C		
20		株価指数等	2	B		
21		株式の信用取引	3	B		
22		外貨建金融商品の課税関係	2	B		
23		配当割引モデル	3	B		
24		預金者保護法	1	C		
25	タックス	退職所得	3	B		
26		雑損控除	4	B		
27	寡婦控除およびひとり親控除控除	2	B		
28		定額減税	3	C		

問題	科目	論点	正解	難易度	あなたの苦手※	
					1回目	2回目
29	タックス	法人税（減価償却）	3	B		
30		法人税（欠損金等）	4	B		
31		法人税（各種届出）	4	C		
32		法人税（交際費等）	3	A		
33		消費税（簡易課税制度）	4	B		
34	不動産	筆界特定制度	4	B		
35		不動産の売買取引	3	A		
36		借地借家法	1	A		
37		建築基準法	4	B		
38		区分所有法	1	A		
39		不動産の取得に係る税金（登録免許税）	4	B		
40		特定居住用財産の譲渡損失の損益通算及び繰越控除	4	C		
41		不動産投資に係る計算	2	C		
42	相続	贈与税額の計算	1	A		
43		贈与税の申告	4	B		
44		贈与税の課税財産	4	B		
45		遺言	1	B		
46		配偶者居住権	2	A		
47		相続税の2割加算	2	B		
48		相続税の非課税財産	3	B		
49		相続税の申告	1	A		
50		地積規模の大きな宅地	1	B		

配点は各2点　難易度　A…基本　B…やや難　C…難問

科目別の成績		

ライフ・年金・社保	リスク	金融
1回目　　　／16	1回目　　／14	1回目　　／18
2回目　　　／16	2回目　　／14	2回目　　／18

タックス	不動産	相続
1回目　　／18	1回目　　／16	1回目　　／18
2回目　　／18	2回目　　／16	2回目　　／18

あなたの得点
（基礎編）

1回目

/100

2回目

/100

問1 解答：**3**

1）**不適切**。他人の求めに応じて報酬を得て「不動産の鑑定評価」を業として行うことは、不動産鑑定士の独占業務である。

2）**不適切**。「税務相談」を業として行うことも、有償・無償を問わず、税理士の独占業務である。

3）**適切**。「申請書等の作成、その提出に関する手続きの代行」「申請等の代理」は、社会保険労務士の独占業務であるが、「年金受給額の試算」は、社会保険労務士の独占業務ではない。

4）**不適切**。不動産の表示に関する登記について、他人の依頼を受けて「必要な土地または家屋に関する調査または測量」「登記の申請手続きまたはこれに関する審査請求の手続きについての代理」を業として行うことは、土地家屋調査士の独占業務であるが、「筆界特定の手続きの代理」は、土地家屋調査士の独占業務ではなく、弁護士や認定を受けた司法書士もすることができる。

問2 解答：**2**

1）**不適切**。通常の雇用保険のように要件を満たした場合に強制加入とはならず、マルチ高年齢被保険者として雇用保険の適用を希望する者がハローワークに申出を行った日からマルチ高年齢被保険者になる。加入要件は記述の通りである。

2）**適切**。1つの事業所で週所定労働時間が20時間以上となった場合にはマルチ高年齢被保険者ではなくなり、通常の高年齢被保険者となる。

3）**不適切**。被保険者期間が6ヵ月以上1年未満である場合は30日分、1年以上である場合は50日分を一時金として受給できる。

4）**不適切**。2年間に被保険者期間が12ヵ月以上あること等が要件である。なお、2つの事業所で対象となる介護休業または育児休業を同時に取得する必要がある。

問3 解答：**2**

　常時51人以上の特定適用事業所に勤務する短時間労働者は、次の要件を満たす場合、厚生年金保険および健康保険の被保険者となる。

①　1週間の所定労働時間が20時間以上

②　賃金月額88,000円以上

③　雇用期間の見込みが2カ月超

④　学生でない者

　上記要件を満たすBさんおよびCさんは、厚生年金保険および健康保険の被保険者となる。

問4 解答：**1**

1）**不適切**。障害等級2級の障害厚生年金を受給している者が婚姻し、所定の要件を満たす配偶者を有することとなった場合は、所定の手続により、婚姻した日の属する月の翌月分から当該受給権者の障害厚生年金に加給年金額が加算される。

2）**適切**。中高齢寡婦加算は、妻が65歳になると打ち切られるが、1956年4月1日以前に生まれた妻には、経過的寡婦加算が加算される。

3）**適切**。妻が老齢基礎年金の支給を繰り上げても、夫に加算されている加給年金額は打ち切られず、妻が

65歳に達するまで加算される。なお、妻が老齢基礎年金の支給を繰り上げても、妻の振替加算は65歳に達するまでは加算されない。

4）**適切**。振替加算は妻自身の年金であるため、離婚しても振替加算の支給は打ち切られない。

問5 解答：1

2022年4月1日以後に60歳になる者（1962年4月2日以後生まれの者）は1カ月当たり0.4％の減額率となるが、Aさんの生年月日は1961年9月11日であるため、減額率は0.5％である。また、付加年金も同率で減額されるが、振替加算は減額されず65歳から加算される。

減額率：0.5％×12カ月×（65歳−63歳）＝12％

繰上げ支給された老齢基礎年金：816,000円×（1−12％）＝718,080円…①

繰上げ支給された付加年金：36,000円×（1−12％）＝31,680円…②

繰上げ支給された年金の合計額：①＋②＝749,760円

問6 解答：3

1）**不適切**。障害等級1級から3級までのいずれかに該当する程度の障害状態が請求の対象になる。なお、障害等級1級から7級までの状態である場合に請求できるのは、労働者災害補償保険の障害補償年金である。

2）**不適切**。277日分は障害等級2級の場合である。障害等級1級は313日分となる。

・障害補償年金の年金額（1級の場合）

　　　　＝給付基礎日額×313日×労災保険と公的年金を併給する調整率

3）**適切**。65歳に達する日の前日までに障害厚生年金の支給を請求することができる。

4）**不適切**。当該障害について労働者災害補償保険の障害補償給付等が受けられる場合、障害手当金は支給されない。

問7 解答：3

1）**不適切**。対象者には胎児も含む。

2）**不適切**。子がいる場合は、若年夫婦世帯の1ポイントは加算されず、併用はできない。なお、夫婦は法律婚・同性パートナーおよび事実婚の関係をいい、婚約状態の場合は対象外である。

3）**適切**。フラット35（子育てプラス）とは、フラット35の申込者が子育て世帯または若年夫婦世帯である場合に、子の人数等に応じてフラット35の借入金利を最大で15年間引き下げる制度である。1ポイントにつき5年間年0.25％の金利引下げとなる。ただし、フラット35（子育てプラス）を利用しない場合は、4ポイント（当初5年間年1.0％引下げ）が上限となる。

4）**不適切**。融資実行後に同居できないことがわかった時点で、金銭消費貸借契約の再締結により適用金利の変更に伴う差額を精算する必要がある。

問8 解答：3

1）**適切**。1歳までの育児休業は夫婦ともに分割して2回まで取得できるようになり、別途、出生時育児休業（産後パパ育休）が新設されて、子の出生後8週間以内に4週間（28日）まで分割して2回まで取得できるようになった。したがって、1歳までの間に合計4回まで育児休業を取得できる。

2）**適切**。保育所に入所できない等の理由により1歳以降に育児休業を延長した場合、育児休業開始日を柔軟に設定できることにより、各期間途中で夫婦が交代で取得できるようになった。

3）**不適切**。出生時育児休業給付金の支給対象期間中、最大10日間（10日を超える場合は就業した時間数が80時間）まで就業することが可能であるが、15日（120時間）就業しているため、全期間を通じて出生時

育児休業給付金は<u>不支給となる</u>。なお、休業期間が28日間より短い場合は、就業可能日（時間）が比例して短くなる。

4）**適切**。労使協定を締結している場合に限って、労働者が合意した範囲内で出生時育児休業（産後パパ育休）中に就業できる。就業可能日（時間）は、休業期間中の所定労働日および所定労働時間の半分が上限であり、また、休業開始日や終了予定日に就業する場合は所定労働時間数未満が上限である。

問9　解答：2

(a) **不適切**。建設工事保険は、ビル、住宅などの建設工事を対象として、着工から完成引渡しまでの間に、工事現場で発生した偶然の事故により、保険の対象（工事対象物件、材料、仮設工事の目的など）に損害が生じた場合にその復旧費を支払う保険である。一般的に、工事用機械は保険の対象とならない。

(b) **不適切**。個人情報漏洩保険は、外部からの不正アクセスにより個人情報が漏洩した場合、取引先から預かった個人情報を従業員が不正に持ち出した場合、個人情報が記載されたデータファイルを外部にメールで誤送信した場合など、法律上の賠償責任を負うことによる損害や謝罪を目的とする広告費用などのために支出した費用損害を補償する。

(c) **適切**。請負業者賠償責任保険は、請負業務の遂行に起因する賠償責任、請負業務遂行のために所有・使用・管理する施設の欠陥、管理の不備に起因する賠償責任を補償する保険である。請負業務の完了後、工事の結果によって法律上の損害賠償責任を負った損害を補償する保険は、生産物賠償責任保険（ＰＬ保険）である。

よって、不適切なものは<u>2つ</u>である。

問10　解答：3

1）**不適切**。建物を対象とする地震保険は、建物の主要構造部の損害状況に基づき保険金が支払われるため、門・塀・給排水設備等が単独で損害を受けた場合、保険金は支払われない。

2）**不適切**。木造建物および鉄骨造建物（共同住宅を除く）の場合、地盤液状化による建物の傾斜角度だけではなく、最大沈下量による損害の認定も行われる。

3）**適切**。火災保険の保険期間が2年以上5年以下の場合、地震保険も同じ保険期間とするか、1年の自動継続にしなければならない。

4）**不適切**。最大の割引率は「耐震等級割引（耐震等級3）」および「免震建築物割引」の50％である。「建築年割引」は10％の割引である。

問11　解答：1

公的年金等以外の雑所得の金額＝①総収入金額－②必要経費

①＝基本年金額＋増額年金額＋増加年金額

②＝その年に支給される年金の額×$\dfrac{払込保険料等の総額^{※1}}{年金支給総額（見込額）^{※2}}$

　※1　払込保険料等の総額を算出するにあたり、配当金で保険料等に充当した額を控除する。

　※2　保証期間付終身年金における年金支給総額（見込額）は、以下のとおり計算する。

　　　年金支給総額（見込額）

　　　＝年金年額×「保証期間の年数」と「年金支払開始日における被保険者の余命年数」のうち長い方の年数

---

① 総収入金額＝90万円

② 必要経費＝90万円×$\dfrac{960万円}{90万円×18年^{※}}$

　　　　　　＝90万円×0.60（小数点第3位切上げ）

　　　　　　＝54万円

雑所得の金額＝①－②＝36万円

※ 保証期間の年数（10年）＜年金支払開始日における被保険者の余命年数（18年）

　∴　18年

問12 解答：**2**

1）**適切**。任意加入の自動車保険（個人契約・法人契約を問わない）については、損害保険会社破綻後3カ月以内に保険事故が発生した場合、支払われるべき保険金の全額が補償される。

2）**不適切**。個人が締結した火災保険や賠償責任保険は、損害保険会社破綻後3カ月以内に保険事故が発生した場合、支払われるべき保険金の全額が補償される。

3）**適切**。補償対象契約については、国内における元受保険契約で、運用実績連動型保険契約の特定特別勘定部分以外について、破綻時点の責任準備金等の90%（高予定利率契約等を除く）まで補償される。

4）**適切**。生命保険会社が破綻した場合、保険契約の解約、保険金額の減額、契約者貸付の利用などの手続きが停止されるが、契約者（＝保険料負担者）の保険料支払義務は免除されない。

問13 解答：**4**

1）**不適切**。中小企業信用保険法に規定された8つの事由である。

　　1号認定：大型倒産（再生手続き開始申立等）の発生（連鎖倒産防止）

　　2号認定：取引先企業のリストラ等の事業活動の制限

　　3号認定：突発的災害（事故等）による影響を受けた特定地域の特定業種

　　4号認定：突発的災害（自然災害等）による影響を受けた特定地域

　　5号認定：全国的に業況が悪化している業種

　　6号認定：金融機関の破綻により資金繰りが悪化

　　7号認定：金融機関の相当程度の経営の合理化（支店の削減等）に伴い借入減少

　　8号認定：RCC（整理回収機構）に貸付債権が譲渡されたうち再生可能性があると判断された

2）**不適切**。保証限度額は3,500万円である。

3）**不適切**。借り換えの際に、新たな資金を上乗せして融資を受けることも可能である。

4）**適切**。一定の要件のもと、既存のプロパー借入金（個人保証あり分や他行分）についても借り換えることが可能であり、経営者保証を外すことができる。

問14 解答：**3**

1）**不適切**。災害減免法の適用を受けるためには、災害にあった年の合計所得金額が1,000万円以下でなければならない。

2）**不適切**。災害によって受けた住宅や家財の損害金額（保険金などにより補てんされる金額を除く。以下同じ）が時価の2分の1以上であり、災害にあった年の合計所得金額が750万円超1,000万円以下である場合、軽減額は所得税額の4分の1である。

3）**適切**。災害減免法の適用を受けるためには、災害によって受けた住宅や家財の損害金額が時価の2分の1以上でなければならない。

4）**不適切**。災害によって受けた住宅や家財の損害金額が時価の2分の1未満の場合、災害減免法の適用を受けることはできない。

問15 解答：**1**

・保険差益 ＝ 保険金[※1] － （建物等の損失発生前の帳簿価額のうち被害部分相当額 ＋ 支出費用[※2]）

$$= 8,000万円 － （6,000万円 ＋ 500万円） ＝ 1,500万円$$

※1　企業費用・利益総合保険の保険金は収益の補償であるため考慮しない。

※2　支出費用には、固定資産の滅失等に直接関連して支出される経費が該当するため、焼跡の整理費（片づけ費用）は該当するが、けが人への見舞金は該当しない。

・圧縮限度額 ＝ 保険差益 $\times \dfrac{代替資産の取得に充てた保険金（分母の金額が限度^{※}）}{保険金 － 支出費用}$

$$= 1,500万円 \times \frac{7,500万円}{8,000万円 － 500万円} = \underline{1,500万円}$$

※8,000万円 － 500万円 ＝ 7,500万円 ＜ 7,600万円　∴7,500万円

問16 解答：**3**

1）**適切**。

2）**適切**。

3）**不適切**。無担保コールレート（オーバーナイト物）を、0.25％程度で推移するよう促すこととしている。

4）**適切**。なお、ＣＰ等・社債等の買入れについては、2024年3月の金融政策決定会合において決定された方針に沿って実施することとしている。

問17 解答：**4**

1）**適切**。ダブルインバース型ＥＴＦは、変動率が原指標の変動率のマイナス2倍（反対の値動きの2倍）となるように設定された指標に連動する運用成果を目指して運用される。

2）**適切**。上場株式と同様に、ＥＴＦの受渡決済は売買成立日（約定日）から起算して3営業日目に行われる。

3）**適切**。アクティブ運用型ＥＴＦは、運用会社等があらかじめ定められた運用方針に従って、組入銘柄や資産配分を選択することで、ベンチマークを上回る成果を目指すものであり、特定の指標に連動する成果を目指す従来の指標連動型ＥＴＦと異なる。

4）**不適切**。本肢はパッシブ運用についての記述である。エンハンスト（enhanced）とは、拡張された、高められたという意味であり、一定の投資成果を実現するための投資戦略を表現した指標のことをエンハンスト型指標という。エンハンスト型指標には、リスクコントロール指標、マーケットニュートラル指標、カバードコール指標などがある。

問18 解答：**3**

1）**不適切**。ストリップス債は、固定利付債の元本部分と利子（クーポン）部分を切り離し、それぞれを割引債（ゼロクーポン債）として発行する債券である。元本部分は利付債の償還日を満期とし、利子部分はそれぞれの支払期日を満期とする割引債（ゼロクーポン債）である。

2）**不適切**。個人向け国債の適用利率は次のとおりであり、下限金利は0.05%となっている。

分類	変動10年	固定5年	固定3年
適用金利	基準金利×0.66	基準金利−0.05%	基準金利−0.03%
基準金利	10年固定利付国債の 複利利回り	5年固定利付国債の 想定利回り	3年固定利付国債の 想定利回り

3）**適切**。なお、EB債は、対象株式の株価が発行時に決められた価格を下回ると、金銭での償還ではなく、対象株式が交付される。

4）**不適切**。払込み・利払い・償還のいずれかに異なる2種類の通貨が使われる債券を二重通貨建て外債という。このうち、払込みと利払いの通貨が同じで償還の通貨が異なるものをデュアルカレンシー債、払込みと償還の通貨が同じで利払いの通貨が異なるものをリバース・デュアルカレンシー債という。

問19 解答：3

1）**適切**。株式累積投資（るいとう）は、毎月、特定の銘柄を一定金額ずつ積み立てて買い付けることができる制度である。ドルコスト平均法の効果を得ることができる。

2）**適切**。単元株数に達していなくても、配当金は株式の持分に応じて配分される。ただし、自動的に翌月の買付代金に充当されるため、現金で受け取ることはできない。なお、当該株式が単元株数に達するまでは、株式の名義人は取扱会社の株式累積投資口名義となる。

3）**不適切**。株式ミニ投資は、一般に、株式を、単元株数の10分の1の整数倍で、かつ、単元株数に満たない株数で買い付けることができる投資方法である。

4）**適切**。約定価格は、各証券会社の注文受付終了後の最初に可能となる取引日の始値となるため、指値による注文はできず、成行による注文となる。

問20 解答：2

1）**適切**。なお、東証株価指数（TOPIX）は、市場区分再編前の東京証券取引所市場第一部に上場されていた内国普通株式全銘柄を対象とする時価総額加重型の株価指数である。

2）**不適切**。日経平均株価は、構成銘柄の株価を株価換算係数で調整した合計金額を除数で割って算出した修正平均型の株価指標である。なお、除数とは市況変動によらない価格変動を調整し、連続性を維持するための値である。

3）**適切**。東証REIT指数は、東京証券取引所に上場しているREIT全銘柄を対象とし、基準値を1,000とした時価総額加重型の指数である。インフラファンドは対象となっていない。なお、東京証券取引所に上場しているインフラファンド全銘柄を対象とした東証インフラファンド指数がある。

4）**適切**。JPX日経インデックス400は、プライム市場、スタンダード市場、グロース市場に上場されている銘柄を対象とする。

問21 解答：3

1）**適切**。なお、国内上場銘柄のうち、制度信用取引が可能な銘柄のことを制度信用銘柄といい、このうち貸借取引ができる銘柄のことを貸借銘柄という。いずれも取引所が選定する。

2）**適切**。なお、非上場株式は代用有価証券として認められていない。

3）**不適切**。貸借取引を行うことができるのは、制度信用取引に限定されている。したがって、制度信用取引を行う場合、貸借銘柄については逆日歩が発生することがあるが、一般信用取引を行う場合、逆日歩が発生することはない。

4）**適切**。約定金額の求め方は、次のとおりである。

委託保証金＝約定金額×委託保証金率

60万円＝約定金額×30％

約定金額＝60万円÷30％＝<u>200万円</u>

問22 解答：**2**

1）**適切**。国内のX銀行に預け入れた米ドル建ての定期預金の元本部分を国内のY銀行に米ドルのまま預け入れた場合、所得税法における「外貨建て取引」に該当しないため、為替差益を認識する必要はない。

2）**不適切**。為替予約のない場合や預入時に為替予約をしていない場合には、満期時に生じた為替差益は雑所得として総合課税の対象となる。なお、預入時に為替予約をした場合は、<u>利子と為替差益を合わせて20.315％の源泉分離課税</u>となる。

3）**適切**。外国利付債券は特定公社債に該当し、利子を交付した証券会社が源泉徴収するため、<u>確定申告不要制度を選択する</u>ことができる。

4）**適切**。上場外国株式は上場株式等に該当し、配当を交付した証券会社が源泉徴収するため、<u>確定申告不要制度を選択する</u>ことができる。

問23 解答：**3**

株式の価値は、将来支払われる配当の現在価値の総合計であるとの考え方を、配当割引モデルという。将来にわたって定率で配当が成長して支払われると予想する場合、以下の計算式が成り立つ。

$$株式の内在価値(理論株価)＝\frac{1株当たりの予想配当}{期待利子率－期待成長率}$$

1株当たりの予想配当＝15円、期待利子率＝3.5％、期待成長率＝1.63％を当てはめて計算する。

$$\frac{15円}{3.5％－1.63％}＝802.139\cdots → \underline{802.14円}$$

問24 解答：**1**

(a) **適切**。盗取されたキャッシュカードによる預金等の不正払戻しについては、顧客に重大な過失が認められる場合、被害額は補償されない。顧客に重大な過失がある事例として、「他人に暗証番号を知らせた」「暗証番号をカード上に書いた」「カードを安易に第三者に渡した」などがある。

(b) **不適切**。盗取されたキャッシュカードによる預金等の不正払戻しについては、金融機関に通知した日から<u>30日前</u>の日以降に被害に遭った額が補償される。

(c) **適切**。偽造されたキャッシュカードによる預金等の不正払戻しについては、顧客にカードや暗証番号の管理について過失（重大な過失を除く）が認められる場合でも、被害額の全額が補償の対象となる。「金融機関から生年月日等の他人に類推されやすい暗証番号を別の番号に変更するように複数回にわたる働きかけが行われたにもかかわらず、引き続き、生年月日等を暗証番号にしていた」ことは、顧客に過失がある事例の1つである。

よって、不適切なものは<u>1</u>つである。

問25 解答：**3**

1）**不適切**。国家公務員または地方公務員が勤続年数5年以下で退職して受け取った退職手当は、当該職員の役職にかかわらず、特定役員退職手当等となる。

2）**不適切**。法人契約の終身保険を契約変更により退職金として支給した場合、その支給時における<u>解約返戻金相当額</u>が退職所得の収入金額となる。

3）**適切**。確定拠出年金の老齢給付金を一時金で受け取った場合、その全額が退職所得の収入金額となる。

4）**不適切**。退職金の支払いを受ける時までに「退職所得の受給に関する申告書」を支払者に提出しなかった場合、<u>退職手当等の金額に20.42％</u>の税率を乗じて計算した金額に相当する税額が源泉徴収される。

1）**適切**。雑損控除は、災害または盗難もしくは横領により損害を受けた場合に適用を受けることができる。なお、詐欺、恐喝により損失が生じた場合は対象外である。

2）**適切**。雑損控除が適用される資産は、生活に通常必要な住宅、家具、衣類などの資産および現金である。事業用固定資産に損失が発生しても、雑損控除の適用を受けることはできない。

3）**適切**。なお、災害関連支出がある場合は、次の①②のうちいずれか多いほうの金額を控除することができる。

　　① 　差引損失額 − 総所得金額等×10％
　　② 　災害関連支出の金額 − ５万円

4）**不適切**。雑損失の繰越控除は、青色申告であるか白色申告であるかを問わず、翌年以後最長で３年間、適用を受けることができる。

問27 解答：**2**

1）**不適切**。合計所得金額が500万円以下の者で、次の①または②の要件を満たす場合に寡婦控除の適用を受けることができる。
　　① 　夫と離婚した後婚姻をしていない者で扶養親族（総所得金額等の合計額が48万円以下である者に限る）を有する者
　　② 　夫と死別した後婚姻をしていない者または夫の生死が不明の者
　　　夫と離婚後に婚姻していない合計所得金額が500万円以下の者が老人扶養親族を有している場合、子を有していなくても上記①に該当するため、寡婦控除の適用を受けることができる。

2）**適切**。寡婦は、一定の要件を満たすひとり親に該当しない者をいう。よって、寡婦控除とひとり親控除の両方の適用を受けることはできない。

3）**不適切**。夫と死別した場合、夫の死亡時の現況において控除対象配偶者であるときは、配偶者控除の適用を受けることができる。また、ひとり親控除は12月31日の現況において判定するため、要件を満たしている場合、ひとり親控除の適用も受けることができる。

4）**不適切**。合計所得金額が500万円以下の者で、次の①および②の要件を満たす場合にひとり親控除の適用を受けることができる。
　　① 　現に婚姻をしていない者または配偶者の生死が不明の者
　　② 　生計を一にする子（総所得金額等の合計額が48万円以下である者に限る）を有する者
　　　配偶者の生死が不明である合計所得金額が500万円以下の者は、生計を一にする総所得金額等の合計額が48万円以下の子を有している場合、ひとり親控除の適用を受けることができる。

問28 解答：**3**

1）**不適切**。適用対象者は、居住者のうち、所得税については2024年分の合計所得金額が1,805万円以下であるもの、また、住民税については原則として<u>2023年分</u>の合計所得金額が1,805万円以下であるものに限られる。

第2予想
基礎編

2）**不適切**。所得税の定額減税額および住民税の定額減税額は、2024年分の所得税額および2024年度分の住民税額（所得割）を限度として、それぞれ居住者、居住者である同一生計配偶者または居住者である扶養親族1人につき3万円および居住者、居住者である控除対象配偶者（控除対象配偶者以外の同一生計配偶者については2025年度分の住民税から控除）または居住者である扶養親族1人につき1万円である。

3）**適切**。給与所得者に係る所得税の定額減税は、2024年6月1日以後最初に支払われる給与等（賞与を含むものとし、主たる給与等の支払者から支払われる給与等に限る）に係る源泉徴収税額（控除前源泉徴収税額）から控除される。

4）**不適切**。2024年分の所得税に係る確定申告書を提出する事業所得者等は、原則として、その提出の際に所得税額から所得税の定額減税額を控除するが、予定納税の対象となる場合には、2024年分の所得税に係る第1期分予定納税額から本人分のみに係る特別控除の額に相当する金額を控除し、なお控除しきれない部分の金額は、第2期分予定納税額から控除する。なお、予定納税額の減額の承認の申請により、第1期分予定納税額および第2期分予定納税額について、同一生計配偶者、扶養親族に係る特別控除の額に相当する金額の控除の適用を受けることができる。

問29 解答：**3**

1）**適切**。減価償却資産の償却方法を変更する場合、原則として、新たに償却方法を採用しようとする事業年度開始の日の前日までに「減価償却資産の償却方法の変更承認申請書」を所轄税務署長に提出する必要がある。

2）**適切**。2026年3月31日までの間に取得した取得価額が30万円未満の減価償却資産について、「中小企業者等の少額減価償却資産の取得価額の損金算入の特例」の適用を受けることができる法人は、中小企業者等で青色申告法人のうち、常時使用する従業員の数が500人以下の法人とされている。なお、一定の法人については、従業員数300人以下に限定される改正が2024年に行われている。

3）**不適切**。取得価額が10万円未満の減価償却資産を事業の用に供した場合、その使用可能期間の長短にかかわらず、取得価額の全額を損金経理により損金算入することができる。なお、2022年4月1日以後に取得した取得価額10万円未満の減価償却資産については、貸付けを主な事業として行う場合を除き、その資産を貸付けの用に供したときは対象とならない。

4）**適切**。生産調整のために稼働を休止している機械装置でも、必要な維持補修が行われていつでも稼働し得る状態にあるときは、償却費の損金算入が可能である。

問30 解答：**4**

1）**不適切**。欠損金の繰越控除は、欠損金が生じた事業年度において青色申告書である確定申告書を提出し、かつ、その後の各事業年度について連続して確定申告書を提出している場合に限り適用を受けられる。ただし、その後の各事業年度の確定申告書は、青色申告書でも白色申告書でもよい。

2）**不適切**。発生年度の異なる欠損金が複数ある場合、最も古い事業年度に生じた欠損金から順次損金算入する。

3）**不適切**。2008年4月1日以後終了かつ2018年3月31日以前開始の事業年度において生じた欠損金は、9年間の繰越しが認められている。よって、2014年4月1日開始の事業年度において生じた欠損金額は、2024年4月1日開始の事業年度において損金の額に算入することはできない。

4）**適切**。なお、資本金の額が1億円超の普通法人については、繰越控除前の所得金額の50％を限度として、欠損金額を損金の額に算入することができる。

問31 解答：**4**

1）**適切**。法人を設立した場合には、設立の日以後2ヵ月以内に、定款等の写しなど所定の書類を添付して、法人設立届出書を納税地の所轄税務署長に提出しなければならない。

2）**適切**。設立第1期目から青色申告の承認を受けようとする場合、原則として、設立の日以後3ヵ月を経過した日と設立第1期の事業年度終了の日とのうちいずれか早い日の前日までに、青色申告承認申請書を納税地の所轄税務署長に提出することとされている。

3）**適切**。法人を設立し、給与等の支払事務を行う場合は、「給与支払事務所等の開設届出書」をその事務所等の所在地の所轄税務署長に設置の日から1ヵ月以内に提出しなければならない。

4）**不適切**。過去に行った確定申告について、計算に誤りがあったことにより、納付した税額が過少であったことが判明した場合には、税務署長から更正を受けるまではいつでも修正申告を行うことができる。

問32 解答：**3**

1）**不適切**。期末の資本金の額が1億円を超える法人が支出した交際費等のうち、接待飲食費以外のために支出した額は、金額の多寡にかかわらず、その全額が損金不算入となる。

2）**不適切**。期末の資本金の額等が100億円を超える法人は、2020年4月1日以後に開始する事業年度から接待飲食費のために支出した額の50％相当額について、損金の額に算入することができなくなった。

3）**適切**。期末の資本金の額が1億円以下である法人が支出した交際費等は、①年間800万円までの全額、または②接待飲食費のために支出した額の50％相当額のいずれか有利な金額を損金算入することができる。接待飲食費のために支出した額が2,000万円の場合、①によると控除額は800万円となり、②によると1,000万円（2,000万円×50％）となる。したがって、損金の額に算入できる交際費等の額は1,000万円である。

4）**不適切**。期末の資本金の額が1億円以下である法人が支出した交際費等は、選択肢3のとおり、①または②のうち、有利な方（金額の大きい方）を選択することができる。したがって、接待飲食費を含む交際費等の額が年間1,000万円である場合は、①または②を選択しても、全額を損金算入することはできない。

問33 解答：**4**

1）**適切**。高額特定資産の仕入れ等を行った場合、当該資産の仕入れ等の日の属する課税期間の初日以後3年を経過する日の属する課税期間の初日の前日までの期間は、消費税簡易課税制度選択届出書を提出することができない。なお、高額特定資産とは、課税仕入れに係る支払対価の額が1,000万円以上（税抜き）の棚卸資産または調整対象固定資産をいう。

2）**適切**。2種類以上の事業を営む事業者が、課税売上げを事業ごとに区分していない場合、その区分していない事業のうち、一番低いみなし仕入率を適用して仕入控除税額を計算する。

3）**適切**。なお、新規開業等した事業者が当初から簡易課税制度の適用を受けるためには、開業等した課税期間の末日までに消費税簡易課税制度選択届出書を提出すればよい。

4）**不適切**。簡易課税を選択すると、2年間はやめることができない。

問34 解答：**4**

1）**不適切**。筆界とは、表題登記がある1筆の土地とこれに隣接する他の土地との公法上の境界であるため、所有権の範囲を特定するものではない。

2）**不適切**。筆界特定は、土地所有権の登記名義人およびその相続人等が単独で申請できる。共有の場合は、共有者の1人が単独で申請できる。

3）**不適切**。筆界特定書の写しは、隣地所有者などの利害関係を有する者ではなくても、対象となった土地

を管轄する登記所においてその交付を受けることができる。

4）**適切**。筆界特定の申請手数料は対象地の固定資産税評価額を基に計算する。なお、測量費については一律ではなく、各事案において、筆界特定に必要とされる内容に対する費用となっている。

問35 解答：**3**

1）**適切**。宅地建物取引業者である売主が買主から受け取った手付金は、解約手付とみなされるため、本肢の特約は無効となり、民法の規定が適用される。したがって、手付金による解除は「相手方が契約の履行に着手する前であれば、買主は手付金を放棄して、売主は手付金の倍額を現実に提供して、契約を解除することができる」とされる。

2）**適切**。宅地建物取引業者である売主は、買主の承諾を得ることができたとしても、売買代金の額の2割を超える手付金を受領することはできない。なお、売主が宅地建物取引業者でない場合、売買代金の額の2割を超える手付金を受領することができる。

3）**不適切**。解約手付金による解除では、売主は手付金の倍額を現実に提供する必要がある。

4）**適切**。宅地建物取引業者である売主が買主から受け取った手付金は、解約手付とみなされるため、買主は手付金を放棄して契約を解除することができる。

問36 解答：**1**

1）**適切**。2000年3月1日（借地借家法一部改正）より前に締結した居住用建物の普通借家契約を当事者間で合意解約した上で、同一の建物を目的として定期借家契約を締結することはできない。

2）**不適切**。定期借家契約の更新はできないが、期間満了後に当事者間の合意により、再契約することは可能である。

3）**不適切**。定期借家契約において、建物の賃貸人は、あらかじめ、建物の賃借人に対し、建物の賃貸借は契約の更新がなく、期間の満了により当該建物の賃貸借は終了することについて、原則として、その旨を記載した書面を交付して説明しなければならない。なお、賃借人の承諾がある場合、書面交付に代えて電磁的方法により提供することができる。

4）**不適切**。期間の定めのない普通借家契約は、正当な事由に基づく賃貸人からの解約申入れの日から6カ月を経過することによって終了する。なお、建物の賃借人が解約の申入れを行う場合には正当事由は不要であり、建物の賃貸借は、解約の申入れの日から3カ月を経過することによって終了する。

問37 解答：**4**

1）**不適切**。建築基準法42条2項に規定する道路（2項道路）において、中心線から水平距離2m未満で、一方ががけ地、川または線路敷地等である場合、当該がけ地、川または線路敷地等の側の境界線から水平距離で4m後退した線が、その道路の境界線とみなされる。

2）**不適切**。道路法、都市計画法、土地区画整理法、都市再開発法、新都市基盤整備法、大都市地域における住宅および住宅地の供給の促進に関する特別措置法または密集市街地整備法による新設または変更の事業計画のある道路で、2年以内にその事業が執行される予定のものとして特定行政庁が指定したものは、建築基準法上の道路である。

3）**不適切**。位置指定道路とは、土地を建築物の敷地として利用するため、道路法、都市計画法、土地区画整理法、都市再開発法等によらないで築造する一定の基準に適合する道で、これを築造しようとする者が特定行政庁からその位置の指定を受けた私道をいう。なお、維持管理は位置指定道路の所有者が行うことになる。

4）**適切**。建築基準法施行後に都市計画区域に編入された時点で、現に建築物が立ち並んでいる幅員4m未

満の道で、特定行政庁が指定したものは2項道路である。2項道路は、原則として、その道路の中心線からの水平距離2mの線が境界線とみなされる。

問38 解答：**1**

1）**適切**。共用部分の持分割合は、各共有者が有する専有部分の水平投影面積（<u>内法面積</u>）による床面積の割合で決まる。
2）**不適切**。区分所有者は、規約で別段の定めがない限り、専有部分とその専有部分に係る敷地利用権とを<u>分離して処分できない</u>。
3）**不適切**。大規模滅失の復旧を行うためには、区分所有者および議決権の各4分の3以上の多数による決議が必要である。
4）**不適切**。占有者は、建物、敷地または付属施設の使用方法につき、区分所有者が規約または集会の決議に基づいて負う義務と同一の義務を負うことになるが、集会の決議に関する<u>議決権はない</u>。

問39 解答：**4**

1）**適切**。2025年3月31日までに、個人が、固定資産税評価額100万円以下の土地について所有権の保存登記（表題部所有者の相続人が受けるものに限る）または相続による所有権の移転登記を受ける場合、その土地の所有権の保存登記またはその土地の相続による所有権の移転登記については、登録免許税は課されない。
2）**適切**。相続により土地の所有権を取得した者（本問ではC）が、当該土地の所有権の移転登記を受けないで死亡し、その者の相続人等（本問ではD）が2018年4月1日から2025年3月31日までの間に、その死亡した者（本問ではC）を登記名義人とするために受ける当該移転登記に対する登録免許税は、「相続に係る所有権の移転登記等の免税措置」により課されない。
3）**適切**。贈与や遺贈に伴う所有権の移転登記については、居住用財産の特例はなく、本則税率の2％が適用される。
4）**不適切**。表示の登記は非課税である。

問40 解答：**4**

1）**適切**。本特例において損益通算できる金額は、「譲渡損失の金額」と「住宅借入金等の金額から譲渡価額を控除した残額」のうち、いずれか低い金額である。
2）**適切**。本特例の適用を受けるには、譲渡契約の前日において譲渡資産について償還期間10年以上の住宅借入金等の残高を有している必要がある。
3）**適切**。居住しなくなった家屋を取り壊し、その敷地を譲渡する場合、取り壊した家屋およびその敷地の所有期間が、取り壊した日の属する年の1月1日において5年を超えていれば、本特例の適用を受けることができる。
4）**不適切**。居住しなくなった家屋を譲渡する場合、居住しなくなった日以後3年を経過する日の属する年の12月31日までの間に譲渡すれば、本特例の適用を受けることはできる。

問41 解答：**2**

1）**適切**。収益還元法のうちDCF（＝Discounted Cash Flow）法は、連続する複数の期間に発生する純収益と復帰価格（将来の転売価格）を、その発生時期に応じて現在価値に割り引き、それぞれを合計することで対象不動産の収益価格を求める方法である。
2）**不適切**。NPV法（正味現在価値法）は、資産が生み出す将来の収益の現在価値の合計から、初期投資

額を差し引いて、投資の適否を判定する方法である。本問のように、対象不動産に対する投資額が現在価値に換算した対象不動産の収益価格を上回っているということは、投資額の方が収益より大きいので、その投資は不利だと判定することになる。

3）**適切**。ＩＲＲ法（内部収益率法）は、不動産投資の内部収益率と投資家の期待する収益率（期待収益率）を比較し、投資の適否を判定する方法である。内部収益率が期待収益率を上回ると、その投資は有利だと判定することになる。

4）**適切**。ＮＯＩ（＝Net Operating Income）利回りは不動産投資の採算性の評価に用いられる純利回りのことであり、「年間純収益÷投資総額×100」で求められる。

問42 解答：**1**

　贈与税の税率は、一般贈与財産の贈与を受けた場合に適用される一般税率と、特例贈与財産の贈与を受けた場合に適用される特例税率に区分されている。特例贈与財産とは、贈与年の1月1日において18歳以上の者が、直系尊属から贈与を受けた場合に適用される。同一年中に、一般贈与財産と特例贈与財産の贈与を受けた場合には、次のように贈与税を計算する。

① 　贈与財産がすべて一般贈与であると考えて、一般税率により贈与税を計算し、その税額のうち一般贈与財産に対応する部分を求める。

② 　贈与財産がすべて特例贈与であると考えて、特例税率により贈与税を計算し、その税額のうち特例贈与財産に対応する部分を求める。

③ 　①と②の合計が贈与税額となる。

　本問では、母親から受けた贈与が特例贈与に該当し、叔父からの贈与は一般贈与に該当する。

① 　一般贈与に対する税額

（600万円＋400万円－110万円）×40％－125万円＝231万円

$$231万円 × \frac{400万円}{600万円＋400万円} = 924,000円$$

② 　特例贈与に対する税額

（600万円＋400万円－110万円）×30％－90万円＝177万円

$$177万円 × \frac{600万円}{600万円＋400万円} = 1,062,000円$$

③ 　924,000円＋1,062,000円＝<u>1,986,000円</u>

問43 解答：**4**

1）**不適切**。贈与税の申告書は、受贈者の納税地の所轄税務署長に提出しなければならない。なお、贈与税の期限内申告書を提出すべき者は、次の3要件をすべて満たした者である。

① 　贈与により財産を取得した者

② 　贈与により取得した財産の価額の合計額が基礎控除額を超えていること

③ 　申告要件のある規定については、その規定を適用しない場合に納付すべき贈与税額が算出される者

2）**不適切**。贈与税の申告書を提出すべき者が、提出期限前に申告書を提出しないで死亡した場合、死亡した者の相続人（包括受遺者を含む）は、死亡した者に代わり、贈与税の申告書を提出しなければならない。提出期限は、本来の提出義務者の相続の開始があったことを知った日の翌日から10カ月を経過する日である。

3）**不適切**。贈与税の期限内申告書もしくは期限後申告書を提出した者または決定を受けた者が、その税額が過大であった場合、原則として、法定申告期限から6年以内に限り、更正の請求をすることができる。

なお、相続税の更正の請求は、5年以内に限られている。

4）**適切**。なお、相続税の延納期間は、相続財産のうち不動産等の価額が占める割合に応じて異なり、最長20年である。

問44 解答：**4**

1）**不適切**。対価を支払わないで、または著しく低い価額の対価で債務の免除、引受けまたは第三者のためにする債務の弁済による利益を受けた場合においては、その受けた利益は贈与により取得したものとみなされる。ただし、債務者が資力を喪失して債務を弁済することが困難である場合において、その債務者の扶養義務者によってその債務の全部または一部の引受けまたは弁済がなされたときは、贈与税が課税されない。

2）**不適切**。不動産、株式等の名義変更があった場合において、対価の授受が行われていないときはその財産の名義人となった者は、その財産を贈与により取得したものとみなされて贈与税が課税される。

3）**不適切**。婚姻の取消または離婚による財産分与として取得した財産は、原則として贈与税の課税対象とならない。ただし、その分与に係る財産の額が婚姻中の夫婦の協力によって得た財産の額その他一切の事情を考慮してもなお過当であると認められるときは、その過当である部分の金額は贈与により取得したものとして贈与税が課税される。

4）**適切**。満期保険金のうち、受取人以外の者が負担した保険料に対応する部分の金額は贈与により取得したものとみなされる。

問45 解答：**1**

1）**適切**。正本を破棄しても原本を破棄したことにならないため、遺言を撤回したことにはならない。

2）**不適切**。遺言書保管制度の対象は自筆証書遺言のみで、秘密証書遺言は遺言書保管制度の対象となっていない。なお、保管されている自筆証書遺言については、家庭裁判所による検認手続きは不要である。

3）**不適切**。未成年者、推定相続人、受遺者およびその配偶者ならびに直系血族、公証人の4親等内の親族等は証人になれない。

4）**不適切**。前の遺言が後の遺言に抵触する部分は、後の遺言により撤回したものとみなされるため、作成日付の新しい遺言が優先する。公正証書遺言が優先するという民法の規定はない。

問46 解答：**2**

1）**適切**。配偶者居住権の対抗要件は、登記である。

2）**不適切**。配偶者居住権および配偶者短期居住権は、譲渡することができない。また、配偶者が死亡した場合、配偶者居住権は消滅し、当該建物を返還しなければならない。

3）**適切**。配偶者短期居住権を取得するための要件として、婚姻期間の定めはない。

4）**適切**。配偶者短期居住権は、少なくとも相続開始時から6ヵ月間、当該建物を無償で使用することができる権利である。

問47 解答：**2**

1）**適切**。相続税の納付額は、①相続税の総額に按分割合を乗じて算出相続税額を求める、②算出相続税額に加算額を加算する、③税額控除を適用する、という手順で算出する。

2）**不適切**。2021年4月1日以後に信託受益権または金銭等の贈与を受け、「直系尊属から結婚・子育て資金の一括贈与を受けた場合の贈与税の非課税」の適用を受けた場合、当該非課税に係る管理残額を遺贈により取得したものとみなされた贈与者の子以外の直系卑属（代襲相続人を除く）は、相続税額の2割加算

の対象となる。

3）**適切**。被相続人の一親等の血族および配偶者以外の者は2割加算の対象となる。姪は3親等の親族であるため、相続税額の2割加算の対象となる。

4）**適切**。養子は一親等の血族であるが、代襲相続人でない孫養子は、相続税額の2割加算の対象となる。

問48 解答：**3**

1）**適切**。相続人が被相続人の雇用主から受け取った弔慰金については、次の金額の範囲内であれば相続税の課税対象とならない。ただし、非課税金額を超えた場合は、その超過額について本規定の対象となる。

・業務上の死亡…賞与を除く普通給与の3年分

・業務上以外の死亡…賞与を除く普通給与の6カ月分

2）**適切**。相続の放棄をした者が受け取った死亡退職金は、相続税の課税対象となるが、本規定の対象とならない。

3）**不適切**。申告要件はないため、本規定を適用した後の相続税の課税価格の合計額が遺産に係る基礎控除額以下である場合、相続税の申告書を提出する必要はない。

4）**適切**。非課税金額は「500万円×法定相続人の数」で算出するが、この法定相続人は相続の放棄がなかったものとした場合の相続人をいう。したがって、法定相続人は配偶者、兄、姉の3人であり、非課税金額は1,500万円（500万円×3人）となるため、本規定の適用後に相続税の課税価格に算入すべき金額は500万円（2,000万円−1,500万円）となる。

問49 解答：**1**

1）**適切**。相続税の申告書は、被相続人の死亡の日における住所または居所を所轄する税務署長に提出しなければならない。

2）**不適切**。相続財産が分割されていない場合でも、相続税の申告期限が延長されることはない。この場合、共同相続人は、民法に規定する相続分または包括遺贈の割合に従って財産を取得したものとして相続税の課税価格および相続税額を計算し、申告期限までに申告書の提出および納税をしなければならない。

3）**不適切**。納付すべき相続税額がないために申告書の提出義務がなかった者が、その後において遺言書が発見されたことにより新たに納付すべき相続税額があることとなった場合には、期限後申告書を提出することができる。

4）**不適切**。同一の被相続人から相続または遺贈により財産を取得したすべての者の相続税の課税価格の合計額が、遺産に係る基礎控除額を超える場合には、相続税の申告書を提出しなければならない。相続税の課税価格の合計額には、相続時精算課税の適用を受けた贈与財産が含まれる。相続時精算課税の適用を受けた贈与財産を相続財産に加算しても遺産に係る基礎控除額以下である場合には、相続税の申告書を提出する必要はない。

問50 解答：**1**

1）**不適切**。地積規模の大きな宅地とは、三大都市圏においては500㎡以上の地積の宅地および三大都圏以外の地域においては1,000㎡以上の地積の宅地をいう。ただし、次の宅地は除かれる。

・市街化調整区域に所在する宅地

・都市計画法の用途地域が工業専用地域に指定されている地域に所在する宅地

・指定容積率が400％（東京都特別区においては300％）以上の地域に所在する宅地

・財産評価基本通達に定める大規模工場用地

2）**適切**。路線価方式により評価する地域に所在するものについては、地積規模の大きな宅地のうち、普通

商業・併用住宅地区および普通住宅地区に所在するものが対象となる。また、倍率方式により評価する地域に所在するものについては、地積規模の大きな宅地に該当する宅地であれば対象となる。

3）**適切**。選択肢1の解説参照。

4）**適切**。地積規模の大きな宅地の価額は、次のように規模格差補正率を用いて算出されるため、本規定の適用を受けない場合の価額よりも低くなる。

・路線価方式により評価する地域に所在する宅地

> 評価額＝路線価×奥行価格補正率×各種画地補正率×規模格差補正率×地積

・倍率方式により評価する地域に所在する宅地
　①または②のいずれか低い価額により評価する。
　　①　固定資産税評価額×倍率
　　②　｜標準的な間口距離および奥行距離を有する宅地であるとした場合の1㎡当たりの価額｜×各種画地補正率×規模格差補正率×地積

・規模格差補正率

$$規模格差補正率＝\frac{A×B＋C}{地積規模の大きな宅地の地積（A）}×0.8$$

㋑三大都市圏に所在する宅地

地積		B	C
500㎡以上	1,000㎡未満	0.95	25
1,000㎡以上	3,000㎡未満	0.90	75
3,000㎡以上	5,000㎡未満	0.85	225
5,000㎡以上		0.80	475

㋺三大都市圏以外に所在する宅地

地積		B	C
1,000㎡以上	3,000㎡未満	0.90	100
3,000㎡以上	5,000㎡未満	0.85	250
5,000㎡以上		0.80	500

第2予想・応用編

解答一覧・苦手論点チェックシート

※ 間違えた問題に✓を記入しましょう。

大問	問題	科目	論点	正解	難易度	配点	あなたの苦手※ 1回目	あなたの苦手※ 2回目
第1問	51	年金・社保	老齢年金	①63　②1966　③50 ④標準報酬月額　⑤標準賞与額　⑥4	B	各1		
	52		公的医療保険	①180　②2分の1　③20　④2 ⑤14　⑥89	B	各1		
	53		在職老齢年金	①765,000(円)　②1,176,135(円)	C	各4		
第2問	54	金融	NISA	①120　②240　③1,800 ④1,200　⑤簿価残高	B	各1		
	55		使用総資本事業利益率	12.06(%)	A	3		
	56		財務分析	①5.36　②0.90　③2.74　④Y ⑤配当性向　⑥1.00	B	各2		
第3問	57	タックス	別表四	①4,800,000　②2,500,000 ③4,000,000　④600,000 ⑤692,238　⑥24,000,000	B	各2		
	58		法人税の税額計算	3,769,700(円)	A	2		
	59		各種所得、総所得金額	①25(万円)　②50(万円) ③1,405(万円)	B	各2		
第4問	60	不動産	建築基準法、譲渡所得の買換え特例	①第一種住居　②1　③3分の1 ④5分の1　⑤10　⑥1　⑦3 ⑧12月31日	A	各1		
	61		建蔽率・容積率	①252(㎡)　②612(㎡)	A	各4		
	62		譲渡所得の特別控除の特例	①4,388,000(円) ②5,968,200(円)	A	各2		
第5問	63	相続	類似業種比準価額	805(円)	B	6		
	64		相続税の総額	8,716(万円)	A	8		
	65		相続税の税額控除	①1億6,000万　②3年　③4ヵ月 ④85　⑤10　⑥20	B	各1		

難易度　A…基本　B…やや難　C…難問

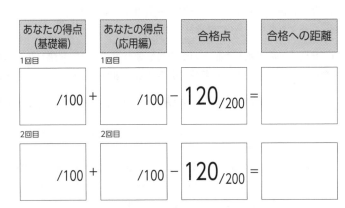

科目別の成績		
年金・社保	金融	タックス
1回目　　/20	1回目　　/20	1回目　　/20
2回目　　/20	2回目　　/20	2回目　　/20

不動産	相続
1回目　　/20	1回目　　/20
2回目　　/20	2回目　　/20

あなたの得点（基礎編）
1回目
/100

あなたの得点（応用編）
1回目
/100

合格点
120/200

合格への距離

2回目
/100

2回目
/100

120/200

第2予想 応用編 ……… 解答・解説

【第1問】

問51 解答：①**63** ②**1966** ③**50** ④**標準報酬月額** ⑤**標準賞与額** ⑥**4**

「1963年10月生まれのAさんは、老齢基礎年金の受給資格期間を満たし、かつ、厚生年金保険の被保険者期間が1年以上ありますので、原則として（①**63**）歳から特別支給の老齢厚生年金が支給されます。なお、女性の場合、（②**1966**）年4月2日以後生まれの者から、原則として、特別支給の老齢厚生年金は支給されません。

特別支給の老齢厚生年金の受給開始後もAさんが引き続き厚生年金保険の被保険者としてX社に勤務する場合、特別支給の老齢厚生年金は、Aさんの総報酬月額相当額と基本月額との合計額が（③**50**）万円（支給停止調整額、2024年度価額）を超えると、一部または全部が支給停止となります。総報酬月額相当額とは、受給権者である被保険者の（④**標準報酬月額**）とその月以前1年間の（⑤**標準賞与額**）の総額を12で除して得た額との合計額であり、基本月額とは、65歳未満の者の場合、特別支給の老齢厚生年金の月額のことです。

仮に、特別支給の老齢厚生年金の受給開始後のAさんの総報酬月額相当額を52万円、基本月額を10万円とした場合、Aさんの特別支給の老齢厚生年金の支給額は月額（⑥**4**）万円となります」

〈解説〉

特別支給の老齢厚生年金は、次の要件を満たした者に支給される。

・1961年4月1日以前生まれの男性または1966年4月1日以前生まれの女性
・1年以上の厚生年金保険の被保険者期間を有していること
・老齢基礎年金の受給資格期間を満たしていること

60歳以降も厚生年金保険の被保険者として働きながら受け取る特別支給の老齢厚生年金や老齢厚生年金を在職老齢年金という。在職老齢年金は、総報酬月額相当額と基本月額の合計が50万円（支給停止調整額、2024年度価額）を超えると、一部または全部が支給停止となる。

総報酬月額相当額＝標準報酬月額＋（その月以前1年間の標準賞与額の合計額÷12）
基本月額＝老齢厚生年金（加給年金額を除く）÷12
支給停止基準額＝（総報酬月額相当額＋基本月額－50万円）×$\frac{1}{2}$×12月

特別支給の老齢厚生年金の受給開始後のAさんの総報酬月額相当額を52万円、基本月額を10万円とした場合、Aさんの特別支給の老齢厚生年金の支給額（月額）は、次のとおりである。

支給停止基準額（月額）＝（52万円＋10万円－50万円）×$\frac{1}{2}$＝6万円

特別支給の老齢厚生年金の支給額（月額）＝10万円－6万円＝4万円

問52 解答：①**180** ②**2分の1** ③**20** ④**2** ⑤**14** ⑥**89**

「夫Bさんが、Aさんが加入する健康保険の被扶養者になるためには、主としてAさんにより生計を維持されていることが必要です。夫Bさんの年間収入が（①**180**）万円未満でAさんの年間収入の（②**2分の1**）未満である場合は、生計を維持しているものと認められます。

夫Bさんが、健康保険の被扶養者とならない場合、夫Bさんの加入する健康保険の任意継続被保険者となるか、または国民健康保険の被保険者となります。

健康保険の任意継続被保険者となるためには、原則として退職日の翌日から（③20）日以内に、夫Bさんの住所地を管轄する全国健康保険協会の都道府県支部で資格取得の申出を行う必要があります。任意継続被保険者として健康保険に加入を継続することができる期間は、最長（④2）年間です。

国民健康保険の被保険者となる場合は、原則として退職日の翌日から（⑤14）日以内に、夫Bさんの住所地の市町村（特別区を含む、以下、「市町村」という）で手続きする必要があります。保険料は各市町村の条例により、均等割、平等割、所得割、資産割の一部または全部の組合せによって決定されます。保険料には上限が定められており、2024年度の賦課限度額は、65歳以上の場合は年間（⑥89）万円です」

〈解説〉

(1) 健康保険の被扶養者になるためには、年間収入が130万円未満（60歳以上または障害者は<u>180万円未満</u>）という収入基準を満たさなければならない。なお、この収入には、公的年金制度の障害給付・遺族給付や雇用保険の失業等給付などが含まれる。

(2) 健康保険の資格喪失日の前日までに継続して2カ月以上の被保険者期間があり、資格喪失日から<u>20日以内</u>に申請することで、引き続き2年間、健康保険の被保険者の資格を継続させることができる。これを任意継続被保険者という。なお、協会けんぽにおいて、保険料を計算する際の標準報酬月額は、本人の資格喪失時の標準報酬月額と全被保険者の標準報酬月額の平均（2024年度は上限30万円）とを比べていずれか低い額になる。

(3) 他の公的医療保険の被保険者資格を喪失したために国民健康保険の被保険者資格を取得した場合、<u>14日以内</u>に住所地の市区町村に届出書を提出しなければならない。

保険料の計算は、所得割・資産割・均等割・平等割という4つの項目で行うが、その組合せは市区町村によって異なる。保険料の構成は、国民健康保険事業に充てる基礎賦課額（医療分）、後期高齢者医療保険制度の支援に充てる後期高齢者支援金等賦課額（支援金分）および介護保険事業に充てる介護納付金賦課額（介護分）の3つの項目となっている。2024年度の賦課限度額は、次のとおりである。

	0歳～39歳	40歳～64歳	65歳～74歳
医療分	65万円	65万円	65万円
支援金分	24万円	24万円	24万円
介護分	—	17万円	—
	89万円	106万円	89万円

問53 解答：①**765,000**（円） ②**1,176,135**（円）

① 老齢基礎年金の年金額

$$816,000円 \times \frac{450月}{480月} = 765,000円$$

② 老齢厚生年金の年金額

・報酬比例部分の額

$$280,000円 \times \frac{7.125}{1,000} \times 158月 + 520,000円 \times \frac{5.481}{1,000} \times 306月 = 1,187,346.72 \rightarrow 1,187,347円（円未満四捨五入）$$

・経過的加算額

$$1,701円 \times 464月 - 816,000円 \times \frac{404月}{480月} = 102,464円$$

・在職老齢年金による支給調整後の老齢厚生年金の年金額

1,187,347円÷12＝98,945.5…98,946（円未満四捨五入）

$$（420,000円＋98,946円－500,000円）×\frac{1}{2}×12＝113,676円…支給調整額$$

1,187,347円－113,676円＝1,073,671円

1,073,671円＋102,464円＝__1,176,135円__

〈解説〉

① 老齢基礎年金の満額（2024年度価額）は、816,000円である。

第2号被保険者の期間のうち20歳以上60歳未満の期間および国民年金の第3号被保険者である期間は、老齢基礎年金の年金額の計算における保険料納付済期間となる。したがって、1983年10月から1986年3月までの期間（30月）を除いた450月（480月－30月）が保険料納付済期間となる。

② 経過的加算額の計算式における被保険者期間の月数は、464（158月＋306月）である。「1961年4月以後で20歳以上60歳未満の厚生年金保険の被保険者期間の月数」は、厚生年金保険の被保険者期間（464月）から60歳以上65歳未満の期間（5年＝60月）を除いた期間である。

464月－60月＝404月

また、「□□□」には、老齢基礎年金の満額（816,000円、2024年度価額）を当てはめる。

Aさんの厚生年金保険の被保険者期間は240月以上であるが、Aさんが65歳の時に夫Bさんは65歳に達しているため、Aさんに加給年金額は加算されない。

【第2問】

問54 解答：①**120** ②**240** ③**1,800** ④**1,200** ⑤**簿価残高**

2024年1月1日から、新しいNISAが導入されました。本制度では、「つみたて投資枠」と「成長投資枠」があり、「つみたて投資枠」における年間投資枠は（①**120**）万円とされ、「成長投資枠」における年間投資枠は（②**240**）万円とされています。

「成長投資枠」と「つみたて投資枠」は併用が可能であり、生涯非課税保有限度額は（③**1,800**）万円ですが、そのうち、成長投資枠として使用可能な金額は（④**1,200**）万円までです。

また、生涯非課税保有限度額は、（⑤**簿価残高**）方式で総枠を管理します。

〈解説〉

簿価残高方式とは、投資信託や株式などの取得価額をもとに管理する方法であり、生涯非課税保有限度額の上限まで株式等を保有していたとしても、株式等を売却することで、その株式等の取得価額に基づいて算定された簿価分の枠を再利用することができる。

問55 解答：**12.06（%）**

$$\frac{398,000百万円＋（6,200百万円＋8,300百万円）}{3,420,000百万円}×100＝12.0614…→\underline{12.06\%}$$

使用総資本事業利益率（ROA）（%）＝

$$\frac{事業利益（＝営業利益＋受取利息および受取配当金＋有価証券利息）}{使用総資本（＝資産合計）}×100$$

問56 解答：①**5.36** ②**0.90** ③**2.74** ④**Y** ⑤**配当性向** ⑥**1.00**

① X社の売上高当期純利益率

$$\frac{187,000百万円}{3,487,000百万円} \times 100 = 5.362\cdots \rightarrow \underline{5.36\%}$$

※ Y社の売上高当期純利益率

$$\frac{41,600百万円}{725,000百万円} \times 100 = 5.737\cdots \rightarrow 5.74\%$$

> 売上高当期純利益率（％）＝ $\dfrac{当期純利益^※}{売上高} \times 100$
>
> ※ 親会社株主に帰属する当期純利益

② Y社の使用総資本回転率

$$\frac{725,000百万円}{805,000百万円} = 0.900\cdots \rightarrow \underline{0.90回}$$

※ X社の使用総資本回転率

$$\frac{3,487,000百万円}{3,420,000百万円} = 1.019\cdots \rightarrow 1.02回$$

> 使用総資本回転率（回）＝ $\dfrac{売上高}{使用総資本（資産合計）}$

③ Y社の財務レバレッジ

$$\frac{805,000百万円}{294,100百万円^※} = 2.737\cdots \rightarrow \underline{2.74倍}$$

※ 306,800百万円 － 12,700百万円 ＝ 294,100百万円

※ X社の財務レバレッジ

$$\frac{3,420,000百万円}{1,842,700百万円^※} = 1.855\cdots \rightarrow 1.86倍$$

※ 1,910,000百万円 － 67,300百万円 ＝ 1,842,700百万円

> 財務レバレッジ（倍）＝ $\dfrac{総資本（資産合計）}{自己資本^※}$
>
> ※ 自己資本＝純資産 － 新株予約権 － 非支配株主持分

④ ROE

X社

5.36％ × 1.02回 × 1.86倍 ＝ 10.168\cdots → 10.17％

Y社

5.74％ × 0.90回 × 2.74倍 ＝ 14.154\cdots → 14.15％

> ROE（株主資本利益率）（％）＝ 売上高当期純利益率 × 総資本回転率 × 財務レバレッジ

⑤ 株主還元率

株主還元率としての指標は、<u>配当性向</u>である。

⑥ 配当利回り

X社

$$\frac{40円}{3,990円} \times 100 = 1.002 \cdots \rightarrow \underline{1.00\%}$$

Y社

$$\frac{25円}{1,250円} \times 100 = 2.000 \cdots \rightarrow \underline{2.00\%}$$

【第3問】

問57 解答：①4,800,000 ②2,500,000 ③4,000,000 ④600,000 ⑤692,238 ⑥24,000,000

〈略式別表四（所得の金額の計算に関する明細書）〉 （単位：円）

区　　　分		総　　額
当期利益の額		20,517,762
加算	損金経理をした納税充当金	①　4,800,000）
	減価償却の償却超過額	②　2,500,000）
	退職給付費用の損金不算入額	③　4,000,000）
	小　　計	11,300,000
減算	納税充当金から支出した事業税等の金額	910,000
	受取配当等の益金不算入額	④　600,000）
	退職給付引当金の当期認容額	7,000,000
	小　　計	8,510,000
仮　　計		23,307,762
法人税額から控除される所得税額（注）		⑤　692,238）
合　　計		24,000,000
欠損金又は災害損失金等の当期控除額		0
所得金額又は欠損金額		⑥　24,000,000）

（注）法人税額から控除される復興特別所得税額を含む。

・損金経理をした納税充当金

　　見積納税額（未払法人税等の当期末残高）4,800,000円（空欄①）は、損益計算書上、費用とされているが、法人税では損金算入できないため、「損金経理をした納税充当金」として加算する。

・減価償却の償却超過額

　　法人税法上、減損損失は一定の場合のみ認められる。したがって、減損損失の額および減損処理後の減価償却費の合計額から、償却限度額を控除した残額が損金不算入となる。

　　3,125千円＋375千円－5,000千円×0.200＝2,500,000円（空欄②）

・退職給付費用の損金不算入額

　　税務上、引当経理は認められていないため、当期において退職給付引当金として計上した4,000,000円（空欄③）を加算する。

・受取配当等の益金不算入額

　　非支配目的株式等から受ける配当金は、配当金の20％に相当する金額が益金不算入となる。

　　3,000千円×20％＝600,000円（空欄④）

・法人税額から控除される所得税額（復興特別所得税額を含む）

　　預金の利子および受取配当金について源泉徴収された所得税額および復興特別所得税額の合計額692,238円（＝228千円＋4,788円＋450千円＋9,450円）は、当期の法人税額から控除することを選択するため加算する（空欄⑤）。

・所得金額又は欠損金額

　　所得金額＝20,517,762円（当期利益）＋11,300,000円（加算項目小計）－8,510,000円（減算項目小計）＋692,238円（所得税額および復興特別所得税額）＝24,000,000円（空欄⑥）

問58 解答：**3,769,700（円）**

8,000,000円×15%＋（24,000,000円－8,000,000円）×23.2%＝4,912,000円

4,912,000円－692,238円－450,000円＝3,769,762円　→　3,769,700円（百円未満切捨て）

〈解説〉

　所得拡大促進税制の上乗せ措置の適用要件を満たしていない場合、税額控除額は控除対象雇用者給与等支給増加額の15%相当額である。なお、控除限度額は法人税額の20%相当額である。

　3,000千円×15%＝450,000円　＜　4,912,000円×20%＝982,400円　　　∴　450,000円

問59 解答：①**25（万円）**　②**50（万円）**　③**1,405（万円）**

〈解説〉

①　一時払変額個人年金保険は５年以内に解約しているため金融類似商品に該当する。したがって、その解約返戻金は源泉分離課税となり、一時所得の総収入金額に算入されない。

　　一時所得の総収入金額に算入されるのは、一時払終身保険の解約返戻金および平準払養老保険の満期保険金である。一時所得の金額の算出に当たっては特別控除額50万円を控除し、一時所得の金額の２分の１を総所得金額に算入する。

　　一時所得の金額＝（1,000万円＋800万円）－（1,100万円＋600万円）－50万円＝50万円

　　総所得金額に算入される一時所得の金額＝50万円×$\frac{1}{2}$＝25万円

②　老齢基礎年金の年金額および確定拠出年金の老齢給付の年金額は、公的年金等の雑所得である。また、個人年金保険契約に基づく年金収入は、公的年金等以外の雑所得である。

　　公的年金等の雑所得の金額＝（70万円＋30万円）－100万円（注）＝０円

　　（注）収入金額が100万円（＝70万円＋30万円）であり、公的年金等に係る雑所得以外の所得に係る合計所得金額が1,405万円（下記③の解説参照）であるため、資料より100万円となる。

　　公的年金等以外の雑所得の金額＝120万円－70万円＝50万円

　　雑所得の金額＝０円＋50万円＝50万円

③　不動産所得の損失の金額のうち、土地取得のための借入金の利子からなる部分の金額は、損益通算の対象とならない。また、上場株式を譲渡したことによる損失の金額は、損益通算の対象とならない。

　　給与所得の金額＝1,400万円

　　不動産所得の金額＝500万円－600万円＝▲100万円

　　譲渡所得の金額＝300万円－350万円＝▲50万円

　　総所得金額に算入される一時所得の金額＝25万円（上記①参照）

　　雑所得の金額＝50万円（上記②参照）

　　損益通算：1,400万円＋50万円[※1]－（100万円－30万円）[※2]＝1,380万円

総所得金額＝1,380万円＋25万円＝<u>1,405万円</u>

【第4問】

問60 解答：①**第一種住居** ②**1** ③**3分の1** ④**5分の1** ⑤**10** ⑥**1** ⑦**3** ⑧**12月31日**

〈建築基準法の規定〉

Ⅰ　甲土地上の第一種中高層住居専用地域に属する部分および第一種住居地域に属する部分に渡って建築物を建築する場合、その建築物の全部について、（①**第一種住居**）地域の用途に関する規定が適用される。

Ⅱ　容積率の算定の基礎となる延べ面積の計算にあたって、建築物の地階でその天井が地盤面からの高さ（②　**1**　）m以下にあるものの住宅の用途に供する部分の床面積は、原則として、当該建築物の住宅の用途に供する部分の床面積の合計の（③**3分の1**）を限度として、延べ面積に算入されない。また、専ら自動車または自転車の停留または駐車のための施設の用途に供する部分（自動車車庫等部分）の床面積は、その敷地内の建築物の各階の床面積の合計の（④**5分の1**）を限度として、延べ面積に算入されない。

〈特定の居住用財産の買換えの場合の長期譲渡所得の課税の特例〉

Ⅲ　「特定の居住用財産の買換えの場合の長期譲渡所得の課税の特例」（以下、「本特例」という）は、居住用財産を買い換えた場合に、所定の要件を満たせば、譲渡益に対する課税を将来に繰り延べることができる特例である。

　　Aさんが、居住の用に供していた家屋を取り壊してその敷地である土地を譲渡し、本特例の適用を受けるためには、その土地について、その家屋が取り壊された日の属する年の1月1日において所有期間が（⑤**10**）年を超えるものであり、その土地の譲渡に関する契約がその家屋を取り壊した日から（⑥**1**）年以内に締結され、かつ、その家屋を居住の用に供さなくなった日以後（⑦**3**）年を経過する日の属する年の（⑧**12月31日**）までに譲渡したものでなければならず、その譲渡に係る対価の額が1億円以下でなければならない。また、買換資産として取得する土地については、その面積が500㎡以下でなければならない。

〈解説〉

・敷地が2以上の用途地域に渡るときは、敷地の全部について過半の属する地域の制限を受ける。

・「特定の居住用財産の買換えの場合の長期譲渡所得の課税の特例」は、個人が居住用財産を買い換えた場合、譲渡した居住用財産について、買い換えた部分に相当する部分がなかったものとして、課税を繰り延べるものである。

問61 解答：①**252**（㎡）　②**612**（㎡）

〈解説〉

① 　2m公道は2項道路であるため、セットバックが必要である。甲土地の反対側は宅地であり、がけ地や川等ではないため、道路の中心線から2m後退した部分までが道路とみなされる。

・第一種中高層住居専用地域に属する部分の面積：6m×（16m－1m）＝90㎡

・第一種住居地域に属する部分の面積：12m×（16m－1m）＝180㎡

　　第一種中高層住居専用地域は防火規制のない地域であるが、第一種住居地域は準防火地域にある。これらの地域に渡って準耐火建築物を建築する場合、甲土地全体が準防火地域とみなされるため、建蔽率が10％緩和される。また、甲土地は特定行政庁が指定する角地であるため、建蔽率が10％緩和される。

- ・第一種中高層住居専用地域に属する部分の建築面積：$90\text{m}^2 \times (60\% + 10\% + 10\%) = 72\text{m}^2$
- ・第一種住居地域に属する部分の建築面積：$180\text{m}^2 \times (80\% + 10\% + 10\%) = 180\text{m}^2$
- ・建蔽率の上限となる建築面積：$72\text{m}^2 + 180\text{m}^2 = \underline{252\text{m}^2}$

② 前面道路は広いほうの 6 m である。
- ・容積率の決定

第一種中高層住居専用地域：$6\,\text{m} \times \dfrac{4}{10} = 240\% > 200\%$（指定容積率）　　∴　200％を適用

第一種住居地域：$6\,\text{m} \times \dfrac{4}{10} = 240\% < 400\%$（指定容積率）　　∴　240％を適用

- ・第一種中高層住居専用地域に属する部分の延べ面積：$90\text{m}^2 \times 200\% = 180\text{m}^2$
- ・第一種住居地域に属する部分の延べ面積：$180\text{m}^2 \times 240\% = 432\text{m}^2$
- ・容積率の上限となる延べ面積：$180\text{m}^2 + 432\text{m}^2 = \underline{612\text{m}^2}$

※「特定行政庁が都道府県都市計画審議会の議を経て指定する区域ではない」ため、法定乗数は、$\dfrac{4}{10}$ を使用する。

問62 解答：①**4,388,000（円）** ②**5,968,200（円）**

① 「特定の居住用財産の買換えの場合の長期譲渡所得の課税の特例」の適用後の所得税および復興特別所得税、住民税の合計額
- (1) 課税長期譲渡所得金額

$80{,}000{,}000円 - 56{,}000{,}000円 = 24{,}000{,}000円$

$24{,}000{,}000円 - (80{,}000{,}000円 \times 5\% + 4{,}000{,}000円) \times \dfrac{24{,}000{,}000円}{80{,}000{,}000円} = 21{,}600{,}000円$

- (2) 所得税および復興特別所得税の合計額

$21{,}600{,}000円 \times 15\% = 3{,}240{,}000円$

$3{,}240{,}000円 \times 2.1\% = 68{,}040円$

$3{,}240{,}000円 + 68{,}040円 = 3{,}308{,}040円 \ \rightarrow \ 3{,}308{,}000円$（100円未満切捨て）

- (3) 住民税額

$21{,}600{,}000円 \times 5\% = 1{,}080{,}000円$

- (4) (2)+(3)

$3{,}308{,}000円 + 1{,}080{,}000円 = \underline{4{,}388{,}000円}$

② 「居住用財産を譲渡した場合の3,000万円の特別控除」および「居住用財産を譲渡した場合の長期譲渡所得の課税の特例」の適用後の所得税および復興特別所得税、住民税の合計額
- (1) 課税長期譲渡所得金額

$80{,}000{,}000円 - \underset{\text{（概算取得費）}}{\underline{(80{,}000{,}000円 \times 5\% + 4{,}000{,}000円)}} - 30{,}000{,}000円 = 42{,}000{,}000円$

- (2) 所得税および復興特別所得税の合計額

$42{,}000{,}000円 \times 10\% = 4{,}200{,}000円$

$4{,}200{,}000円 \times 2.1\% = 88{,}200円$

$4{,}200{,}000円 + 88{,}200円 = 4{,}288{,}200円$

- (3) 住民税額

$42{,}000{,}000円 \times 4\% = 1{,}680{,}000円$

- (4) (2)+(3)

$$4,288,200円 + 1,680,000円 = \underline{5,968,200円}$$

〈解説〉

① 「特定の居住用財産の買換えの場合の長期譲渡所得の課税の特例」は、譲渡年の1月1日時点で10年を超える長期譲渡所得となるため、税率は所得税15％、住民税5％となる。なお、復興特別所得税は所得税額の2.1％である。また、譲渡資産の取得費が不明であるため、概算取得費を用いる。

② 「居住用財産を譲渡した場合の長期譲渡所得の課税の特例（軽減税率）」は、課税長期譲渡所得金額のうち6,000万円以下の部分は所得税10％（復興特別所得税は所得税の2.1％）、住民税4％となる。6,000万円を超える部分は、所得税15％（復興特別所得税は所得税の2.1％）、住民税5％となる。

【第5問】

問63 解答：**805（円）**

・1株当たりの資本金等の額

9,000万円 ÷ 180,000株 ＝ 500円

・類似業種の株価は、「課税時期の属する月の平均株価」「課税時期の属する月の前月の平均株価」「課税時期の属する月の前々月の平均株価」「課税時期の前年の平均株価」「課税時期の属する月以前2年間の平均株価」の5つの中から最も低い金額を選択するので、110円となる。

$$110円 \times \dfrac{\dfrac{1.3円}{2.0円} + \dfrac{17円}{9円} + \dfrac{139円}{120円}}{3} \times 0.6 \times \dfrac{500円}{50円}$$

$$= 110円 \times \dfrac{0.65 + 1.88 + 1.15}{3} \times 0.6 \times \dfrac{500円}{50円}$$

$$= 110円 \times 1.22 \times 0.6 \times 10$$

$$= 80.5円 \times 10 = \underline{805円}$$

〈解説〉

類似業種比準価額の算式は、次のとおりである。

類似業種比準価額 ＝ $A \times \dfrac{\dfrac{ⓑ}{B} + \dfrac{ⓒ}{C} + \dfrac{ⓓ}{D}}{3} \times E \times \dfrac{1株当たりの資本金の額等}{50円}$

A＝類似業種の株価

B＝類似業種の1株（50円）当たりの年配当金額

C＝類似業種の1株（50円）当たりの年利益金額

D＝類似業種の1株（50円）当たりの簿価純資産価額

ⓑ＝評価会社の1株（50円）当たりの年配当金額

ⓒ＝評価会社の1株（50円）当たりの年利益金額

ⓓ＝評価会社の1株（50円）当たりの簿価純資産価額

E＝斟酌率（大会社0.7、中会社0.6、小会社0.5）

※ 類似業種の株価については、課税時期の属する月以前3ヵ月間の各月の類似業種の株価のうち最も低いものとする。ただし、納税義務者の選択により、類似業種の前年平均株価または課税時期の属する月以前2年間の平均株価によることができる。

問64 解答：**8,716（万円）**

① 課税価格の合計額

$$4,800万円 - \left(4,800万円 \times \frac{330㎡}{480㎡} \times 80\%\right) = 2,160万円（小規模宅地の評価減）$$

$$5,000万円 - 500万円 \times 4人 = 3,000万円（生命保険の非課税）$$

7,000万円 + 8,000万円 + 15,000万円 + 4,000万円 + 2,000万円 + 2,160万円 + 3,000万円

= 41,160万円

② 遺産に係る基礎控除額

3,000万円 + 600万円 × 4人 = 5,400万円

③ 課税遺産総額

41,160万円 - 5,400万円 = 35,760万円

④ 相続税の基となる税額

$$配偶者：35,760万円 \times \frac{1}{2} \times 40\% - 1,700万円 = 5,452万円$$

$$子　　：35,760万円 \times \frac{1}{6} \times 30\% - 700万円 = 1,088万円$$

⑤ 相続税の総額

5,452万円 + 1,088万円 × 3人 = <u>8,716万円</u>

〈解説〉

　法定相続人は、妻Ｂさん、長男Ｃさん、長女Ｄさんおよび二男Ｅさんの4人である。

　自宅（敷地）は、「小規模宅地等についての相続税の課税価格の計算の特例」の適用を受けるため、330㎡まで80％の減額を受けることができる。

　Ａさんが加入している生命保険は、契約者（＝保険料負担者）および被保険者がＡさん、死亡保険金受取人が妻Ｂさんであるため、みなし相続財産として相続税の課税対象となるが、非課税限度額の適用を受けることができる。

問65 解答：**①1億6,000万　②3年　③4ヵ月　④85　⑤10　⑥20**

〈配偶者に対する相続税額の軽減〉

Ⅰ　被相続人の配偶者が当該被相続人から相続または遺贈により財産を取得し、「配偶者に対する相続税額の軽減」（以下、「本制度」という）の適用を受けた場合、原則として、相続または遺贈により取得した財産の額が（**①1億6,000万**）円と配偶者の法定相続分相当額とのいずれか多い金額までは、納付すべき相続税額が算出されない。

　なお、原則として、相続税の申告期限までに分割されていない財産は本制度の対象とならないが、相続税の申告書に「申告期限後（**②3年**）以内の分割見込書」を添付して提出し、申告期限までに分割されなかった財産について申告期限から（**②3年**）以内に分割したときは、分割が成立した日の翌日から（**③4ヵ月**）以内に更正の請求をすることによって、本制度の適用を受けることができる。

〈障害者控除〉

Ⅱ　相続または遺贈により財産を取得した者が、被相続人の法定相続人であり、かつ、一般障害者または特別障害者に該当する場合、その者の納付すべき相続税額の計算上、障害者控除として一定の金額を控除することができる。

障害者控除の額は、その障害者が満（④85）歳になるまでの年数1年（年数の計算に当たり、1年未満の端数は1年に切り上げて計算する）につき、一般障害者は（⑤10）万円、特別障害者は（⑥20）万円で計算した額である。

〈解説〉
Ⅰ　配偶者に対する相続税額の軽減の適用対象者は婚姻の届出をした者に限られるため、事実上婚姻関係と同様の事情にある、いわゆる内縁関係にある者は対象外となる。配偶者が相続の放棄をした場合でも、遺贈により取得した財産があれば適用される。
　　配偶者に対する相続税額の軽減の適用を受けるためには、相続税の申告書を提出することが必要である。たとえ納付すべき相続税額がゼロとなった場合でも、相続税の申告書を提出しなければならない。
Ⅱ　障害者控除額が一般障害者または特別障害者に該当する者の相続税額から控除しきれない場合には、その控除しきれない部分の金額は、その者の扶養義務者で、同一の被相続人から相続または遺贈により財産を取得した者の相続税額から控除することができる。

解答一覧・苦手論点チェックシート

※ 間違えた問題に✓を記入しましょう。

問題	科目	論点	正解	難易度	あなたの苦手※	
					1回目	2回目
1	ライフ・年金・社保	社会保険	4	B		
2		係数計算	1	C		
3		労働者災害補償保険	2	A		
4		確定拠出年金	4	B		
5		年金生活者支援給付金	4	B		
6		公的年金と税金	3	B		
7		老齢厚生年金	1	C		
8		教育資金	4	B		
9		自立支援事業・成年後見制度	2	B		
10	リスク	保険業法	4	B		
11		生命保険会社の指標等	4	B		
12		法人契約の経理処理	3	C		
13		普通傷害保険	1	A		
14		法人向け損害保険	2	B		
15		個人年金と税金	4	B		
16	金融	先物取引	1	B		
17		投資信託	1	B		
18		収益分配金	2	B		
19		NISA制度	3	B		
20		テクニカル分析	4	C		
21		オプション取引	4	B		
22		標準偏差	1	B		
23		証券税制	1	B		
24		金融サービス提供法	1	C		
25	タックス	所得税の確定申告等	2	B		
26		給与所得	2	B		
27		減価償却	4	A		
28		配当控除	2	C		

問題	科目	論点	正解	難易度	あなたの苦手※	
					1回目	2回目
29	タックス	法人税（会社・役員間の取引）	3	C		
30		法人税（受取配当等）	2	C		
31		キャッシュ・フロー計算書	1	C		
32		消費税（インボイス制度）	3	B		
33		ふるさと納税	2	B		
34	不動産	不動産鑑定評価基準	1	B		
35		不動産の売買における留意点	4	A		
36		都市計画法	2	A		
37		農地法	4	B		
38		区分所有法	4	A		
39		立体買換えの特例	3	B		
40		借地権の設定における権利金の授受	1	C		
41		不動産の投資判断	1	A		
42	相続	贈与契約	3	A		
43		教育資金の一括贈与	3	A		
44		贈与税の課税財産	2	B		
45		成年後見制度	2	C		
46		養子	4	B		
47		法定相続分ほか	1	A		
48		相続税の延納・物納	3	B		
49		金融資産等の財産評価	1	B		
50		配当還元価額	3	C		

配点は各2点　　難易度　A…基本　B…やや難　C…難問

科目別の成績		

ライフ・年金・社保	リスク	金融
1回目　　　　／18	1回目　　／12	1回目　　　／18
2回目　　　　／18	2回目　　／12	2回目　　　／18

タックス	不動産	相続
1回目　　　／18	1回目　　／16	1回目　　／18
2回目　　　／18	2回目　　／16	2回目　　／18

あなたの得点
（基礎編）

1回目

/100

2回目

/100

問1 解答：**4**

1）**適切**。なお、障害手当金が支給される場合、傷病手当金の日額の合計額が障害手当金の額に達するまで、傷病手当金は支給されない。

2）**適切**。同一の支給事由により、遺族補償年金と遺族厚生年金および遺族基礎年金が支給される場合、一定率を乗じて減額された遺族補償年金が支給される。

3）**適切**。高年齢雇用継続給付が支給される場合、在職老齢年金は本来の支給停止に加え、さらに標準報酬月額の最高6％が支給停止となる。

4）**不適切**。「老齢基礎年金と障害厚生年金」の組合せによる併給はない。なお、「障害基礎年金と老齢厚生年金」の組合せによる併給を選択することもできる。

問2 解答：**1**

物価が年2％上昇した場合、現在価値20,000千円の65歳時点における将来価値

　　20,000千円×1.3459（年2％、終価係数、15年）＝26,918千円

この金額を得るために15年間、毎年積み立てる金額

　　26,918千円×0.0499（年4％、減債基金係数、15年）＝<u>1,343千円</u>（千円未満切捨て）

問3 解答：**2**

1）**適切**。遺族補償年金前払一時金は、遺族補償年金を受給できる遺族が、1回に限り請求することができる年金の前払いである。遺族補償年金前払一時金が支給された場合、遺族補償年金は、遺族補償年金前払一時金の支給額に達するまで支給停止となる。

2）**不適切**。障害補償年金の支給を受けている労働者の障害等級に変更（新たな傷病・傷病の再発でないもの）があった場合、変更後の障害等級に係る年金または一時金が支給される。よって、障害等級第5級に応ずる障害補償年金が支給される。

3）**適切**。同一の支給事由により、公的年金と労働者災害補償保険の保険給付が支給される場合、公的年金が全額支給され、労働者災害補償保険の保険給付が減額調整される。

4）**適切**。なお、傷病補償年金の支給事由に該当しない場合、休業補償給付が継続して支給される。休業補償給付の支給期間に上限はない。

問4 解答：**4**

1）**不適切**。確定拠出年金の企業型年金および確定給付企業年金等を実施していない従業員300人以下の中小事業主は、労使合意の基に、従業員が拠出する個人型年金の掛金に上乗せして、中小事業主掛金を拠出することができる。

2）**不適切**。個人型年金の拠出期間の加入者掛金額は、5,000円に当該拠出に係る拠出期間の月数を乗じた額以上であり、加入者掛金額の単位は1,000円単位である。

3）**不適切**。国民年金の第2号被保険者である公務員が個人型年金に加入する場合、掛金の拠出限度額は年額14万4,000円である。なお、確定給付型年金を実施する企業の加入者も、掛金の拠出限度額は年額14万4,000円である。（2024年12月以降は、いずれも拠出限度額2万円/月となっている。）

4）**適切**。2022年5月以降、60歳以上65歳未満で日本国内に住所を有する任意加入被保険者および20歳以上

65歳未満で海外に居住する任意加入被保険者は、いずれも個人型年金に加入できるようになった。

問5 解答：**4**

1）**適切**。年金生活者支援給付金は、老齢基礎年金などと同様に、毎年2月、4月、6月、8月、10月、12月の偶数月に前2ヵ月分が支払われる。

2）**適切**。老齢年金生活者支援給付金の額（2024年度価額）は、次の①と②の合計額である。ただし、前年の年金収入額とその他の所得額の合計によって、①に一定割合を乗じた補足的老齢年金生活者支援給付金が支給される。

① 保険料納付済期間に基づく額（月額）＝ 5,310円 × $\dfrac{保険料納付済期間}{480月}$

② 保険料免除期間に基づく額（月額）＝ 11,333円 × $\dfrac{保険料免除期間}{480月}$

3）**適切**。なお、障害年金生活者支援給付金の額は、受給資格者の障害の程度によって異なり、障害等級2級の場合は月額5,310円（2024年度価額）、障害等級1級の場合は月額6,638（2024年度価額）である。

4）**不適切**。2人以上の子が遺族基礎年金を受給している場合は、月額5,310円（2024年度価額）を子の数で割った金額がそれぞれに支払われる。3倍となるわけではない。3人の子が遺族基礎年金を受給している場合、1人当たりの受給額（月額）は次のとおりである。

5,310円 ÷ 3人 ＝ 1,770円

問6 解答：**3**

1）**不適切**。公的年金等に係る雑所得を有する居住者で、その年中の公的年金等の収入金額が400万円以下であり、かつ、その年分の公的年金等に係る雑所得以外の所得金額が20万円以下である場合には、原則として確定申告の必要はない。

2）**不適切**。公的年金等から介護保険料等の保険料が特別徴収されている場合、その公的年金等の金額に相当する金額から当該保険料の金額を控除した残額に相当する金額の公的年金等の支払いがあったものとみなして、源泉徴収税額の計算をする。

3）**適切**。その年の12月31日において65歳以上の者がその年中に支払いを受けるべき公的年金等の収入金額が158万円未満である場合、その支払いの際、所得税および復興特別所得税は源泉徴収されない。

4）**不適切**。確定給付企業年金、中小企業退職金共済の分割退職金、小規模企業共済の分割共済金、確定拠出年金（企業型または個人型）の老齢給付金として支給される年金等を受給する者は、「公的年金等の受給者の扶養親族等申告書」を提出することができない。この者が受給する年金等から源泉徴収される税額は、税率10.21%で算出される。なお、計算式は次のとおりである。

源泉徴収税額 ＝（年金支給額 － 年金支給額 × 25%）× 10.21%

問7 解答：**1**

1）**不適切**。在職老齢年金では、総報酬月額相当額と基本月額の合計額が50万円以下（2024年度価額）である場合、老齢厚生年金は支給停止されず全額支給される。合計額は30万円（18万円＋12万円）であるため、全額が支給される。

2）**適切**。
　総報酬月額相当額：26万円＋48万円÷12月＝30万円
　総報酬月額相当額と基本月額の合計額：30万円＋21万円＝51万円＞50万円

したがって、50万円を超えるため、老齢厚生年金は全額支給されず、50万円を超える額の2分の1（5,000円）が支給停止となる。

3）**適切**。老齢厚生年金について、在職支給停止の仕組みにより、その全部が支給停止となる場合でも、経過的加算額は全額支給される。

4）**適切**。老齢厚生年金について、在職支給停止の仕組みにより、その一部が支給停止となる場合でも、加給年金額は全額支給される。

問8 解答：4

1）**不適切**。学資（こども）保険では、契約者である親が保険期間中に死亡した場合、通常、以後の保険料の払込みが免除されたうえで、祝金（学資金）を受け取ることができる。既払込保険料相当額を死亡保険金として受け取れるわけではない。

2）**不適切**。国の高等教育の修学支援新制度は、住民税非課税世帯およびそれに準ずる世帯の学生・生徒が支援の対象となり、すべての学生・生徒が対象となるわけではない。なお、高等教育の修学支援新制度は「大学等における修学の支援に関する法律」に基づき、2020年4月から①授業料等減免制度の創設、②給付型奨学金の支給の拡充を内容としてスタートした。①については、各大学等が一定の上限額まで授業料等の減免を実施しており、②については、日本学生支援機構が一定額を各学生に支給している。

3）**不適切**。日本政策金融公庫の「教育一般貸付（国の教育ローン）」の融資限度額は、原則として学生・生徒1人につき350万円であるが、自宅外通学、修業年限5年以上の大学（昼間部）、大学院、海外留学資金（3ヵ月以上の留学）の場合は450万円が上限となる。

4）**適切**。日本政策金融公庫の「教育一般貸付（国の教育ローン）」では、ひとり親家庭（父子家庭・母子家庭）および交通遺児家庭を対象として、融資金利および保証料の優遇措置がある。また、扶養する子が3人以上で世帯年収500万円（事業所得者の場合356万円）以内の者および世帯年収200万円（事業所得者の場合132万円）以内の者を対象として、融資金利の優遇措置がある。なお、2022年5月2日融資分から、扶養する子が3人以上で世帯年収500万円（事業所得者の場合356万円）以内の者も保証料の優遇措置を受けられるようになった。

問9 解答：2

1）**不適切**。日常生活自立支援事業の所轄庁は厚生労働省であり、本人や関係者等が市町村社会福祉協議会へ申込み、市町村社会福祉協議会が専門員や生活支援員をつける。

2）**適切**。本人の利益のために、日常的な支援が必要な場合であって後見人等による支援が困難な場合は、成年後見人等が選任されていてもあわせて日常生活自立支援事業を利用することができる。

3）**不適切**。成年後見人等は、身元引受人や保証人になることも原則としてできない。

4）**不適切**。預貯金通帳や印鑑などの預かりサービスもできる。他に、保険証書や不動産などの登記済権利書、年金証書、契約書類などの書類を預かることもできる。これらのサービスは契約によって提供されるため、判断能力が十分でないため契約ができない場合は成年後見制度を利用することになる。

問10 解答：4

1）**適切**。法人が契約者である場合、クーリング・オフは適用されない。

2）**適切**。申込者自ら指定した場所で申込みをした場合は、原則として、クーリング・オフが適用されないが、自ら指定した場所が保険会社等の営業所や自宅の場合は、クーリング・オフが適用される。

3）**適切**。既契約の特約の中途付加、更新、保険金額の中途増額については、クーリング・オフは適用されない。

4）**不適切**。生命保険契約を転換した場合は、クーリング・オフが適用される。

問11 解答：**4**

1）**不適切**。「キャピタル損益」と「臨時損益」の説明が逆になっている。基礎利益は、次のように計算する。

> **基礎利益＝経常利益－キャピタル損益－臨時損益**
>
> **キャピタル損益＝キャピタル収益－キャピタル費用**
>
> キャピタル収益…有価証券売却益、為替差益など
>
> キャピタル費用…有価証券売却損、為替差損など
>
> **臨時損益＝臨時収益－臨時費用**
>
> 臨時収益…危険準備金戻入額、個別貸倒引当金戻入額など
>
> 臨時費用…危険準備金繰入額、個別貸倒引当金繰入額など

2）**不適切**。保有契約高とは、生命保険会社が保障する金額の総合計額であり、各保険に応じた集計額となっている。個人保険については、死亡時の支払金額等の総合計額となる。

> 個人保険、団体保険…死亡時の支払金額等の総合計額
>
> 個人年金保険…①および②の合計額
>
> ①　年金支払開始前の契約：年金支払開始時における年金原資の額
>
> ②　年金支払開始後の契約：責任準備金の額
>
> 団体年金保険…責任準備金の額

3）**不適切**。修正純資産は貸借対照表などから計算され、保有契約価値は保有契約に基づき計算される。

4）**適切**。なお、ソルベンシー・マージン比率が200％を下回ると、金融庁は早期是正措置を命じることができる。

問12 解答：**3**

　2019年7月8日以後の定期保険および第三分野の保険において、保険期間が3年以上であり、最高解約返戻率が50％超の契約は、次のように3段階に区分して損金算入割合が制限されている。なお、最高解約返戻率が50％以下の契約は次の区分によらず、原則として、保険料の全額を損金算入できる。また、次の区分に該当する最高解約返戻率が50％超70％以下の契約のうち、年間保険料が30万円以下のものは、全額損金算入できる。

最高解約返戻率	保険期間		
	当初4割期間	次の3.5割期間	最後2.5割期間
50%超70%以下	40%資産計上 （60%損金算入）	全額損金算入	全額損金算入 資産計上額を均等に取り崩し、損金算入
70%超85%以下	60%資産計上 （40%損金算入）		
85%超	［当初10年間］ 「保険料×最高解約返戻率×90%」を資産計上（残額を損金算入） ［11年目以降※］ 「保険料×最高解約返戻率×70%」を資産計上（残額を損金算入） ［資産計上期間と資産取崩期間の間の期間］ 全額損金算入 ［資産取崩期間］ 解約返戻金が最も高くなる時期（解約返戻金額ピーク）から資産計上額を均等に取り崩し、損金算入		

※11年目以降は、「最高解約返戻率となる期間（解約返戻率ピーク）」または「年間の解約返戻金増加額÷年間保険料（解約返戻金増加率）≦70％になる年」のいずれか遅いほうまでの期間

　本問では、保険期間が59年（99歳－40歳）であり、最高解約返戻率が75％の契約であるため、保険期間の当初4割の期間は、60％資産計上（40％損金算入）となる。
　900万円×40％＝360万円（損金算入額：定期保険料）
　900万円×60％＝540万円（資産計上額：前払保険料）

借方		貸方	
定期保険料	360万円	現金・預金	900万円
前払保険料	540万円		

問13 解答：**1**

(a) **補償対象となる。**普通傷害保険では、仕事中による傷害も補償対象となる。

(b) **補償対象とならない。**ウイルス性食中毒や細菌性食中毒は補償対象とならない。なお、国内旅行傷害保険や海外旅行傷害保険では補償対象となる。

(c) **補償対象とならない。**地震、噴火、津波による傷害は補償対象とならない。

(d) **補償対象とならない。**熱中症、しもやけ、靴擦れなどは補償対象とならない。

　よって、普通傷害保険の補償対象となるものは１つである。

問14 解答：**2**

a) **不適切。**施設の管理の不備または従業員の業務作業中のミスにより発生した偶然な事故に起因して、他人の生命や身体を害したり、他人の財物を損壊したりした場合に被る損害賠償金や争訟費用等を補償する。自社のビルを修理する費用は補償の対象ではない。

b) **不適切。**偶発的な事故により生じた損害を補償するが、地震・噴火・津波に起因する災害により生じた損害は補償の対象ではない。

c) **適切。**取引先に引き渡した商品または提供したサービスの売上に係る債権（売掛金、受取手形等）が、倒産等により回収不能となった場合に被る損害を補償する。

d) **適切。**パワハラやセクハラ、差別、不当解雇などを理由として会社が法律上の損害賠償責任を負担する

ことによって被る損害を補償する。

よって、不適切なものは<u>2つ</u>である。

問15 解答：4

1）**適切**。自動振替貸付がその年中に行われた場合、その年の生命保険料控除の対象となる。

2）**適切**。個人年金保険料税制適格特約が付加された定額個人年金保険において、年金年額の減額を行い返戻金が発生した場合、当該返戻金を払い戻すことはできないが、所定の利息をつけて積み立てて、年金支払開始日に増額年金の買増しに充てることはできる。

3）**適切**。年金が支払われる際、下記により計算した雑所得に係る所得税および復興特別所得税が源泉徴収される。

> （年金の額－その年金の額に対応する保険料または掛金の額）×10.21％

4）**不適切**。個人年金保険（保証期間付終身年金）において、年金支払開始時に保証期間分の年金額を一括で受け取った場合、雑所得として総合課税の対象となる。

問16 解答：1

1）**不適切**。裁定取引（アービトラージ取引）ではなく、スペキュレーション取引の説明である。なお、裁定取引とは、現物価格と先物価格、または同一の先物商品の先物価格と先物価格について、その価格差（乖離）を利用して、収益（利ザヤ）を狙う取引をいい、乖離が生じている場合に、割高な方を売り建て、同時に割安な方を買い建て、その後、2つの価格が適正価格となったところで、それぞれ反対売買を行うことにより価格差分の利益を得ることができる。

2）**適切**。

3）**適切**。

4）**適切**。

問17 解答：1

1）**適切**。インバース型ファンドは、相場の下落局面において、より高い収益率が期待できる。

2）**不適切**。ブル型ファンドは、原指標の変動率に一定の正の倍数を乗じて算出される指標に連動する運用成果を目指して運用される投資信託である。なお、ベア型ファンドは、原指標の変動率に一定の負の倍数を乗じて算出される指標に連動する運用成果を目指して運用される投資信託である。

3）**不適切**。ＭＲＦは、格付けの高い公社債やコマーシャルペーパー等を投資対象とした追加型（オープン型）の公社債投資信託である。

4）**不適切**。ロング・ショート型ファンドでは、株価の相対的な上昇が予想される株式を購入すると同時に、株価の相対的な下落が予想される株式を空売りする。

問18 解答：2

収益分配金を受け取る都度、個別元本が修正されるか確認する。

・2023年3月期

分配落後基準価額13,500円＜個別元本14,000円

かつ

個別元本14,000円≦決算時基準価額14,500円（＝1,000円＋13,500円）

したがって、個別元本と分配落後基準価額との差額500円（14,000円－13,500円）が元本払戻金である

ため、元本払戻金の額だけ個別元本が減額修正される。

　　個別元本：14,000円－500円＝13,500円

・2024年3月期

　　分配落後基準価額14,000円≧個別元本13,500円　　∴　個別元本の修正なし

・2025年3月期

　　分配落後基準価額13,000円＜個別元本13,500円

　　かつ

　　個別元本13,500円≦決算時基準価額14,500円（＝1,500円＋13,000円）

　　したがって、個別元本と分配落後基準価額との差額500円（13,500円－13,000円）が元本払戻金であり、残額1,000円（1,500円－500円）は普通分配金である。

　　源泉徴収税額：1,000円×20.315％＝203.15円　→　203円（円未満切捨て）

　　手取金額：1,500円－203円＝1,297円

問19 解答：**3**

1）**不適切**。同一年中におけるつみたて投資枠と成長投資枠の併用は可能である。

2）**不適切**。年間投資上限額は、つみたて投資枠で120万円、成長投資枠で240万円である。

3）**適切**。

4）**不適切**。非課税投資期間は、つみたて投資枠・成長投資枠ともに無制限である。

問20 解答：**4**

1）**適切**。統計的に株価は約68.3％の確率で「移動平均線±1σ」、約95.4％の確率で「移動平均線±2σ」、約99.7％の確率で「移動平均線±3σ」の範囲内に収まるとされる。

2）**適切**。短期の移動平均線が長期の移動平均線を上から下に抜けて交差することをデッドクロス、下から上に抜けて交差することをゴールデンクロスといい、前者は株価が下落傾向、後者は上昇傾向にあると判断する。

3）**適切**。一般的にサイコロジカルラインが75％以上で売り、25％以下で買いと判断される。

4）**不適切**。ストキャスティクスは％K、％D、スロー％Dなどが、20～30％が安値、70～80％が高値と判断する。

問21 解答：**4**

1）**不適切**。キャップとは変動金利の上限のことをいい、原資産である金利があらかじめ設定した金利を上回った場合に、その差額を受け取ることができる取引である。資金調達者の金利上昇リスクのヘッジに利用される。

2）**不適切**。ITM（イン・ザ・マネー）は、権利行使すると利益が出る状態のことをいう。よって、次の状態である。

　　コール・オプションの場合　原資産価格＞権利行使価格

　　プット・オプションの場合　原資産価格＜権利行使価格

3）**不適切**。バリア条件は買い手に不利であるため、他の条件が同一でバリア条件のないオプションと比較すると、バリア条件の設定されたオプションはオプション料が低い。

4）**適切**。カラーとは、キャップとフロアの売買を組み合わせた取引である。カラーの買いは、キャップの買いとフロアの売りの組合せであり、カラーの売りは、キャップの売りとフロアの買いの組合せである。

問22 解答：**1**

A資産とB資産のポートフォリオの標準偏差を求める算式は、次のとおりである。

> 分散＝（Aの組入比率）^{2}×（Aの標準偏差）^{2}＋（Bの組入比率）^{2}×（Bの標準偏差）^{2}
> 　　　＋2×Aの組入比率×Bの組入比率×Aの標準偏差×Bの標準偏差×AとBの相関係数
> 標準偏差＝$\sqrt{分散}$

また、A資産とB資産の相関係数と共分散との関係式は、次のとおりである。

> $$AとBの相関係数＝\frac{AとBの共分散}{Aの標準偏差×Bの標準偏差}$$

∴　AとBの共分散＝Aの標準偏差×Bの標準偏差×AとBの相関係数

・ポートフォリオの分散
　$0.6^2×3.74^2＋0.4^2×2.58^2＋2×0.6×0.4×（-9.60）＝1.49256$
・ポートフォリオの標準偏差
　$\sqrt{1.49256}＝1.221…$ → 1.22%（小数点以下第3位四捨五入）

問23 解答：**1**

1）**不適切**。所得控除額は、まず総所得金額から控除するが、上場株式を譲渡したことによる譲渡所得以外の所得がない場合、当該株式に係る譲渡所得の金額から所得控除額を控除することになる。

2）**適切**。上場株式に係る譲渡損失の金額は、上場株式に係る譲渡所得の金額から控除することができる。非上場株式に係る譲渡所得の金額から控除できるのは、非上場株式に係る譲渡損失の金額である。

3）**適切**。国内に住所および居所を有しないこと（国外転出）となる一定の居住者が、時価1億円以上の有価証券等（対象資産）を所有等している場合には、その対象資産の含み益に所得税および復興特別所得税が課税される。これを国外転出時課税制度という。

4）**適切**。取得価額は、株式を取得したときに支払った払込代金や購入代金であり、売買委託手数料のほか購入時の名義書換料等の費用も含まれる。売買委託手数料には消費税および地方消費税を含める。

問24 解答：**1**

1）**適切**。「金融サービスの提供に関する法律」は、2024年2月1日から名称等が変更され、「金融サービスの提供及び利用環境の整備等に関する法律」となっている。

　金融サービス仲介業者は、保証金を主たる営業所または事務所の最寄りの供託所に供託しなければならない。なお、保証金の額は、①②の期間の区分に応じた額である。

①　事業開始の日から最初の事業年度の終了の日後3月を経過する日までの間
　　…1,000万円

②　各事業年度（最初の事業年度を除く）の開始の日以後3月を経過した日から当該各事業年度終了の日後3月を経過する日までの間
　　…1,000万円＋前事業年度年間受領手数料×5％

2）**不適切**。金融サービス仲介業とは、預金等媒介業務、保険媒介業務、有価証券等仲介業務または貸金業貸付媒介業務のいずれかを業として行うことをいう。

3）**不適切**。金融サービス仲介業者は、いかなる名目によるかを問わず、その行う金融サービス仲介業に関して、顧客から金銭その他の財産の預託を受け、または当該金融サービス仲介業者と密接な関係を有する

一定の者に顧客の金銭その他の財産を預託させてはならない。ただし、顧客の保護に欠けるおそれが少ない一定の場合においては、預託を受けることができる。

4）**不適切**。金融サービス仲介業者は、顧客から求められたときは、金融サービス仲介業務に関して当該金融サービス仲介業者が受ける手数料、報酬その他の対価の額等を明らかにしなければならない。

問25 解答：**2**

1）**適切**。e-Taxを利用して、所得税や法人税等の申告・納税のほか、申請や届出等の手続きも行うことができる。申請や届出等の手続きのうち、主なものは、次のとおりである。
・個人事業の開業・廃業等届出（所得税）
・法人設立届出（法人税）
・青色申告の承認申請（所得税・法人税）
・事前確定届出給与に関する届出（法人税）

2）**不適切**。e-Taxを利用して確定申告書を提出する際に、第三者作成書類の添付を省略した場合、その書類は、原則として法定申告期限から5年間、保存しなければならない。なお、対象となる主な第三者作成書類は、次のとおりである。
・給与所得、退職所得および公的年金等の源泉徴収票
・特定口座年間取引報告書
・医療費通知（医療費のお知らせ）
・小規模企業共済等掛金控除の証明書、生命保険料控除の証明書、地震保険料控除の証明書
・住宅借入金等特別控除に係る借入金年末残高証明書（適用2年目以降のもの）

3）**適切**。延納は、納付すべき所得税額の2分の1以上を3月15日までに納付することで、残額の納付を5月31日まで延期できる制度である。

4）**適切**。予定納税基準額が15万円以上である場合、第1期（7月1日から7月31日まで）および第2期（11月1日から11月30日まで）において、予定納税基準額の3分の1ずつを納付しなければならない。なお、2024年分については、定額減税の実施に関連して、申請期限等の延長が行われている。

問26 解答：**2**

1）**適切**。特定支出控除の適用を受けるためには、確定申告をする必要がある。年末調整では適用を受けることができない。

2）**不適切**。給与等の収入金額が850万円を超える者で、次のいずれかに該当する場合には、所得金額調整控除を控除する。
・本人が特別障害者に該当する場合
・23歳未満の扶養親族を有する場合
・特別障害者である同一生計配偶者もしくは扶養親族を有する場合
所得金額調整控除額は、次の算式で計算する。

> 所得金額調整控除額＝（給与等の収入金額※－850万円）×10%
> ※1,000万円を限度

給与等の収入金額が1,200万円の場合、所得金額調整控除額は次のとおりである。
（1,000万円－850万円）×10%＝<u>15万円</u>

3）**適切**。非課税通勤費の上限は、月額15万円である。なお、自家用車や自転車などを使用して通勤している者の非課税通勤費の上限は、通勤経路に沿った片道の通勤距離に応じて定められている。

4）**適切**。なお、給与所得を有する者が使用者から受ける金銭以外の物（経済的利益を含む）で、その職務の性質上欠くことのできない一定のものについては、非課税である。

問27 解答：**4**

1）**適切**。現に採用している償却方法を変更しようとする場合、変更しようとする年の3月15日までに「減価償却資産の償却方法の変更承認申請書」を提出しなければならない。なお、当該申請書には、資産の種類、現在の償却方法、採用しようとする新たな償却方法、変更理由などを記載しなければならない。

2）**適切**。「減価償却資産の償却方法の届出書」を提出しない場合は法定償却方法となるため、所得税では定額法となる。

3）**適切**。中小企業者（常時使用する従業員数が500人以下の個人をいう）である青色申告者は、取得価額30万円未満の資産（貸付けの用に供した一定の資産を除く）については、年間300万円を限度として、取得価額の全額を事業の用に供した年分の必要経費に算入することができる。

4）**不適切**。使用可能期間が1年未満のもの、または取得価額が10万円未満のもの（貸付けの用に供した一定の資産を除く）については、取得価額の全額を事業の用に供した年分の必要経費に算入する。

問28 解答：**2**

(1) 総所得金額

900,000円 + 11,700,000円 + 300,000円 = 12,900,000円

※ 生活に通常必要でない資産の譲渡損失（ゴルフ会員権の譲渡損失450,000円）は、損益通算することができない。

(2) 課税総所得金額

12,900,000円 − 2,400,000円 = 10,500,000円

(3) 配当控除額（課税総所得金額等が1,000万円超である場合）

① 5％適用分

10,500,000円 − 10,000,000円 = 500,000円

500,000円 × 5％ = 25,000円

② 10％適用分

900,000円（配当所得の金額）− 500,000円（5％適用分）= 400,000円

400,000円 × 10％ = 40,000円

③ 合計

① + ② = 65,000円

問29 解答：**3**

1）**不適切**。役員が無利息でX社に金銭を貸与した場合、原則として、利息の認定課税は行わない。

2）**不適切**。通常支払うべき賃貸料と実際に支払った賃貸料との差額は、給与所得の収入金額として課税対象となる。

3）**適切**。なお、役員が所有する資産を適正な時価の2分の1以上の価額でX社に譲渡した場合、譲渡価額が譲渡所得の収入金額として課税対象となる。

4）**不適切**。X社側では時価で譲渡したものとされ、時価と譲渡価額の差額が受贈益として益金算入となる。

問30 解答：**2**

受取配当等については、次の区分に応じ、それぞれ計算した金額の合計額が益金不算入となる。

	区分	益金不算入額の計算
①	完全子会社法人株式等 （株式保有割合100％）	受取配当等の額×100％
②	関連法人株式等 （株式保有割合3分の1超）	（受取配当等の額－負債利子）×100％
③	その他の株式等	受取配当等の額×50％
④	非支配目的株式等 （株式保有割合5％以下）	受取配当等の額×20％

1）**不適切**。上記区分④に該当するため、受取配当等の額の20％が益金不算入となる。

2）**適切**。上記区分③に該当するため、受取配当等の額の50％が益金不算入となる。

3）**不適切**。上記区分②に該当するため、受取配当等の額から負債利子額を控除した金額が益金不算入となる。

4）**不適切**。上記区分①に該当するため、受取配当等の全額が益金不算入となる。

問31 解答：**1**

1）**適切**。

2）**不適切**。営業活動によるキャッシュ・フローがプラスであっても、損益計算書における当期純利益がプラスであるとは限らない。

3）**不適切**。設備投資を積極的に行っている場合、投資活動によるキャッシュ・フローはマイナスになることが多い。

4）**不適切**。成長過程にある企業が投資を積極的に行っている場合などは、多額の資金調達を行う必要があるため、財務活動によるキャッシュ・フローがプラスになることが多い。

問32 解答：**3**

1）**適切**。適格請求書には、従来の請求書（区分記載請求書）の記載事項（発行者の氏名等、取引年月日、取引内容、取引金額および交付を受ける者の氏名、軽減税率品目である旨および税率区分ごとの合計請求金額など）に加えて次の記載事項が必要となる。
  ① 適格請求書発行事業者の登録番号
  ② 税率ごとに区分した消費税額等

2）**適切**。適格請求書とは、適用税率や消費税額等を伝えるために一定の事項が記載された請求書や納品書などをいう。また、適格請求書を交付しようとする事業者は、税務署長から適格請求書発行事業者として登録を受ける必要がある。

3）**不適切**。適格請求書発行事業者となれるのは課税事業者に限定されるため、免税事業者は対象とならない。なお、免税事業者が課税事業者を選択すれば適格請求書発行事業者となることができる。

4）**適切**。原則として仕入税額控除を行うためには適格請求書発行事業者から交付を受けた適格請求書等（インボイス）の保存等が必要になる。

問33 解答：**2**

1）**不適切**。ワンストップ特例制度の適用を受けた場合には、すべて住民税の税額控除が適用される。

２）**適切**。

３）**不適切**。ワンストップ特例制度は、所得税の確定申告を行わないことを前提とするため、給与所得者の住宅借入金等特別控除（１年目）や医療費控除などを受けるために確定申告を行う場合には、適用できない。

４）**不適切**。５自治体までの寄附については、回数、金額に制限なく、ワンストップ特例制度の適用を受けることができる。

問34 **解答：1**

１）**不適切**。取引事例比較法において採用する取引事例は、原則として、近隣地域や同一需給圏内の類似地域にある不動産から選択するが、必要やむを得ない場合には、一定の条件を満たすことを前提として、①近隣地域の周辺の地域に存する不動産や、②対象不動産の最有効使用が標準的使用と異なる場合などには、同一需給圏内の代替競争不動産から選択することができる。

２）**適切**。対象不動産が土地のみである場合においても、再調達原価を適切に求めることができるときは、原価法を適用することができる。

３）**適切**。特定価格を求める場合の具体例は、次のとおりである。

・資産の流動化に関する法律に規定する資産の流動化の対象となる不動産について、鑑定評価目的のもとで投資家に示すために投資採算価値を表す価格を求める場合

・民事再生法に基づく評価目的の下で、早期売却を前提とした価格を求める場合

・会社更生法または民事再生法に基づく評価目的の下で、事業の継続を前提とした価格を求める場合

４）**適切**。収益還元法は賃貸用不動産や賃貸以外の事業用の不動産の価格を求める場合に特に有効であるが、自用の不動産についても、賃貸を想定することにより適用することができる。

問35 **解答：4**

１）**不適切**。売買契約を締結し、売主が目的物を引き渡した後においては、その目的物が当事者双方の責めに帰することができない事由によって滅失したとしても、買主は、その滅失を理由として代金の支払いを拒むことができない。なお、買主は、履行の追完請求、代金減額請求、損害賠償請求および契約解除をすることもできない。

２）**不適切**。売主が債務を履行しない場合、買主が相当の期間を定めてその履行の催告をし、その期間内に履行がないときは、その期間を経過した時における債務の不履行がその売買契約および取引上の社会通念に照らして軽微である場合等を除き、買主は、その売買契約を解除することができる。

３）**不適切**。売買契約の不適合が買主の責めに帰すべき事由によるものである場合、買主は目的物の修補等による履行の追完を請求することができない。

４）**適切**。売主が目的物を引き渡す前に、売主および買主の責任によらず目的物が滅失したときは、買主は売主からの代金請求を拒絶することができる。なお、買主は売主からの代金請求を確定的に消滅させるため、契約を解除することもできる。

問36 **解答：2**

１）**不適切**。準都市計画区域は都市計画区域外にある。なお、準都市計画区域は、相当数の建物が建てられているようなときに、例外的に都市計画区域の外に都道府県が指定する区域であり、インターチェンジ周辺や、幹線道路の沿道が該当する。

２）**適切**。なお、準都市計画区域として指定された区域で定めることができないのは、高層住居誘導地区、高度利用地区、特定街区、防火地域・準防火地域、生産緑地地区などである。

３）**不適切**。市街化区域は既に市街地を形成している区域およびおおむね10年以内に優先的かつ計画的に市

街化を図るべき区域であり、市街化調整区域は市街化を抑制すべき区域である。

4）**不適切**。市街化区域については用途地域を定めるものとし、市街化調整区域については、原則として、用途地域を定めないものとされる。また、区域区分が定められていない都市計画区域では、必要に応じて用途地域を定めることができる。

問37 解答：**4**

1）**適切**。市街化区域内にある農地を農地以外のものに転用する目的で譲渡する場合、その農地の面積にかかわらず、あらかじめ農業委員会に届出をすることで都道府県知事等の許可が不要となる。

2）**適切**。農地を農地以外のものに自ら転用する場合、都道府県知事等の許可が必要である。なお、あらかじめ農業委員会に届出をすることで都道府県知事等の許可が不要となる特例の適用を受けることができるのは、市街化区域内の農地の場合であるため、本肢の市街化調整区域内の農地は、特例の適用を受けることができない。

3）**適切**。農地を農地として譲渡する場合、農業委員会の許可が必要である。なお、権利移動については、市街化区域内の特例はない。

4）**不適切**。農地の所有権を相続により取得した場合は、農地法第3条の許可は不要であるが、当該権利を取得したことを知った時点からおおむね10カ月以内に、農業委員会にその旨を届け出なければならない。

問38 解答：**4**

1）**適切**。管理組合が区分所有者に対して有する債権は、その特定承継人（売買等による所有権取得者）に対しても請求できる。したがって、管理組合は買主に未払管理費を請求することができる。

2）**適切**。管理組合が管理組合法人となるには、区分所有者および議決権の各4分の3以上の集会決議によって法人の名称や事務所等を定め、かつ、事務所の所在地での法人登記する必要がある。

3）**適切**。建物を建て替えるためには、集会で区分所有者および議決権の各5分の4以上の賛成が必要となる。なお、建替え決議に係る区分所有者および議決権の定数については、規約で減ずることはできない。

4）**不適切**。専有部分を数人で共有している場合、共有者のうち議決権を行使する者1人を決めなければならない。

問39 解答：**3**

1）**適切**。譲渡資産の用途について制限はない。よって、譲渡の直前において、事業の用または居住の用に供されておらず、遊休地であった場合でも、本特例の適用を受けることができる。

2）**適切**。譲渡資産の所有期間について制限はない。よって、譲渡した日の属する年の1月1日において5年以下であった場合でも、本特例の適用を受けることができる。

3）**不適切**。買換資産については、取得の日から1年以内に事業の用または居住の用に供するまたはその見込みがあることを要するが、この事業は、事業と称するに至らない不動産等の貸付け等を含む。

4）**適切**。買換資産の事業については、自己の事業に限らず、生計を一にする親族の事業でもかまわないが、生計を別にする親族の事業の用に供する場合は、本特例の適用を受けることができない。

問40 解答：**1**

借地権の設定に際し、その設定の対価として権利金を授受する取引慣行のある地域において、法人が権利金を支払っていない場合、その法人に対し権利金の認定課税が行われる。ただし、次のいずれかに該当する場合には、権利金の認定課税は行われない。

① 法人が相当の地代を支払っている場合

② 借地権設定契約書において、将来、借地人である法人がその土地を無償で返還することを定めており、かつ、「土地の無償返還に関する届出書」を借地人である法人と地主が連名で、遅滞なく、その法人の納税地を所轄する税務署長に提出している場合

　⒜　認定課税を受けない。Ｘ社は権利金を支払っていないが、Ａさんと連名で「土地の無償返還に関する届出書」を提出しているため、権利金の認定課税を受けない。
　⒝　認定課税を受ける。Ｘ社は権利金を支払っておらず、相当の地代ではなく通常の地代を支払うため、権利金の認定課税を受ける。
　⒞　認定課税を受けない。Ｘ社が権利金を支払っているため、権利金の認定課税を受けない。
　　よって、認定課税を受ける方法は 1 つである。

　ＤＳＣＲとは、借入金の返済能力をみる指標で、年間純収益を年間元利返済額（借入金償還額）で割った数値である。ＤＳＣＲが 1 を超えると、不動産から得られる純収益によって、借入金の元利金返済が可能となる。

$$ＤＳＣＲ＝\frac{純収益}{元利返済額}＝\frac{空室率を加味した賃貸収入－運営費用}{元利返済額}$$

$$＝\frac{10万円×12戸×12カ月×(1－15\%)－360万円}{575万円}＝1.502\cdots \rightarrow \underline{1.50}$$

　よって、正解は 1 となる。

（問42）解答：3
1）**不適切**。死因贈与とは、贈与者の死亡によってその効力を生じる贈与である。なお、死因贈与は遺贈に関する規定が準用されるため、次の特徴がある。
　・贈与者の死亡以前に受贈者が死亡したときは、その効力が生じない。
　・書面による死因贈与契約は、原則として、遺言により撤回することができる。
2）**不適切**。定期贈与は、贈与税額の計算上、定期金に関する権利の価額が贈与税の課税価格となる。たとえば、毎年100万円ずつ15年間にわたって贈与を受けるといった定期の給付を目的とする贈与契約（定期金給付契約）を締結した場合、契約を締結した年に、定期金に関する権利の贈与を受けたものとして贈与税が課される。上記例では1,500万円（100万円×15）が贈与税の課税価格となる。
3）**適切**。負担付贈与契約において、受贈者の負担から利益を受ける者は、贈与者に限らない。たとえば、「Ｃを扶養することを条件にＡがＢに不動産を贈与する」という内容でもよい。
4）**不適切**。負担付贈与契約は、当事者の双方が互いに対価的な債務を負担する双務契約に関する規定の適用を受ける。また、その負担の限度において、売主と同じく担保責任を負う。なお、片務契約とは、当事者の一方だけが債務を負担する契約または当事者の双方が債務を負担するが、それが互いに対価的な意義を有しない契約をいう。通常の贈与契約や使用貸借契約が該当する。

（問43）解答：3
1）**不適切**。信託受益権等を贈与により取得をした日の属する年の<u>前年分</u>の受贈者の合計所得金額が1,000万円を超えている場合には、本特例は適用を受けることができない。
2）**不適切**。本特例の適用対象となる受贈者は教育資金管理契約を締結する日において30歳未満である者である。18歳以上という要件はない。

3）**適切**。管理残額が相続税の課税対象となる場合において、受贈者が相続人ではない孫であるときは、相続税額の2割加算の対象となる。

4）**不適切**。本特例の非課税限度額は受贈者一人につき1,500万円で、そのうち、学校以外に支払う金額については、500万円まで非課税となる。別枠で非課税となるわけではない。

問44 解答：**2**

1）**不適切**。時価より低い価額で財産を譲渡した場合、時価と譲渡対価の差額が贈与税の課税対象となる。ただし、受贈者が資力を喪失して債務を弁済することが困難である場合で、その弁済に充てるために当該受贈者の扶養義務者から譲り受けたときは、その債務を弁済することが困難である部分の金額について、贈与により取得したものとはみなされない。よって、贈与者が受贈者の扶養義務者というだけでは、贈与税の課税は免れない。

2）**適切**。叔母の死亡により、相続または遺贈により財産を取得しなかった姪には、相続税は課されない。よって、姪が受けた贈与財産には、生前贈与加算の規定により相続税が課されないため、贈与税が課される。

3）**不適切**。婚姻の取消しまたは離婚による財産分与で取得した財産には、贈与税は課されないが、財産分与で土地や建物を譲渡した者は、時価で譲渡したものとみなされ、譲渡所得として所得税が課される。なお、他の要件を満たすことで、3,000万円特別控除や軽減税率など、譲渡の特例の適用を受けることができる。

4）**不適切**。共有に属する財産の共有者の1人がその持分を放棄した場合、放棄した者に係る持分は、他の共有者の持分に応じ、贈与されたものとみなされる。

問45 解答：**2**

1）**不適切**。任意後見契約は、任意後見監督人の選任前であれば、本人または任意後見受任者が、いつでも公証人の認証を受けた書面によってその契約を解除することができる。

2）**適切**。本人以外が後見等の開始の申立てをする場合、後見・保佐については本人の同意が不要であるが、補助については本人の同意が必要である。

3）**不適切**。成年後見人が、成年被後見人の代わりに、成年被後見人の居住用不動産の売却や賃貸等をする場合、家庭裁判所の許可を得なければならない。

4）**不適切**。成年被後見人の資産（不動産、預貯金、現金、株式、保険金など）、収入（給与、年金など）、負債などを調査し、年間の支出予定も立てたうえ、財産目録および年間収支予定表を作成して、選任から1ヵ月以内に家庭裁判所に提出しなければならない。

問46 解答：**4**

1）**不適切**。普通養子は、養親に対する相続権を有するとともに、実親との親族関係も継続するため、実親に対する相続権も有する。

2）**不適切**。養子の子が、被相続人と養子との養子縁組前に出生していた場合には、養子の子は代襲相続人とならない。

3）**不適切**。年上の者や尊属に該当する者を養子とすることはできない。

4）**適切**。未成年者を養子とする場合は家庭裁判所の許可が必要であるが、その未成年者が自己または配偶者の直系卑属である場合は、家庭裁判所の許可は不要である。

問47 解答：**1**

(a) **不適切**。1親等の血族・1親等の血族の代襲相続人・被相続人の配偶者以外の者は、2割加算の対象者

である。ただし、代襲相続人ではない孫が養子である場合は、2割加算の対象となる。よって、2割加算の対象者は、孫Fおよび弟Gの2人である。

(b) **適切**。民法上の法定相続人は、二女D、孫E（二重身分）および孫Fの3人である。

$$\frac{1}{4}(養子としての相続分)+\frac{1}{4}(代襲相続分)=\frac{1}{2}$$

(c) **不適切**。相続税法上の法定相続人は、相続放棄がなかったものとした場合の相続人である。また、法定相続人の数には養子の数の算入制限があり、実子がいる場合の養子は1人までとなっている。ただし、代襲相続人である養子は実子とみなされる。よって、Aの相続における相続税法上の法定相続人は、長女C、二女D、孫E（代襲相続人である養子）および孫Fの合計4人である。

遺産に係る基礎控除額＝3,000万円＋600万円×4人＝<u>5,400万円</u>

よって、適切なものは<u>1つ</u>である。

（問48） **解答：3**

1）**適切**。延納の許可を受けた者が、資力の状況等により延納による納付が困難となった場合には、相続税の申告期限から10年以内に限り、延納税額からその納期限の到来した分納税額を控除した残額を限度として、物納を選択することができる。これを特定物納という。特定物納に係る財産の収納価額は、<u>特定物納申請時の価額</u>となる。

2）**適切**。物納に充てることができる財産には、次のように申請順位がある。

第1順位	・国債および地方債、不動産および船舶 ・社債、株式、証券投資信託・貸付信託の受益証券のうち上場されているもの ・投資証券等のうち上場されているもの
第2順位	社債、株式、証券投資信託・貸付信託の受益証券（第1順位に該当するものを除く）
第3順位	動産

3）**不適切**。不動産等の価額が占める割合が50％未満で、延納税額が50万円未満である場合、原則として、延納期間は延納税額を10万円で除して得た数に相当する年数（1年未満の端数は1年に切上げ）を超えることができない。

35万円÷10万円＝3.5年 → 4年 ∴ 最長4年である

4）**適切**。相続税の物納は、延納でも納付できない場合に利用できる方法である。延納と物納を任意に選択することはできない。

（問49） **解答：1**

1）**適切**。証券投資信託は、解約請求等により支払いを受けることができる価額によって評価する。

① 日々決算型の証券投資信託（中期国債ファンド・MMFなど）の受益証券

1口当たりの基準価額	×口数＋	再投資されていない未収分配金（A）	－	Aに係る源泉税相当額	－	信託財産留保額および解約手数料（消費税額相当額を含む）

② ①以外の証券投資信託の受益証券

課税時期の1口当たりの基準価額	×口数－	課税時期において解約請求または買取請求した場合の源泉税相当額	－	信託財産留保額および解約手数料（消費税額相当額を含む）

第3予想
基礎編

2）**不適切**。個人向け国債は、課税時期において中途換金した場合に取扱金融機関から支払いを受けることができる価額により評価する。

> 額面金額＋経過利息相当額－中途換金調整額

3）**不適切**。取引相場のないゴルフ会員権のうち、株主でなければゴルフクラブの会員となれない会員権（取引相場のない株式制会員権）は、取引相場のない株式の評価方式の定めにより評価する。

区分	評価額	
株主でなければ会員となれない会員権（取引相場のない株主会員制会員権）	取引相場のない株式として評価	
株主であり、かつ預託金等を支払わなければ会員となれない会員権（株式と預託金等を別々に評価）	株式	取引相場のない株式として評価
	預託金等	直ちに返還を受けられるものについては、課税時期におけるゴルフクラブの規約等による返還可能額。一定期間経過後返還を受けられるものについては、課税時期から返還可能日までの期間に応ずる利率による複利現価の額
預託金等を支払わなければ会員となれない会員権（預託金制会員権）	上記の預託金等と同様	

4）**不適切**。外貨建てによる財産および国外にある財産の邦貨換算は、原則として、納税義務者の取扱金融機関（外貨預金等、取引金融機関が特定されている場合は、その取引金融機関）が公表する課税時期における対顧客直物電信買相場（ＴＴＢ）またはこれに準ずる相場による。課税時期に当該相場がない場合には、課税時期前の当該相場のうち、課税時期に最も近い日の当該相場による。

問50 解答：**3**

配当還元価額の算式は次のとおりである。なお、その株式に係る年配当金額の算出にあたり、算出額が2円50銭未満となる場合または無配の場合は、2円50銭とする。

$$配当還元価額 = \frac{その株式に係る年配当金額}{10\%} \times \frac{1株当たりの資本金等の額}{50円}$$

$$その株式に係る年配当金額 = \frac{\frac{直前期末以前2年間の配当金額}{（無配は0円とし特別配当等で臨時のものを除く）} \times \frac{1}{2}}{\frac{直前期末における発行済株式数}{（1株当たりの資本金等の額を50円とした場合）}}$$

1株当たりの資本金等の額を50円とした場合の発行済株式数＝2,000万円÷50円＝40万株

$$その株式に係る年配当金額 = \frac{(170万円＋150万円) \times \frac{1}{2}}{40万株} = 4.0円 > 2円50銭 \quad \therefore \quad 4.0円$$

1株当たりの資本金等の額＝2,000万円÷4万株＝500円

$$配当還元価額 = \frac{4.0円}{10\%} \times \frac{500円}{50円} = \underline{400円}$$

第3予想・応用編

解答一覧・苦手論点チェックシート

※ 間違えた問題に✓を記入しましょう。

大問	問題	科目	論点	正解	難易度	配点	あなたの苦手※ 1回目	あなたの苦手※ 2回目
第1問	51	年金・社保	国民年金基金	①職能型　②終身　③確定　④老齢　⑤遺族　⑥障害　⑦付加年金　⑧社会保険料	B	各1		
	52		国民健康保険の高額療養費	①21,000　②4　③264,180　④335,820	B	各1		
	53		老齢年金	①718,080(円)　②324,364(円)	C	各4		
第2問	54	金融	株式売買	①9　②15　③100　④価格　⑤30　⑥クロージング	B	各1		
	55		財務分析	①142.86　②217.65　③84.09　④4.93	A	各2		
	56		ポートフォリオ	①−0.98　②1.05　③4.14(%)	B	各2		
第3問	57	タックス	別表四	①7,300,000　②9,000,000　③7,100,000　④4,000,000　⑤8,200,000　⑥40,840　⑦28,000,000	B	各1		
	58		税額計算	5,399,100(円)	B	6		
	59		申告等	①中間　②確定　③予定　④仮決算　⑤無申告加算　⑥青色　⑦修正	B	各1		
第4問	60	不動産	居住用財産の譲渡等に係る税金	①5　②10　③300　④1　⑤貸家建付地　⑥3,500　⑦3	A	各1		
	61		建蔽率・容積率	①405 (㎡)　②1,800 (㎡)	B	各2		
	62		譲渡所得の特例	①23,400,000(円)　②3,583,700(円)　③1,170,000 (円)	B	各3		
第5問	63	相続	類似業種比準価額	3,079(円)	B	7		
	64		純資産価額	4,662 (円)	A	7		
	65		特定評価会社	①土地　②1　③3　④大会社　⑤中会社　⑥0 (ゼロ)	B	各1		

難易度　A…基本　B…やや難　C…難問

科目別の成績

年金・社保	金融	タックス
1回目　　/20	1回目　　/20	1回目　　/20
2回目　　/20	2回目　　/20	2回目　　/20

不動産	相続
1回目　　/20	1回目　　/20
2回目　　/20	2回目　　/20

あなたの得点（基礎編）	あなたの得点（応用編）	合格点	合格への距離
1回目　　/100	1回目　　/100	− 120/200 =	
2回目　　/100	2回目　　/100	− 120/200 =	

【第1問】

問51 解答：①**職能型** ②**終身** ③**確定** ④**老齢** ⑤**遺族** ⑥**障害** ⑦**付加年金** ⑧**社会保険料**

「国民年金基金は、国民年金の第1号被保険者を対象に、老齢基礎年金に上乗せする年金を支給する任意加入の年金制度です。国民年金基金には、全国国民年金基金と（①**職能型**）国民年金基金の2種類がありますが、これらは同時に加入することはできません。

　国民年金基金への加入は口数制です。1口目は、2種類の（②**終身**）年金のいずれかを選択し、2口目以降は、（②**終身**）年金と（③**確定**）年金のなかから選択します。

　国民年金基金の給付には、（④**老齢**）年金と（⑤**遺族**）一時金がありますが、（⑥**障害**）を支給要件とする給付はありません。将来、掛金を納めた期間に応じた年金が支給されますが、途中で国民年金基金の加入資格を喪失した場合、一時金は支給されません。なお、（②**終身**）年金は、原則として65歳から支給されますが、老齢基礎年金の繰上げ支給を請求した場合は、国民年金基金から（⑦**付加年金**）相当分の年金が減額されて支給されます。

　毎月の掛金は、加入員が選択した給付（年金）の型、加入口数、加入時の年齢、性別によって決まりますが、原則として6万8,000円が上限となります。支払った掛金は、税法上、（⑧**社会保険料**）控除として所得控除の対象となります」

〈解説〉

　国民年金基金の概要は、次のとおりである。

基金の種類	全国国民年金基金および職能型国民年金基金 ※いずれか一方のみ加入可
加入員	・国民年金の第1号被保険者 ・日本国内に住所を有する60歳以上65歳未満での国民年金の任意加入被保険者 ・海外に居住する国民年金の任意加入被保険者
掛金の上限額	月額68,000円 ※個人型確定拠出年金にも加入している場合、その掛金と合算して68,000円が上限
給付の種類	①　老齢年金 ・加入は口数制。1口目は必ず終身年金を選択する必要があるが、2口目以降は確定年金を含めた7種類から選択。 ②　遺族一時金 ・保証期間付終身年金または確定年金の加入者が、保証期間中または年金受給前に死亡した場合に支払われる。 ・年金受給前に死亡した場合、加入時の年齢、死亡時の年齢、死亡時までの掛金納付期間に応じた額が支給される。 ・保証期間中に死亡した場合、残りの保証期間に応じた額が支給される。 ・保証期間のない終身年金のみに加入している場合でも、年金受給前に死亡した場合、1万円が支払われる。 ・遺族一時金が支給される遺族は、死亡時に生計を同じくしていた、次の順位の遺族である。 配偶者、子、父母、孫、祖父母、兄弟姉妹 ※障害給付なし

税法上の取扱い	掛金：社会保険料控除として所得控除の対象 老齢年金：雑所得（公的年金等控除が適用） ※遺族一時金は非課税

問52 解答：①**21,000**　②**4**　③**264,180**　④**335,820**

「国民健康保険の被保険者が、同一月内に、同一の医療機関等で診療を受けて支払った一部負担金の合計が当該被保険者に係る自己負担限度額（高額療養費算定基準額）を超えた場合、所定の手続きにより、その超えた金額が高額療養費として支給されます。70歳未満の者の場合、原則として、医療機関ごとに、入院・外来、医科・歯科別に一部負担金が（①21,000）円以上のものが計算対象となります。また、過去12ヵ月以内に高額療養費が複数支給されると、（②4）回目から自己負担限度額が軽減される仕組みがあります。

　仮に、Aさんが2025年2月中に病気による入院で200万円の医療費（すべて国民健康保険の保険給付の対象となるもの）がかかり、事前に適用区分アが記載された『国民健康保険限度額適用認定証』の交付を受けて所定の手続きをしたか、マイナンバーカードを健康保険証として利用すれば、Aさんは医療機関に一部負担金のうち（③264,180）円を支払えばよく、実際の一部負担金との差額（④335,820）円が現物給付されます」

〈解説〉

　国民健康保険の療養の給付や高額療養費は、健康保険に準じて行われている。70歳未満の者の場合、同一人が複数の医療機関にかかり、それぞれ21,000円以上の額は、医科・歯科、入院・外来を合算することができる。また、同一世帯で直前の12ヵ月間に、既に3回以上高額療養費の支給を受けており、さらに4回以上の高額療養費が支給される場合は、4回目から自己負担限度額が軽減される。

・月200万円の医療費で適用区分アの場合

自己負担限度額　：252,600円 +（2,000,000円 − 842,000円）× 1 % = 264,180円（空欄③）

一部負担金（3割）：2,000,000円 × 30% = 600,000円

現物給付額　　　：600,000円 − 264,180円 = 335,820円（空欄④）

問53 解答：①**718,080**（円）　②**324,364**（円）

① 老齢基礎年金の年金額

$816,000円 × \dfrac{480月}{480月} = 816,000円$

816,000円 × 0.004 × 30月※ = 97,920円（円未満四捨五入）

※Aさんは62歳6ヵ月のときに繰上げ支給を請求している。

816,000円 − 97,920円 = 718,080円

② 老齢厚生年金の年金額

・報酬比例部分の額

総報酬制導入前の被保険者期間（1992年4月〜2003年3月まで）は、132月

総報酬制導入後の被保険者期間（2003年4月〜2005年9月※まで）は、30月

※2005年9月30日が退職日である場合、翌日の10月1日が資格喪失日としてその前月2005年9月までが、被保険者期間になる。

$300,000円 × \dfrac{7.125}{1,000} × 132月 + 380,000円 × \dfrac{5.481}{1,000} × 30月 = 344,633.4円 → 344,633円$（円未満四捨五入）

・経過的加算額

$$1,701円 \times 162月 - 816,000円 \times \frac{148月}{480月} = 23,962円$$

・繰り上げによる減額分

$$\left\{ \left(300,000円 \times \frac{7.125}{1000} \times 132月 + 380,000円 \times \frac{5.481}{1000} \times 30月 \right) \right.$$

$$\left. + \left(1,701円 \times 162月 - 816,000円 \times \frac{148月}{480月} \right) \right\} \times 0.004 \times 30月 = 44,231.4\cdots円 \ \rightarrow \ 44,231円 \ （円未満四捨五入）$$

・老齢厚生年金の年金額

$$344,633円 + 23,962円 - 44,231円 = \underline{324,364円}$$

〈解説〉

① 新規裁定者の老齢基礎年金の満額（2024年度価額）は、816,000円である。

老齢基礎年金の年金額の計算における保険料納付済期間には、第2号被保険者の期間のうち20歳以上60歳未満の期間が含まれる。したがって、1992年4月から1993年5月までの期間（14月）を除いた20歳から60歳までの40年間（480月）が保険料納付済期間となる。2035年12月に繰上げ支給を請求するので、12%（0.4%×30月）の減額となる。

② 老齢厚生年金の年金額は本来水準による価額を求めるため、報酬比例部分の給付乗率は新乗率を用いる。

経過的加算額における厚生年金保険の被保険者期間は162月（1992年4月～2005年9月まで）であり、1961年4月以後で20歳以上60歳未満の期間は148月（162月－14月）である。また、「□□□」には、老齢基礎年金の満額（816,000円）をあてはめる。①同様に繰上げ支給により12%減額される。

Aさんの厚生年金保険の被保険者期間は240月未満であるため、加給年金額は加算されない。

【第2問】

問54 解答：①9 ②15 ③100 ④価格 ⑤30 ⑥クロージング

問55 解答：①142.86 ②217.65 ③84.09 ④4.93

〈解説〉

① 流動比率は、短期的に支払期日の到来する債務に対して、短期的に回収し支払いに充てられる資産がどの程度あるかをみる指標である。

$$流動比率（\%） = \frac{流動資産}{流動負債} \times 100 = \frac{700,000百万円}{490,000百万円} \times 100 = 142.857\cdots \ \rightarrow \ \underline{142.86\%}$$

② 固定比率は、回収に長期を要する固定資産が、返済の必要がない自己資本でどの程度賄われているかをみる指標である。

$$固定比率（\%） = \frac{固定資産}{自己資本} \times 100 = \frac{1,110,000百万円}{510,000百万円} \times 100 = 217.647\cdots \ \rightarrow \ \underline{217.65\%}$$

（注）自己資本＝純資産－新株予約権－非支配株主持分
　　　　　　＝株主資本＋その他の包括利益累計額

③ 固定長期適合率は、回収に長期を要する固定資産が、自己資本に長期借入金を加えた長期安定資本でどの程度賄われているかをみる指標である。

$$\text{固定長期適合率（％）} = \frac{\text{固定資産}}{\text{自己資本} + \text{固定負債}} \times 100 = \frac{1,110,000\text{百万円}}{510,000\text{百万円} + 810,000\text{百万円}} \times 100$$

$$= 84.090\cdots \rightarrow \underline{84.09\%}$$

④ インタレスト・カバレッジ・レシオは、金融費用の支払原資が事業利益でどの程度賄われているかをみる指標である。

$$\text{インタレスト・カバレッジ・レシオ（倍）} = \frac{\text{事業利益}^{※1}}{\text{金融費用}^{※2}}$$

$$= \frac{39,000\text{百万円} + 300\text{百万円} + 3,000\text{百万円} + 4,500\text{百万円}}{9,500\text{百万円}} = 4.926\cdots \rightarrow \underline{4.93\text{倍}}$$

※1　事業利益＝営業利益＋受取利息および受取配当＋有価証券利息＋持分法による投資利益

※2　金融費用＝支払利息および割引料＋社債利息

問56 解答：①**−0.98**　②**1.05**　③**4.14**（**%**）

① Yファンドと Zファンドの相関係数

$$\frac{-28.00}{7.50 \times 3.80} = -0.982\cdots \rightarrow \underline{-0.98}$$

② Yファンドのシャープ・レシオ

$$\frac{8.00\% - 0.10\%}{7.50\%} = 1.053\cdots \rightarrow \underline{1.05}$$

③ ポートフォリオの標準偏差

$0.7^2 \times 7.50^2 + 0.3^2 \times 3.80^2 + 2 \times 0.7 \times 0.3 \times 7.50 \times 3.80 \times (-0.98) = 17.1315$

$\sqrt{17.1315} \fallingdotseq \underline{4.14\%}$（小数点以下第3位四捨五入）

別解：$0.7^2 \times 7.50^2 + 0.3^2 \times 3.80^2 + 2 \times 0.7 \times 0.3 \times (-28.00) = 17.1021$

$\sqrt{17.1021} \fallingdotseq \underline{4.14\%}$（小数点以下第3位四捨五入）

〈解説〉

① Yファンドと Zファンドの相関係数は、次の算式で求める。

$$\text{相関係数} = \frac{\text{Yファンドと Zファンドの共分散}}{\text{Yファンドの標準偏差} \times \text{Zファンドの標準偏差}}$$

② Yファンドのシャープ・レシオは、次の算式で求める。

$$\text{シャープ・レシオ} = \frac{\text{ポートフォリオの収益率} - \text{安全資産利子率}}{\text{ポートフォリオの標準偏差}}$$

③ Yファンドと Zファンドを組み合わせたポートフォリオの標準偏差は、次の算式で求める。

分散 ＝（Yファンドの組入比率)^2×（Yファンドの標準偏差)^2

　　　＋（Zファンドの組入比率)^2×（Zファンドの標準偏差)^2

　　　＋2×Yファンドの組入比率×Zファンドの組入比率×<u>Yファンドと Zファンドの共分散</u>

標準偏差 ＝$\sqrt{\text{分散}}$

※　波線部分は「Yファンドの標準偏差×Zファンドの標準偏差×相関係数」でもよい。

第3予想　応用編

【第3問】

問57 解答：①7,300,000　②9,000,000　③7,100,000　④4,000,000　⑤8,200,000
　　　　　⑥40,840　⑦28,000,000

〈略式別表四（所得の金額の計算に関する明細書）〉　　　　　　　（単位：円）

区　　　　分		総　　額
当期利益の額		9,859,160
加算	損金経理をした納税充当金　　　　　①　7,300,000）	
	役員給与の損金不算入額　　　　　　②　9,000,000）	
	交際費等の損金不算入額　　　　　　③　7,100,000）	
	退職給付費用の損金不算入額　　　　④　4,000,000）	
	小　　計	27,400,000
減算	納税充当金から支出した事業税等の金額	1,100,000
	退職給付引当金の当期認容額　　　　⑤　8,200,000）	
	小　　計	9,300,000
仮　　計		27,959,160
法人税額から控除される所得税額（注）　⑥　40,840）		
合　　計		28,000,000
欠損金又は災害損失金等の当期控除額		0
所得金額又は欠損金額　　　　　　　⑦　28,000,000）		

（注）法人税額から控除される復興特別所得税額を含む。

〈解説〉

・損金経理をした納税充当金

　　見積納税額（未払法人税等の当期末残高）7,300,000円（空欄①）は、損益計算書上、費用とされているが、法人税では損金算入できないため、「損金経理をした納税充当金」として加算する。

・役員給与の損金不算入額

　　役員所有の土地・建物を時価より高額で買い取った場合、時価と譲受価額との差額が損金不算入となる。また、法人所有の車両を時価より低額で譲渡した場合、時価と譲渡価額との差額が損金不算入となる。

　　損金不算入額＝（25,000千円－17,000千円）＋（4,000千円－3,000千円）＝9,000,000円（空欄②）

・交際費等の損金不算入額

　　中小企業者等は、交際費等の額のうち、ⓐ8,000千円とⓑ接待飲食費×50％とのいずれかを選択することができる。〈条件〉に「所得の金額が最も低くなる方法を選択すること」とあるため、ⓐとⓑのうち、大きいほうを損金の額に算入する。

　　損金算入限度額：ⓐ8,000千円＞ⓑ12,000千円×50％＝6,000千円　　∴　8,000千円

　　損金不算入額＝16,000千円－900千円－8,000千円＝7,100,000円（空欄③）

・退職給付費用の損金不算入額

　　税務上、引当経理は認められていないため、当期において退職給付引当金として計上した4,000,000円（空欄④）を加算する。

・退職給付引当金の当期認容額

　　当期において、外部の企業年金基金に掛金として支払った部分および実際に退職金を支払った部分に相当する退職給付引当金の取崩額は、損金の額に算入することができる。

当期認容額＝3,200千円＋5,000千円＝8,200,000円（空欄⑤）
・法人税額から控除される所得税額（復興特別所得税額を含む）

　　預金の利子から源泉徴収された所得税額および復興特別所得税額の合計額40,840円は、当期の法人税額から控除することを選択するため加算する（空欄⑥）。
・所得金額又は欠損金額

　　所得金額＝9,859,160円（当期利益）＋27,400,000円（加算項目小計）

　　　　　　－9,300,000円（減算項目小計）＋40,840円（所得税額および復興特別所得税額）

　　　　　　＝28,000,000円（空欄⑦）

問58 解答：**5,399,100（円）**

　8,000,000円×15％＋（28,000,000円－8,000,000円）×23.2％＝5,840,000円

　5,840,000円×20％＝1,168,000円＞400,000円　∴　400,000円

　5,840,000円－40,840円－400,000円＝5,399,160円→5,399,100円（百円未満切捨て）

〈解説〉

　「源泉徴収された所得税額および復興特別所得税額は、当期の法人税額から控除することを選択する」とあるため、40,840円を控除する。

　「中小企業者等が特定経営力向上設備等を取得した場合の法人税額の特別控除」（中小企業経営強化税制）の税額控除額は、その事業年度の法人税額の20％が限度となる。

問59 解答：**①中間　②確定　③予定　④仮決算　⑤無申告加算　⑥青色　⑦修正**

　「法人税の申告には、（①**中間**）申告と（②**確定**）申告があります。事業年度が6カ月を超える普通法人は、所轄税務署長に対し、原則として、事業年度開始の日以後6カ月を経過した日から2カ月以内に（①**中間**）申告書を提出し、事業年度終了の日の翌日から2カ月以内に（②**確定**）申告書を提出しなければなりません。

　（①**中間**）申告には、前事業年度の（②**確定**）法人税額を前事業年度の月数で除した値に6を乗じて算出した金額を税額として申告する（③**予定**）申告と、当該事業年度開始の日以後6カ月の期間を一事業年度とみなして（④**仮決算**）を行い、それに基づいて申告する方法があります。ただし、原則として、（④**仮決算**）による（①**中間**）申告税額が（③**予定**）申告税額を超える場合や、前年度実績による（③**予定**）申告税額が10万円以下である場合には、（④**仮決算**）による（①**中間**）申告をすることはできません。

　なお、納付すべき法人税額がない場合であっても、（②**確定**）申告書の提出は必要です。また、事業年度開始時における資本金の額等が1億円を超える内国法人は、原則として、（①**中間**）申告書および（②**確定**）申告書をe-Tax（国税電子申告・納税システム）で提出しなければなりません。

　（②**確定**）申告書を法定申告期限までに提出せず、期限後申告や税務調査後に決定があった場合は、原則として、納付すべき税額の15％（50万円を超える部分は5％を加算）の（⑤**無申告加算**）税が課されます。ただし、法定申告期限から1カ月を経過する日までに（②**確定**）申告書が提出され、かつ、納付税額の全額が法定申告期限から1カ月以内に納付されているなど、期限内申告をする意思があったと認められる場合は、（⑤**無申告加算**）税は課されません。また、2事業年度連続して提出期限内に（②**確定**）申告書の提出がない場合は、（⑥**青色**）申告の承認の取消しの対象となります。

　既に行った申告について、納付税額が少なかったり、欠損金が過大であったりした場合は、税務署長による更正を受けるまでは、（⑦**修正**）申告をすることができます。また、納付税額が多かったり、還付税額が少なかったりした場合、所定の要件を満たせば、更正の請求をすることができます」

【第4問】

問60 解答：①5　②10　③300　④1　⑤貸家建付地　⑥3,500　⑦3

〈特定の事業用資産の買換えの場合の譲渡所得の課税の特例〉

I　「特定の事業用資産の買換えの場合の譲渡所得の課税の特例」（以下、「本特例」という）は、個人が事業の用に供している特定の地域内にある土地建物等（譲渡資産）を譲渡して、一定期間内に特定の地域内にある土地建物等の特定の資産（買換資産）を取得して事業の用に供したときは、所定の要件のもと、譲渡益の一部に対する課税を将来に繰り延べることができる特例である。

　　譲渡資産および買換資産がいずれも土地である場合、買い換えた土地の面積が譲渡した土地の面積の（①5）倍を超えるときは、原則として、その超える部分について本特例の対象とならない。また、本特例のうち、いわゆる長期所有資産の買換えの場合、譲渡した土地の所有期間が譲渡した日の属する年の1月1日において（②10）年を超えていなければならず、買い換えた土地の面積が（③300）㎡以上でなければならない。

　　なお、買換資産は、取得した日から（④1）年以内に事業の用に供していなければならない。事業の用に供した場合でも、取得してから（④1）年以内に事業の用に供しなくなったときは、原則として本特例の適用を受けることはできない。

〈小規模宅地等についての相続税の課税価格の計算の特例〉

II　Aさんが取得した甲土地（宅地）上に賃貸アパートを建築し、貸付事業を行う場合、将来のAさんの相続開始時、相続税の課税価格の計算上、原則として、当該宅地は（⑤**貸家建付地**）として評価することになり、賃貸アパートは貸家として評価することになる。また、Aさんが甲土地の取得や賃貸アパートの建築に銀行借入金を利用した場合に、将来のAさんの相続開始時における当該借入金の残高は、相続税の課税価格の計算上、債務控除の対象となる。

　　さらに、甲土地は、所定の要件を満たせば、貸付事業用宅地等として「小規模宅地等についての相続税の課税価格の計算の特例」（以下、「本特例」という）の適用を受けることができる。仮に、甲土地の（⑤**貸家建付地**）としての評価額が4,500万円である場合に、貸付事業用宅地等として当該宅地のみに本特例の適用を受けたときは、相続税の課税価格に算入すべき当該宅地の価額は（⑥**3,500**）万円となる。

　　なお、相続の開始前（⑦3）年以内に新たに貸付事業の用に供された宅地等については、被相続人が相続開始前（⑦3）年を超えて事業的規模で貸付事業を行っていた場合等を除き、本特例の適用対象とならない。

〈解説〉

I　「特定の事業用資産の買換えの場合の譲渡所得の課税の特例」の適用要件は次のとおりである。
・買換資産は、譲渡資産を譲渡した年か、その前年中、あるいは譲渡した年の翌年中に取得すること。
・事業用資産を取得した日から1年以内に事業の用に供すること。
・買換資産が土地の場合、譲渡した土地の面積の5倍以内の部分について適用される。
・譲渡資産および買換資産が一定の組合せに該当すること。

II　貸付事業用宅地等である小規模宅地等である場合、減額割合は50％、限度面積は200㎡である。したがって、甲土地の貸家建付地としての評価額が4,500万円であり、貸付事業用宅地等として当該宅地のみに本特例の適用を受けた場合、相続税の課税価格に算入すべき当該宅地の価額は、次のとおりである。

$$4,500万円 - 4,500万円 \times \frac{200㎡}{450㎡} \times 50\% = \underline{3,500万円}$$

問61 解答：①**405（㎡）** ②**1,800（㎡）**

〈解説〉

① 甲土地が準防火地域内にあり、耐火建築物を建築するため、10％緩和される。

   建蔽率の上限となる建築面積　450㎡×（80％＋10％）＝405㎡

② 前面道路は6mである。

・特定道路までの距離による容積率制限の緩和

$$\frac{(12m－6m)×(70m－56m)}{70m}＝1.2m$$

・容積率の決定

（6m＋1.2m）×$\frac{6}{10}$＝432％＞400％（指定容積率）　∴　400％を適用

・甲土地における容積率の上限となる延べ面積

450㎡×400％＝1,800㎡

※ 「特定行政庁が都道府県都市計画審議会の議を経て指定する区域ではない」ため、法定乗数は、$\frac{6}{10}$を使用する。

問62 解答：①**23,400,000（円）** ②**3,583,700（円）** ③**1,170,000（円）**

① 課税長期譲渡所得金額

90,000,000円－80,000,000円×80％＝26,000,000円

（90,000,000円× 5 ％＋4,500,000円）×$\frac{26,000,000円}{90,000,000円}$＝2,600,000円

∴　26,000,000円－2,600,000円＝23,400,000円

② 所得税および復興特別所得税の合計額

23,400,000円×15％＝3,510,000円

3,510,000円×2.1％＝73,710円

∴　3,510,000円＋73,710円＝3,583,710円 → 3,583,700円（100円未満切捨て）

③ 住民税額

23,400,000円× 5 ％＝1,170,000円

〈解説〉

「特定の事業用資産の買換えの場合の譲渡所得の課税の特例」（以下、「本特例」という）において、譲渡価額未満の事業用資産に買い換える場合、譲渡価額から買換資産の取得価額の80％相当額を控除した残額が譲渡収入となる。したがって、2,600万円（＝9,000万円－8,000万円×80％）に課税される。また、取得費および譲渡費用は、課税対象の2,600万円に対応する部分となる。

本特例の譲渡資産における所有期間の要件は10年超であるので、本問の場合は長期譲渡所得となり、税率は所得税15％、住民税 5 ％となる。

【第5問】

問63 解答：**3,079（円）**

・1株当たりの資本金等の額

7,000万円÷140,000株＝500円

・電子回路製造業（小分類）

$$156円 \times \dfrac{\dfrac{4.5円}{1.8円} + \dfrac{97円}{23円} + \dfrac{450円}{142円}}{3} \times 0.6 \times \dfrac{500円}{50円}$$

$$= 156円 \times \dfrac{2.50 + 4.21 + 3.16}{3} \times 0.6 \times \dfrac{500円}{50円}$$

$$= 156円 \times 3.29 \times 0.6 \times 10$$

$$= 307.9円 \times 10$$

$$= 3,079円$$

・電子部品・デバイス・電子回路製造業（中分類）

$$328円 \times \dfrac{\dfrac{4.5円}{4.7円} + \dfrac{97円}{41円} + \dfrac{450円}{269円}}{3} \times 0.6 \times \dfrac{500円}{50円}$$

$$= 328円 \times \dfrac{0.95 + 2.36 + 1.67}{3} \times 0.6 \times \dfrac{500円}{50円}$$

$$= 328円 \times 1.66 \times 0.6 \times 10$$

$$= 326.6円 \times 10$$

$$= 3,266円$$

・X社の類似業種比準価額

3,079円＜3,266円　　∴　3,079円

〈解説〉

類似業種比準価額の算式は、次のとおりである。

類似業種比準価額＝A× $\dfrac{\dfrac{ⓑ}{B} + \dfrac{ⓒ}{C} + \dfrac{ⓓ}{D}}{3}$ ×E× $\dfrac{1株当たりの資本金の額等}{50円}$

A＝類似業種の株価

B＝類似業種の1株（50円）当たりの年配当金額

C＝類似業種の1株（50円）当たりの年利益金額

D＝類似業種の1株（50円）当たりの簿価純資産価額

ⓑ＝評価会社の1株（50円）当たりの年配当金額

ⓒ＝評価会社の1株（50円）当たりの年利益金額

ⓓ＝評価会社の1株（50円）当たりの簿価純資産価額

E＝斟酌率（大会社0.7、中会社0.6、小会社0.5）

※類似業種の株価については、課税時期の属する月以前3カ月間の各月の類似業種の株価のうち最も低いものとする。ただし、納税義務者の選択により、類似業種の前年平均株価または課税時期の属する月以前2年間の平均株価によることができる。

類似業種は、大分類、中分類および小分類に区分して定める業種目のうち、評価会社の事業が該当する業種目とする。その業種目が小分類に区分されているものは小分類の業種目、小分類に区分されていない中分類のものは中分類の業種目による。ただし、類似業種が小分類の業種目の場合は、その業種目の属する中分類の業種目を選択することができ、類似業種が中分類の業種目の場合は、その業種目の属する大分類の業種目を選択することができる。

X社は「電子回路製造業」（小分類）に該当するため、「電子部品・デバイス・電子回路製造業」（中分類）を選択することができるが、本問では、価額の低い「電子回路製造業」（小分類）を選択する。

問64 解答：**4,662（円）**

〈解説〉

純資産価額の算式は次のとおりである。

$$\frac{(A-B)-\{(A-B)-(C-D)\}\times37\%}{E}$$

A：課税時期における相続税評価額で計算した総資産額
B：課税時期における相続税評価額で計算した負債額（引当金等除く）
C：課税時期における帳簿価額で計算した総資産額
D：課税時期における帳簿価額で計算した負債額（引当金等除く）
E：課税時期における議決権総数

・相続税評価額による純資産	124,600万円−58,000万円＝66,600万円
・帳簿価額による純資産	121,000万円−58,000万円＝63,000万円
・評価差額	66,600万円−63,000万円＝3,600万円
・評価差額に対する法人税額等	3,600万円×37％＝1,332万円
・純資産価額	66,600万円−1,332万円＝65,268万円
・純資産価額方式による株価	65,268万円÷14万株＝<u>4,662円</u>

問65 解答：**①土地 ②1 ③3 ④大会社 ⑤中会社 ⑥0（ゼロ）**

「特定の評価会社には、『株式等保有特定会社』『（**①土地**）保有特定会社』のほか、『比準要素数（**②1**）の会社』『開業後（**③3**）年未満の会社』などがあります。評価会社が特定の評価会社に該当した場合、その株式は、原則として、純資産価額方式により評価します。ただし、『株式等保有特定会社』や『（**①土地**）保有特定会社』の株式であっても、同族株主以外の株主等が取得した場合には、その株式は配当還元方式により評価します。

『株式等保有特定会社』は、課税時期において評価会社の総資産価額（相続税評価額）に占める株式等の価額の合計額（相続税評価額）の割合が50％以上である会社をいいます。

『（**①土地**）保有特定会社』は、課税時期において評価会社の総資産価額（相続税評価額）に占める（**①土地**）等の価額の合計額（相続税評価額）の割合（（**①土地**）保有割合）が評価会社の規模に応じて定められた一定割合以上である会社をいいます。（**①土地**）保有特定会社に該当する（**①土地**）保有割合は、評価会社が（**④大会社**）である場合、70％以上とされ、評価会社が（**⑤中会社**）である場合は90％以上とされています。

『比準要素数（**②1**）の会社』は、評価会社の類似業種比準価額の計算の基となる『1株当たりの配当金額』『1株当たりの利益金額』『1株当たりの純資産価額（帳簿価額)』のそれぞれの金額のうち、いずれか2要素が（**⑥0（ゼロ）**）であり、かつ、直前々期末を基準にしてそれぞれの金額を計算した場合に、それぞれの金額のうち、いずれか2要素以上が（**⑥0（ゼロ）**）である会社をいいます。『比準要素数（**②1**）の会社』の株式を同族株主が取得した場合、その株式は、原則として、純資産価額方式により評価しますが、納税義務者の選択により、『類似業種比準価額×0.25＋1株当たりの純資産価額×（1−0.25)』の算式により計算した金額によって評価することができます」

〈解説〉
　特定の評価会社における原則的評価方式は、次のとおりである。

区分	評価方法
比準要素数1の会社	ⓐ　純資産価額 ⓑ　類似業種比準価額×0.25＋純資産価額×0.75 ⓒ　ⓐ、ⓑのうちいずれか低い金額
株式等保有特定会社 （株式保有割合50％以上）	ⓐ　純資産価額 ⓑ　類似業種比準方式など一定の算式に基づいた価額 ⓒ　ⓐ、ⓑのうちいずれか低い金額
土地保有特定会社 ［土地保有割合　大会社70％以上 　　　　　　　　中会社90％以上］	純資産価額
開業後3年未満の会社等	純資産価額
開業前または休業中の会社	純資産価額
清算中の会社	清算の結果分配を受ける見込みの金額を課税時期から分配を受けると見込まれる日までの期間（1年未満切上）に応ずる基準年利率の利率による複利現価の額によって評価した金額

2025年1月試験をあてる
TAC直前予想模試　FP技能士1級

2024年10月17日　初　版　第1刷発行

編　著　者	Ｔ Ａ Ｃ 株 式 会 社
	（FP講座）
発　行　者	多　　田　　敏　　男
発　行　所	TAC株式会社　出版事業部
	（TAC出版）

〒101-8383
東京都千代田区神田三崎町3-2-18
電　話 03 (5276) 9492 (営業)
FAX 03 (5276) 9674
https://shuppan.tac-school.co.jp

組　　版	株式会社　グ ラ フ ト
印　　刷	株式会社　ワ　コ　ー
製　　本	東 京 美 術 紙 工 協 業 組 合

© TAC 2024　　Printed in Japan

ISBN 978-4-300-11390-5
N.D.C. 338

ファイナンシャル・プランナー

═══ TAC FP講座案内 ═══

TACのきめ細かなサポートが合格へ導きます！

合格に重要なのは、どれだけ良い学習環境で学べるかということ。
資格の学校TACではすべての受講生を合格に導くために、誰もが自分のライフスタイルに合わせて
勉強ができる学習メディアやフォロー制度をご用意しています。

入門編から実務まで。FPならTACにお任せ！

同じFPでも資格のレベルはさまざま。入門編の3級から仕事に活用するのに必須の2級（AFP）、
グローバルに活躍できる1級・CFP®まで、試験内容も異なるので、めざすレベルに合わせて効率的なプログラム、
学習方法で学ぶことが大切です。さらにTACでは、合格後の継続教育研修も開講していますので、
入門資格から実践的な最新知識まで幅広く学習することができます。

3級

金融・経済アレルギーを解消！

「自分の年金のことがよく分からない」「投資に興味はあるんだけど、どうしたらいいの？」「ニュースに出てくる経済用語の意味を実は知らない…」「保険は入っているものの…」など金融や経済のアレルギーを解消することができます。「この際、一からお金のことを勉強したい！」そんな方にオススメです。

2級・AFP

FPの知識で人の幸せを演出する！

就職や転職をはじめ、FPの知識を実践的に活かしたい場合のスタンダード資格が2級・AFPです。金融機関をはじめとした企業でコンサルティング業務を担当するなど、お客様の夢や目標を実現するためにお金の面からアドバイスを行い、具体的なライフプランを提案することもできます。「みんなが幸せに生きる手助けをしたい！」そんな夢を持った方にオススメです。

1級・CFP®

**ビジネスの世界で認められる
コンサルタントをめざす！**

FP資格の最高峰に位置づけられるのが、1級・CFP®です。特にCFP®は、日本国内における唯一の国際FPライセンスです。コンサルタントとして独立開業する際に1級やCFP®を持っていると、お客様からの信頼度もアップします。「プロのコンサルタントとして幅広いフィールドで仕事がしたい！」そんな志を抱いている人は、ぜひ1級・CFP®を目指してください。

 教室講座　 ビデオブース講座　 Web通信講座　 DVD通信講座

FP継続教育研修のご案内

合格後も知識をブラッシュアップ！

TAC FP講座では、FPに役立つ様々なテーマの講座を毎月開講しており、最新情報の入手に最適です。
さらに、AFP、CFP®認定者の方には継続教育単位を取得できる講座となっています。

最新情報！　TACホームページ　https://www.tac-school.co.jp/　　TAC　　検索

FP（ファイナンシャル・プランナー）対策書籍のご案内

TAC出版のFP（ファイナンシャル・プランニング）技能士対策書籍は金財、日本FP協会それぞれに対応したインプット用テキスト、アウトプット用テキスト、インプット＋アウトプット一体型教材、直前予想問題集の各ラインナップで、受検生の多様なニーズに応えていきます。

みんなが欲しかった！シリーズ

『みんなが欲しかった！ FPの教科書』
- ●1級 学科基礎・応用対策 ●2級・AFP ●3級
- 1級：滝澤ななみ 監修・TAC FP講座 編著・A5判・2色刷
- 2・3級：滝澤ななみ 編著・A5判・4色オールカラー
- ■ イメージがわきやすい図解と、シンプルでわかりやすい解説で、短期間の学習で確実に理解できる！動画やスマホ学習に対応しているのもポイント。

『みんなが欲しかった！ FPの問題集』
- ●1級 学科基礎・応用対策 ●2級・AFP ●3級
- 1級：TAC FP講座 編著・A5判・2色刷
- 2・3級：滝澤ななみ 編著・A5判・2色刷
- ■ 無駄をはぶいた解説と、重要ポイントのまとめによる「アウトプット→インプット」学習で、知識を完全に定着。

わかって合格るシリーズ

『みんなが欲しかった！ FPの予想模試』
- ●3級 TAC出版編集部 編著
- 滝澤ななみ 監修・A5判・2色刷
- ■ 出題が予想される厳選模試を学科3回分、実技2回分掲載。さらに新しい出題テーマにも対応しているので、本番前の最終確認に最適。

『みんなが欲しかった！ FP合格へのはじめの一歩』
- 滝澤ななみ 編著・A5判・4色オールカラー
- ■ FP3級に合格できて、自分のお金ライフもわかっちゃう。本気でやさしいお金の入門書。自分のお金を見える化できる別冊お金ノートつきです。

『わかって合格る FPのテキスト』
- ●3級 TAC出版編集部 編著
- A5判・4色オールカラー
- ■ 圧倒的なカバー率とわかりやすさを追求したテキスト、さらに人気YouTuberが監修してポイント解説をしてくれます。

『わかって合格る FPの問題集』
- ●3級 TAC出版編集部 編著
- A5判・2色刷
- ■ 過去問題を徹底的に分析し、豊富な問題数で合格をサポート、さらに人気YouTuberが監修しているので、わかりやすさも抜群。

スッキリシリーズ

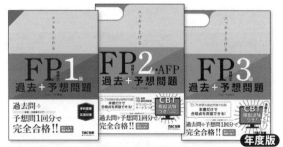

『スッキリわかる FP技能士』
- ●1級 学科基礎・応用対策 ●2級・AFP ●3級
- 白鳥光良 編著・A5判・2色刷
- ■ テキストと問題集をコンパクトにまとめたシリーズ。繰り返し学習を行い、過去問の理解を中心とした学習を行えば、合格ラインを超える力が身につきます！

『スッキリとける 過去＋予想問題 FP技能士』
- ●1級 学科基礎・応用対策 ●2級・AFP ●3級
- TAC FP講座 編著・A5判・2色刷
- ■ 過去問の中から繰り返し出題される良問で基礎力を養成し、学科・実技問題の重要項目をマスターできる予想問題で解答力を高める問題集。

書籍の正誤に関するご確認とお問合せについて

書籍の記載内容に誤りではないかと思われる箇所がございましたら、以下の手順にてご確認とお問合せをしてくださいますよう、お願い申し上げます。

なお、正誤のお問合せ以外の書籍内容に関する解説および受験指導などは、一切行っておりません。
そのようなお問合せにつきましては、お答えいたしかねますので、あらかじめご了承ください。

1 「Cyber Book Store」にて正誤表を確認する

TAC出版書籍販売サイト「Cyber Book Store」の
トップページ内「正誤表」コーナーにて、正誤表をご確認ください。

CYBER TAC出版書籍販売サイト
BOOK STORE

URL:https://bookstore.tac-school.co.jp/

2 ①の正誤表がない、あるいは正誤表に該当箇所の記載がない ⇒ 下記①、②のどちらかの方法で文書にて問合せをする

★ご注意ください★

お電話でのお問合せは、お受けいたしません。
①、②のどちらの方法でも、お問合せの際には、「お名前」とともに、
「対象の書籍名（○級・第○回対策も含む）およびその版数（第○版・○○年度版など）」
「お問合せ該当箇所の頁数と行数」
「誤りと思われる記載」
「正しいとお考えになる記載とその根拠」
を明記してください。
なお、回答までに１週間前後を要する場合もございます。あらかじめご了承ください。

① ウェブページ「Cyber Book Store」内の「お問合せフォーム」より問合せをする

【お問合せフォームアドレス】

https://bookstore.tac-school.co.jp/inquiry/

② メールにより問合せをする

【メール宛先　TAC出版】

syuppan-h@tac-school.co.jp

※土日祝日はお問合せ対応をおこなっておりません。
※正誤のお問合せ対応は、該当書籍の改訂版刊行月末日までといたします。

乱丁・落丁による交換は、該当書籍の改訂版刊行月末日までといたします。なお、書籍の在庫状況等により、お受けできない場合もございます。
また、各種本試験の実施の延期、中止を理由とした本書の返品はお受けいたしません。返金もいたしかねますので、あらかじめご了承くださいますようお願い申し上げます。

(2022年7月現在)

直前予想模試　問題

- この色紙を残したまま、問題冊子をゆっくり引いて取り外してください（下の図を参照）。抜き取りの際の損傷についてのお取替えはご遠慮願います。
- 答案用紙は冊子の最終ページにございます。ハサミやカッターで切り取ってご使用ください。
- 答案用紙はダウンロードでもご利用いただけます。
  TAC出版書籍サイト・サイバーブックストアにアクセスしてください。
  https://bookstore.tac-school.co.jp/

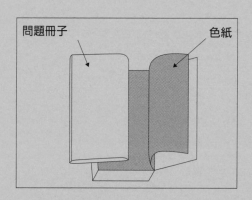

問題冊子　　　　色紙

TAC出版
TAC PUBLISHING Group

直前予想模試　問題

2025年　1月
ファイナンシャル・プランニング技能検定対策

第1予想

1級　学科試験
〈基礎編〉

試験時間 ◆ 150分

★　注　意　★

1. 本試験の出題形式は、四答択一式 50問です。

2. 筆記用具、計算機（プログラム電卓等を除く）の持込みが認められています。

3. 試験問題については、特に指示のない限り、2024年10月1日現在施行の法令等に基づいて解答してください。

TAC出版
TAC PUBLISHING Group

次の各問（《問1》～《問50》）について答を1つ選び、その番号を解答用紙にマークしなさい。

《問1》 後期高齢者医療制度に関する次の記述のうち、最も適切なものはどれか。
1）2024年度における後期高齢者医療制度の保険料の年間の賦課限度額は、73万円である。
2）後期高齢者医療制度の保険料の額は、被保険者の所得に応じて決まる所得割額と均等割額との合計額であり、所得割率および均等割額は全国一律である。
3）後期高齢者医療制度の被保険者が保険医療機関等の窓口で支払う一部負担金の割合は、単身世帯で住民税に係る課税所得金額が145万円未満の場合、原則1割である。
4）後期高齢者医療制度の被保険者は、後期高齢者医療広域連合の区域内に住所を有する70歳以上の者、または後期高齢者医療広域連合の区域内に住所を有する60歳以上70歳未満の者であって、一定の障害の状態にある旨の認定を受けた者であるが、生活保護を受けている世帯に属する者は被保険者とされない。

《問2》 雇用保険の基本手当および高年齢求職者給付金に関する次の記述のうち、最も不適切なものはどれか。なお、各選択肢において、受給資格者は就職困難者に該当せず、所定の手続きはなされているものとする。
1）Aさん（49歳）は、従来から恒常的に実施されている会社の早期退職優遇制度に応募して、26年間勤務した会社を2024年7月31日に退職した。Aさんの基本手当の所定給付日数は150日である。
2）Bさん（32歳）は、9年間勤務した会社を2024年5月31日に自己都合退職した。Bさんの基本手当の所定給付日数は90日である。
3）Cさん（65歳）は、2024年11月15日に65歳となり、42年間勤務した会社を同年11月30日付で定年退職した。Cさんの高年齢求職者給付金の支給額は、原則として基本手当の日額に相当する額の50日分である。
4）Dさん（54歳）は、人員整理等に伴い事業主から退職勧奨を受けたことにより、19年間勤務した会社を2024年10月31日に退職した。Dさんの基本手当の所定給付日数は120日である。

《問3》 公的介護保険（以下、「介護保険」という）に関する次の記述のうち、最も不適切なものはどれか。
1）課税所得金額が500万円の単身の第1号被保険者が介護サービスを利用した場合、高額介護サービス費の算定上の自己負担限度額は、月額140,100円である。
2）介護保険の第1号被保険者が保険給付を受けた場合、原則として、実際にかかった費用（食費、居住費等を除く）の1割を自己負担する必要があるが、所得金額が一定額以上である場合は、自己負担割合が2割または3割となる。
3）介護保険の被保険者が初めて要支援認定を受けた場合、その申請のあった日に遡ってその効力を生じ、原則として、その有効期間は6ヵ月であるが、市町村（特別区を含む）が介護認定審査会の意見に基づき特に必要と認める場合にあっては、その期間を3ヵ月から12ヵ月までの範囲内で定めることができる。
4）組合管掌健康保険に加入する介護保険の第2号被保険者の介護保険料は、健康保険料とあわせて給与天引きにて徴収される。

《問４》　厚生年金保険の被保険者が死亡した場合の遺族厚生年金に関する次の記述のうち、最も適切なものはどれか。なお、各被保険者は遺族厚生年金の保険料納付要件を満たしているものとし、記載のない事項については考慮しないものとする。

１）被保険者であるＡさん（37歳）と同居して生計維持関係にあった者が妻（29歳）と長男（4歳）である場合、妻が取得する遺族厚生年金の受給権は、当該遺族厚生年金の受給権を取得した日から起算して5年を経過しても消滅しない。

２）被保険者であるＢさん（33歳）と同居して生計維持関係にあった者が弟（30歳）のみである場合、弟は遺族厚生年金の受給権を取得することができる。

３）被保険者であるＣさん（52歳）と同居して生計維持関係にあった者が父（77歳）と母（77歳）である場合、双方が遺族厚生年金の受給権を取得し、支給される遺族厚生年金の総額は、受給権者が1人であるときに算定される額に2を乗じて得た額となる。

４）被保険者であるＤさん（42歳）と同居して生計維持関係にあった者が夫（48歳）と長男（21歳）である場合、夫は遺族厚生年金の受給権を取得することはできないが、長男は遺族厚生年金の受給権を取得することができる。

《問５》　確定拠出年金に関する次の記述のうち、最も不適切なものはどれか。

１）企業型確定拠出年金の加入者が退職し、転職先の企業に企業型確定拠出年金制度がない場合、「個人型年金加入申出書」と「個人別管理資産移換依頼書」を運営管理機関等に提出して個人型確定拠出年金の加入者になることができる。

２）2024年1月に、企業型確定拠出年金の加入者が転職した場合、転職先では個人型確定拠出年金へ資産を移換することもできる。ただし、規約でマッチング拠出を認めている場合は企業型確定拠出年金で追加拠出するか、個人型確定拠出年金に加入して拠出するかのどちらかを選択する。

３）企業型確定拠出年金の加入者の資格を喪失してから6ヵ月以内に、個人型確定拠出年金または他の企業型確定拠出年金に資産を移換する（自動移換の場合あり）か、脱退一時金を請求（受給要件あり）しなければ、個人別管理資産は現金化されて国民年金基金連合会に自動移換される。

４）個人型確定拠出年金の通算拠出期間が6年、個人別管理資産が36万円の場合、要件を満たせば加入者資格を喪失した場合に脱退一時金を受給できる。

《問６》　国民年金基金に関する次の記述のうち、最も適切なものはどれか。

１）国民年金基金の加入員が国民年金法に規定する障害等級に該当する程度の障害の状態になった場合でも、国民年金基金から障害給付を受給することはできない。

２）国民年金基金の加入員であった者が老齢基礎年金の繰上げ支給の請求をした場合でも、国民年金基金から支給を受ける年金は減額されない。

３）国民年金基金の加入員が、国民年金保険料について4分の3免除の適用を受けることになった場合でも、国民年金基金の加入員資格を喪失しない。

４）国民年金基金の加入員が、4月から翌年3月までの1年分の掛金を前納した場合、前納金額の10％の掛金が割引される。

《問７》　生活福祉資金貸付制度に関する次の記述のうち、最も不適切なものはどれか。

１）生活福祉資金貸付制度は、年金担保融資制度が2022年3月末で新規貸付申込を終了していることに伴い、代替措置として一定の審査要件を満たす場合に利用できる全国社会福祉協議会の貸付制度である。

２）65歳以上の高齢者世帯も生活福祉資金を貸し付ける対象となり、福祉費の貸付限度額は550万円以内であり、資金の用途に応じて上限目安額を設定している。

３）福祉費は、貸付日から6月以内の据え置き期間を経過した後、20年以内を償還期限としている。

４）連帯保証人は原則必要であり、貸付利子が無利子になる。ただし、連帯保証人無しの場合にも貸付は可能であり、貸付利子が年1.5％である。

《問8》 小規模企業共済制度に関する次の記述のうち、最も適切なものはどれか。

１）掛金月額は、5,000円から30,000円の範囲内で、加入後、共済契約者は掛金を増額または減額することができる。

２）掛金の納付方法には、月払いおよび年払いがあるが、掛金をまとめて納付する前納制度はない。

３）解約手当金の額は、掛金納付月数に応じて、掛金合計額の80％から120％に相当する額であり、掛金納付月数が300月未満の場合、解約手当金の額は掛金合計額を下回る。

４）共済金の受取方法を「一括受取りと分割受取りの併用」にするためには、分割で支給を受ける額と一括で支給を受ける額の合計額が330万円以上あることが要件となる。

《問9》 個人年金保険の一般的な商品性に関する次の記述のうち、最も適切なものはどれか。

１）個人年金保険（10年確定年金）の年金支払期間中に被保険者が死亡した場合、被保険者の遺族に対し、残りの年金支払期間に対応する額が年金または一時金として支払われる。

２）個人年金保険（終身年金）の保険料を被保険者の性別で比較した場合、被保険者の年齢や基本年金額等の他の契約内容が同一であるとすると、被保険者が女性よりも男性のほうが保険料は高くなる。

３）保険会社等が変額個人年金保険の契約締結をしようとするときは、原則として、あらかじめ、顧客に対し、損失が生じるおそれがあることなどを記載した書面を交付しなければならないが、当該契約の内容その他保険契約者等に参考となるべき情報の提供は任意とされている。

４）一時払個人年金保険は、契約者、被保険者および年金受取人の関係、年金支払期間の要件を満たした場合、個人年金保険料税制適格特約を付加することができる。

《問10》 民法および「失火の責任に関する法律」（以下、「失火責任法」という）に関する次の記述のうち、不適切なものはいくつあるか。

(a) Aさんがガス爆発事故により隣家を損壊させ、Aさんに故意または重大な過失が認められない場合、民法の規定が適用されるため、Aさんは隣家の所有者に対して損害賠償責任を負う。

(b) Bさんが失火で隣家を全焼させ、Bさんに重大な過失が認められる場合、失火責任法の規定が適用されるため、Bさんは隣家の所有者に対して損害賠償責任を負うことはない。

(c) 賃貸住宅に住んでいる借家人Cさんが失火で借家を全焼させ、Cさんに重大な過失が認められない場合、民法の規定が適用されるため、Cさんは家主に対して損害賠償責任を負う。

(d) 賃貸住宅に住んでいる借家人Dさんが失火で借家を全焼させ、Dさんに重大な過失が認められる場合、失火責任法の規定が適用されるため、Dさんは家主に対して損害賠償責任を負うことはない。

１）1つ

2）2つ

3）3つ

4）4つ

《問11》 所得税の生命保険料控除に関する次の記述のうち、最も適切なものはどれか。なお、2012年1月1日以後に締結した保険契約等に基づく生命保険料控除を「新制度」とし、2011年12月31日以前に締結した保険契約等に基づく生命保険料控除を「旧制度」とする。

1）旧制度の対象となる終身保険の保険料について、2024年中に当該契約の一部を転換した場合、転換後の新しい契約と存続している元の契約との両方が新制度の対象となる。

2）お墓の購入資金や遺品整理など、万一の時に備えて保険料が安い少額短期保険業者と死亡保険を年払いで締結した場合、毎年、生命保険料控除を適用することができる。

3）離婚した妻が死亡保険金受取人である場合、生命保険料控除を適用することができなくなる。

4）保険料の払込猶予期間が過ぎても保険料の払込がない場合に、自動振替貸付により保険料の払込みに充当される。充当された金額は、生命保険料控除の対象とならない。

《問12》 Ｘ株式会社（以下、「Ｘ社」という）は、代表取締役社長であるＡさんを被保険者とする下記の定期保険を払済終身保険に変更した。払済終身保険への変更時の経理処理として、次のうち最も適切なものはどれか。

保険の種類	：無配当定期保険（特約付加なし）
契約年月日	：2018年4月1日
契約者（＝保険料負担者）	：Ｘ社
被保険者	：Ａさん（加入時における被保険者の年齢30歳）
死亡保険金受取人	：Ｘ社
保険期間・保険料払込期間	：70歳満了
基本保険金額	：1億円
最高解約返戻率	：70%
年払保険料	：500万円
解約返戻金額	：1,200万円
払込保険料累計額	：3,500万円

1）

借方		貸方	
保険料積立金	1,200万円	雑収入	1,200万円

2）

借方		貸方	
保険料積立金	1,200万円	前払保険料	1,750万円
雑損失	550万円		

3）

借方		貸方	
保険料積立金	1,200万円	前払保険料	1,400万円
雑損失	200万円		

4)

借方	貸方
保険料積立金　　1,200万円	前払保険料　　　1,200万円

《問13》　個人が契約する任意の自動車保険の一般的な商品性に関する次の記述のうち、最も不適切なものはどれか。なお、記載のない事項については考慮しないものとする。

1）自動車を譲渡して自動車保険契約を解約する際に、中断証明書を取得すれば、中断後に、新たに契約する自動車保険の契約始期日が解約日から10年以内である場合に限り、中断前の契約の等級を引き継いで再開することができる。

2）自動車保険のノンフリート等級別料率制度において、対人・対物賠償の保険事故があった後に更新する場合は等級が3つ下がり、盗難・台風・落書き等により車両保険から保険金を受け取った場合は等級が1つ下がる。

3）車両保険において、自損事故により被保険自動車が全損した場合、保険金額を限度に実際の損害額が保険金として支払われ、契約（更新）時に設定した免責金額は差し引かれない。

4）人身傷害保険では、被保険者が被保険自動車の運転中に事故を起こして、被保険者や同乗者に生じたケガによる治療費は補償されるが、休業損害や死亡・後遺障害による逸失利益等は補償されない。

《問14》　外貨建保険に関する次の記述のうち、最も不適切なものはどれか。

1）外貨建終身保険（平準払い）において、毎回一定額の円貨を保険料に充当する払込方法を選択することにより、ドルコスト平均法による為替変動リスクの軽減効果が期待できる。

2）個人が加入した外貨建養老保険（一時払い）を契約締結日から5年以内で解約し、解約差益が発生した場合、金融類似商品として源泉分離課税の対象となる。

3）市場価格調整（MVA）機能を有する外貨建終身保険は、市場金利に応じた運用資産の価格変動が解約返戻金額等に反映され、契約時と比較した解約時の市場金利の上昇は、解約返戻金額の増加要因となる。

4）外貨建終身保険（平準払い）について、円換算支払特約を付加することで、死亡保険金や解約返戻金を円貨で受け取ることが可能になるが、為替変動リスクを軽減する効果は期待できない。

《問15》　個人事業主が、所有する事業用建物が火災により焼失したことにより、加入する各種損害保険から受け取った保険金の課税関係に関する次の記述のうち、最も適切なものはどれか。なお、各選択肢において、いずれも契約者（＝保険料負担者）は個人事業主であるものとする。

1）事業用建物が火災により焼失し、建物を保険の対象とする火災保険の保険金を受け取った場合、当該保険金は個人事業主の事業収入となり、課税対象となる。

2）事業用建物内で保管していた商品が火災により焼失し、商品を保険の対象とする火災保険の保険金を受け取った場合、当該保険金は非課税となる。

3）事業用建物内に設置していた営業用什器備品が火災により焼失し、営業用什器備品を保険の対象とする火災保険から廃棄損を上回る保険金を受け取った場合、当該保険金のうち廃棄損を上回る部分は非課税となる。

4）事業用建物が火災により焼失したことにより業務不能となり、店舗休業保険から保険金を受け取った場合、当該保険金は非課税となる。

《問16》 わが国の経済指標に関する次の記述のうち、最も不適切なものはどれか。

1) 消費者物価指数（ＣＰＩ）は、全国の世帯が購入する家計に係る財やサービスの価格等を総合した物価の変動を時系列的に測定したものであり、いわゆるコアＣＰＩとは、「生鮮食品」を除いて算出された物価指数である。

2) 全国企業短期経済観測調査（短観）は、資本金2,000万円以上の民間企業を調査対象とし、業況や資金繰り等の判断項目、売上高や設備投資額等の定量的な計数項目、企業の物価見通しが四半期ごとに調査されている。

3) 第21回景気動向指数研究会において、景気を把握する新しい指数（一致指数）が公表され、景気動向指数における毎月の基調判断や景気基準日付（景気の山・谷）を判定する指標に加えられた。

4) 国内で一定期間内に生産された財やサービスの付加価値の合計額であるＧＤＰには、参照年からの物価の上昇・下落分を取り除いた値である実質値と、実際に市場で取引されている価格に基づいて推計された値である名目値がある。

《問17》 ドルコスト平均法を利用して投資信託を15万円ずつ購入した場合、各回の購入単価（基準価額）が以下のとおりであるときの平均購入単価として、次のうち最も適切なものはどれか。なお、手数料等は考慮せず、計算結果は円未満を四捨五入すること。

購入時期	第1回	第2回	第3回	第4回	第5回
購入単価	3,750円	6,000円	7,500円	5,000円	6,000円

1) 4,771円
2) 5,064円
3) 5,357円
4) 5,650円

《問18》 以下の表に掲載されている固定利付債券の単利計算による最終利回り（空欄①）と割引債券の1年複利計算による最終利回り（空欄②）の組合せとして、次のうち最も適切なものはどれか。なお、税金や手数料等は考慮せず、計算結果は表示単位の小数点以下第3位を四捨五入すること。

	固定利付債券	割引債券
単　　　価	101.20円	97.95円
償 還 価 格	100.00円	100.00円
表 面 利 率	0.65%	—
最 終 利 回 り	（　①　）%	（　②　）%
残 存 期 間	5年	4年

1) ①　0.41　②　1.09
2) ①　0.41　②　0.52
3) ①　0.88　②　1.09
4) ①　0.88　②　0.52

《問19》 米国の株価指標等に関する次の記述のうち、最も適切なものはどれか。

1）ダウ・ジョーンズ工業株価平均（ニューヨーク・ダウ）は、ニューヨーク証券取引所およびNASDAQ市場に上場している30銘柄を対象として、連続性を持たせる形で公表される時価総額加重平均型の株価指数である。

2）S＆P500種株価指数は、ニューヨーク証券取引所およびNASDAQ市場に上場している約500銘柄を対象として、連続性を持たせる形で公表される時価総額加重平均型の株価指数である。

3）ナスダック総合指数は、NASDAQ市場で取引されている全銘柄を対象として公表される修正平均株価の指標である。

4）VIX指数は、S＆P500種株価指数を対象としたオプション取引のボラティリティをもとに算出・公表されている指数であり、一般に、数値が低いほど、投資家が相場の先行きに対して警戒感を示しているとされている。

《問20》 下記の〈資料〉から算出されるサスティナブル成長率として、次のうち最も適切なものはどれか。なお、計算結果は表示単位の小数点以下第3位を四捨五入すること。

〈資料〉

当 期 純 利 益	2,500億円	E P S	850円
損益分岐点売上高	30,000億円	B P S	5,500円
使用総資本回転率	0.72回	配 当 利 回 り	0.80%
自 己 資 本 比 率	50.00%	配 当 性 向	33.00%

※純資産の金額と自己資本の金額は同じである。

1） 2.51%
2） 6.79%
3） 8.02%
4） 10.35%

《問21》 デリバティブを活用したリスクヘッジに関する次の記述のうち、最も不適切なものはどれか。

1）大量の固定利付国債を保有する銀行が、今後の金利上昇リスクをヘッジするために、長期国債先物の売建てを行った。

2）継続的に米ドルの支払いが発生する日本国内の輸入業者が、将来の円安による支払額の増加をヘッジするために、外貨固定金利支払い／円固定金利受取りのクーポン・スワップを行った。

3）外貨建債券を発行する日本国内の事業会社が、将来の円安による償還負担の増加をヘッジするために、債券の償還日に合わせて外貨買い／円売りの為替予約を行った。

4）多くの銘柄の国内上場株式を保有している個人投資家が、国内株式市場における全体的な株価の下落をヘッジするために、TOPIX先物の売建てを行った。

《問22》 国内ポートフォリオ運用におけるパフォーマンス評価に関する次の記述のうち、最も不適切なものはどれか。

1）資本資産評価モデル（CAPM）におけるβ（ベータ）値は、市場全体に対するポートフォリオのシステマティック・リスクに対する感応度を測定した値である。

2）トレイナーの測度は、資本資産評価モデル（ＣＡＰＭ）により算出されるβ（ベータ）で、ポートフォリオの超過収益率を除したものにより、ポートフォリオの運用成果を評価する手法である。

3）ジェンセンの測度は、資本資産評価モデル（ＣＡＰＭ）による期待収益率を上回った超過収益率により、ポートフォリオの運用成果を評価する手法である。

4）インフォメーション・レシオ（情報比）は、安全資産の収益率に対するポートフォリオの超過収益率をポートフォリオの標準偏差で除したものにより、ポートフォリオの運用成果を評価する手法である。

《問23》　株価が900円で期待利子率が4％、1株当たりの予想配当が20円の場合、定率で配当が成長して支払われる配当割引モデルにより計算した当該株式の配当に対する期待成長率として、次のうち最も適切なものはどれか。なお、計算結果は表示単位の小数点以下第3位を四捨五入すること。

1）0.56％

2）1.17％

3）1.78％

4）6.22％

《問24》　金融商品取引法に規定されるインサイダー取引規制に関する次の記述のうち、最も適切なものはどれか。

1）インサイダー取引規制の対象となる会社関係者には、上場会社等の取引銀行、引受金融商品取引業者、顧問弁護士等も含まれるが、上場会社等の帳簿閲覧権を持つ株主等は含まれない。

2）インサイダー取引規制の対象となる者には、会社関係者から、重要事実の伝達を受けた第一次情報受領者も含まれる。

3）インサイダー取引規制の対象となる上場会社等の業務等に関する重要事実には、その上場会社等の子会社に生じた重要事実は含まれない。

4）インサイダー取引規制の対象となる上場会社等の業務等に関する重要事実とは、ある事項について、それを行うことが決定された場合であり、いったん行うと決定した事項が公表されたあとで、それを行わないことが決定された場合は含まれない。

《問25》　所得税の納税義務者と課税所得の範囲に関する次の記述のうち、不適切なものはいくつあるか。

(a)　非永住者以外の居住者は、日本国内で生じた所得に対して、日本国内において所得税が課されるが、日本国外で生じた所得に対して、日本国内において所得税は課されない。

(b)　非永住者が日本国内の企業に勤務して得られる給与所得については、日本国内において所得税は課されない。

(c)　非居住者が日本国内に有する不動産を他人に賃貸することで得られる不動産所得については、日本国内において所得税は課されない。

1）1つ

2）2つ

3）3つ

4）0（なし）

《問26》 居住者に係る所得税の不動産所得に関する次の記述のうち、最も適切なものはどれか。なお、記載のない事項については考慮しないものとする。

1）貸間やアパート等について貸与することができる独立した室数が5室以上である場合や、貸与する独立家屋が10棟以上である場合には、特に反証がない限り、不動産所得を生ずべき当該建物の貸付けは事業として行われているものとされる。

2）所有する土地に他者の建物の所有を目的とする借地権を設定し、その対価として当該土地の時価の2分の1を超える権利金を受け取ったことによる収入は、不動産所得の金額の計算上、総収入金額に算入する。

3）所有する賃貸アパートを取り壊したことにより生じた損失の金額は、当該貸付けが事業的規模かどうかにかかわらず、不動産所得の金額の計算上、その損失の全額を必要経費に算入することができる。

4）居住の用に供していた自宅の建物を取り壊して賃貸アパートを建築し、貸付けの用に供した場合、自宅の取壊しに要した費用は、不動産所得の金額の計算上、必要経費とはならず、賃貸アパートの取得価額に算入することもできない。

《問27》 居住者であるAさんの2024年分の各種所得の金額等が下記のとおりであった場合の総所得金額として、次のうち最も適切なものはどれか。なお、記載のない事項については考慮しないものとし、▲が付された所得金額は、その所得に損失が発生していることを意味するものとする。

	所得金額	備　考
事 業 所 得	180万円	・個人商店を営むことによる所得 ・青色申告特別控除後の金額
不動産所得	▲270万円	・賃貸アパート経営による所得 ・不動産所得の金額の計算上の必要経費に当該所得を生ずべき土地の取得に要した負債の利子60万円を含んだ金額
一 時 所 得	90万円	・生命保険（保険期間15年）の満期保険金を受け取ったことによる所得
雑 所 得	▲20万円	・外貨預金で為替差損が生じたことによる所得

1）10万円
2）20万円
3）30万円
4）40万円

《問28》 特例対象個人に該当する者が、2024年5月中に新築住宅を取得し、同月中に入居した場合に適用される住宅借入金等特別控除に関する次の記述のうち、最も適切なものはどれか。なお、ＺＥＨ水準省エネ住宅とは、租税特別措置法第41条第10項第3号に規定する特定エネルギー消費性能向上住宅をいう。

1）取得した住宅が認定長期優良住宅に該当する場合、住宅借入金等特別控除による2024年の控除額は、住宅借入金等の年末残高等に0.7％を乗じた金額であり、最大28万円となる。

2）取得した住宅がＺＥＨ水準省エネ住宅に該当する場合、住宅借入金等特別控除による2024年の控除額は、住宅借入金等の年末残高等に0.7％を乗じた金額であり、最大35万円となる。

3）住宅借入金等特別控除の適用を受けることができる控除期間は、最長15年間である。

4）取得した住宅の床面積が100㎡である場合、住宅借入金等特別控除の適用を受けるためには、納税者のその年分の合計所得金額が2,000万円以下でなければならない。

《問29》 居住者に係る所得税の青色申告に関する次の記述のうち、最も不適切なものはどれか。

1）青色申告者が本年５月に死亡し、その業務を承継した相続人が、新たに青色申告者として承継後の期間に係る所得計算を行う場合、青色申告承認申請書を相続の開始があったことを知った日の翌日から４ヵ月以内に提出しなければならない。

2）青色申告者が不動産所得を生ずべき業務と事業所得を生ずべき業務のいずれも営む場合、損益計算書はそれぞれの業務に係るものの区分ごとに各別に作成し、貸借対照表は２つの業務に係るものを合併して作成することとされている。

3）事業所得を生ずべき業務を営む青色申告者が、取得価額が10万円以上30万円未満の減価償却資産を取得して業務の用（一定の貸付けを除く）に供した場合、その年分の事業所得の金額の計算上、その取得価額の合計額のうち300万円に達するまでの金額を必要経費に算入することができる。

4）青色申告の適用を初めて受ける年分に純損失の金額が生じた場合、青色申告者は、青色申告書と還付請求書を申告期限までに提出することにより、純損失の金額を前年に繰り戻し、前年分の所得に対する所得税額の還付を受けることができる。

《問30》 法人税法上の益金に関する次の記述のうち、最も適切なものはどれか。なお、各選択肢において、法人はいずれも内国法人（普通法人）であるものとする。

1）法人がその有する資産の評価換えをしてその帳簿価額を増額した場合、その増額した部分の金額（資産評価益）は、原則として、益金の額に算入する。

2）法人が法人税の還付を受けた場合、その還付された金額は、還付加算金と同様に益金の額に算入する。

3）法人が個人から債務の免除を受けた場合、その免除された債務の金額は、原則として、益金の額に算入する。

4）法人が受けた完全子法人株式等（完全支配関係のある法人の株式）に係る配当の額は、その全額が益金算入となる。

《問31》 法人とその役員間の取引における法人税および所得税の取扱いに関する次の記述のうち、最も適切なものはどれか。

1）役員が法人に対して無利息で金銭の貸付を行った場合、原則として、役員側では受取利息の認定が行われ、通常収受すべき利息の額が雑所得として課税される。

2）法人が役員に対して無利息で金銭の貸付を行った場合、原則として、法人側では受取利息の認定が行われ、役員側では一定の利息の額に係る経済的利益が給与所得として課税される。

3）役員が所有する資産を適正な時価の４分の３の価額で法人に譲渡した場合、法人側では時価と買入価額との差額が受贈益として取り扱われ、役員側では時価と取得費等の差額が譲渡所得として課税される。

4）役員が所有する資産を適正な時価よりも高い価額で法人に譲渡した場合、法人側では時価と買

入価額との差額について、役員に対して給与を支払ったものとして取り扱われ、役員側では時価と取得費等との差額が給与所得として課税される。

《問32》　内国法人に係る法人税における貸倒損失の取扱いに関する次の記述のうち、最も不適切なものはどれか。なお、記載のない事項については考慮しないものとする。
1）取引先A社に対して貸付金600万円を有しているが、A社の資産状況、支払能力等からみてその全額が回収できないことが明らかとなった。この貸付金に係る担保物がある場合、この担保物を処分した後の残額が貸倒損失として認められる。
2）継続的な不動産取引を行っていた取引先B社に対して当該取引に係る売掛金700万円を有しているが、B社の資産状況、支払能力等が悪化し、売掛金の回収ができないまま1年以上が経過した。この場合、売掛金700万円から備忘価額を控除した残額が貸倒損失として認められる。
3）遠方にある取引先C社に対して貸付金8万円を有しているが、再三支払いの督促をしても弁済がなされず、また取立てに要する旅費等が15万円程度かかると見込まれ、同一地域に他の債務者はいない。この場合、貸付金8万円から備忘価額を控除した残額が貸倒損失として認められる。
4）取引先D社に対して貸付金300万円を有しているが、D社の債務超過の状態が相当期間継続し、事業好転の見通しもなく、その貸付金の弁済を受けることができないと認められるため、書面により貸付金の全額を免除する旨をD社に申し出た。この場合、債務免除をした金額の全額が貸倒損失として認められる。

《問33》　消費税に関する次の記述のうち、最も適切なものはどれか。なお、記載のない事項については考慮しないものとする。
1）消費税の確定申告書は、原則として、消費税の課税事業者である法人は事業年度の末日の翌日から2カ月以内に、消費税の課税事業者である個人はその年の翌年3月15日までに、納税地の所轄税務署長に提出しなければならない。
2）消費税の免税事業者である法人は、法人税の課税所得金額の計算にあたり、その取引に係る消費税等の経理処理については、税込経理方式または税抜経理方式のいずれかを選択することができる。
3）「消費税簡易課税制度選択届出書」を納税地の所轄税務署長に提出している事業者は、基準期間における課税売上高が5,000万円を超える課税期間についても、簡易課税制度の適用を受けることができる。
4）消費税の課税事業者である個人が、法人を設立してその事業を引き継ぐ場合において、当該個人の前々年の課税売上高が1,000万円を超えていたとしても、当該法人の事業年度開始の日の資本金または出資金の額が1,000万円未満であるときは、当該法人は、設立1期目について消費税の免税事業者となることができる。

《問34》　不動産登記に関する次の記述のうち、最も適切なものはどれか。
1）合筆しようとしている2筆の土地のうち、1筆のみに抵当権の設定の登記がある場合、抵当権者の承諾書を添付すれば、合筆の登記をすることができる。
2）所有権に関する仮登記に基づく本登記は、登記上の利害関係を有する第三者がいる場合、当該第三者の承諾の有無にかかわらず、申請することができない。
3）登記事項証明書は、登記記録に記録されている事項の全部または一部が記載され、登記官による認証文や職印が付された書面であり、利害関係人に限りその交付を請求することができる。

4) 登記事項要約書は、インターネットを利用したオンラインによる交付請求をすることができないため、当該不動産を管轄する登記所の窓口で請求する必要がある。

《問35》 不動産の取引で引き渡された目的物が品質に関して契約の内容に適合しないものである場合における民法上の契約不適合責任に関する次の記述のうち、不適切なものはいくつあるか。なお、目的物の不適合が買主の責めに帰すべき事由によるものではないものとする。

(a) 買主が相当の期間を定めて履行の追完の催告をしなくても、買主は、その不適合の程度に応じて、代金の減額を請求することができる。

(b) 売主が目的物の引渡時にその不適合を知り、または重大な過失により知らなかった場合でも、買主はその不適合を知った時から1年以内にその旨を売主に通知しないときは、その不適合を理由として、契約の解除をすることができない。

(c) 買主は、売主に帰責事由がある場合に限り、売主に対して、目的物の修補を請求（追完請求）することができる。

1） 1つ
2） 2つ
3） 3つ
4） 0（なし）

《問36》 借地借家法の定期借地権および定期建物賃貸借に関する次の記述のうち、最も不適切なものはどれか。
1） 存続期間を30年以上50年未満とする事業用借地権を設定する場合には、設定契約時に契約の更新および建物の築造による存続期間の延長がなく、建物の買取請求権を排除する旨を特約として定める必要がある。
2） 借主側から、2011年に設定した存続期間20年の事業用借地権の存続期間を3年延長したいとの申出があった場合、貸主と借主の双方の合意があったとしても、存続期間を延長することはできない。
3） 1年以上の契約期間を有する定期建物賃貸借契約は、賃借人に対して、一定の期間内に、期間の満了により建物の賃貸借が終了する旨の通知をすることにより、その期間の満了を賃借人に対抗することができる。
4） 自己の居住の用に供するために賃借している建物（床面積が200㎡未満）の定期建物賃貸借契約において、親の介護により建物を自己の生活の本拠として使用することが困難となったときは、賃借人は、解約の申入れの日から1カ月後に当該賃貸借を終了させることができる。

《問37》 建築基準法に関する次の記述のうち、最も不適切なものはどれか。
1） 商業地域内で、かつ、防火地域内にある耐火建築物等については、建蔽率に関する制限の規定は適用されない。
2） 共同住宅の共用の廊下や階段の用に供する部分の床面積は、建築物の容積率の算定の基礎となる延べ面積に算入しない。
3） 前面道路の幅員が15m未満である建築物の容積率は、都市計画で定められた数値および当該前面道路の幅員に10分の4または10分の6を乗じた数値以下でなければならない。
4） 建築物の地階でその天井が地盤面からの高さ1m以下にあるものの住宅の用途に供する部分の

床面積は、原則として、当該建築物の住宅の用途に供する部分の床面積の合計の3分の1を限度
として、建築物の容積率の算定の基礎となる延べ面積に算入されない。

《問38》　建物の区分所有等に関する法律に関する次の記述のうち、最も適切なものはどれか。
1）管理組合の法人化にあたっては、区分所有者および議決権の各5分の4以上の多数による集会
　の決議と、その主たる事務所の所在地において登記をする必要がある。
2）各区分所有者の議決権の割合は、規約に別段の定めをしたときに限り、その有する専有部分の
　床面積の割合となる。
3）集会において区分所有者および議決権の各5分の4以上の多数による建替え決議がなされた場
　合、決議に反対した区分所有者等は、他の区分所有者に対し、一定期間内に、区分所有権および
　敷地利用権を時価で買い取るべきことを請求することができる。
4）形状または効用の著しい変更を伴う共用部分の変更を行うためには、区分所有者および議決権
　の各4分の3以上の多数による集会の決議が必要であるが、この区分所有者については規約で過
　半数まで減ずることができる。

《問39》　土地および建物に係る固定資産税に関する次の記述のうち、最も適切なものはどれか。な
**　　　　お、各選択肢において、ほかに必要な要件等はすべて満たしているものとする。**
1）「住宅用地に対する固定資産税の課税標準の特例」は、自己の居住用住宅の敷地である宅地だ
　けでなく、賃貸マンション等の自己の居住用住宅以外の住宅の敷地である宅地についても適用さ
　れる。
2）固定資産税の納税義務者は、賦課期日であるその年の1月1日現在における土地や家屋の所有
　者であるが、年の途中でその土地や家屋の売買があった場合、その年度分の納付済である固定資
　産税額の相当分を日割り按分して、売主に還付される。
3）2023年6月に購入した土地上に同年12月に住宅を新築し、同月中に入居した場合であっても、
　2024年1月1日現在において当該住宅の所有権の保存登記が未了であるときは、2024年度分の固
　定資産税において、当該土地は「住宅用地に対する固定資産税の課税標準の特例」を適用するこ
　とはできない。
4）3階建ての認定長期優良住宅（中高層耐火建築物）を新築して、「新築された認定長期優良住
　宅に対する固定資産税の減額」の適用を受けた場合、当該住宅に対して新たに固定資産税が課さ
　れることとなった年度から5年度分の固定資産税額に限り、当該住宅に係る固定資産税額（当該
　住宅の居住部分の床面積が120㎡を超える場合は120㎡に相当する部分の額）の2分の1に相当す
　る額が減額される。

《問40》　不動産の譲渡に係る各種特例の併用の可否に関する次の記述のうち、最も不適切なものは
**　　　　どれか。なお、各選択肢に記載されている特例について、それぞれ単独で適用を受けるとし**
**　　　　た場合に必要とされる要件等はすべて満たしているものとする。**
1）Aさんが、同一年中に自宅（建物とその敷地）と1年前に母の相続により取得した実家（建物
　とその敷地）を譲渡した場合、自宅の譲渡について「居住用財産を譲渡した場合の3,000万円の
　特別控除」の適用を受け、実家の譲渡について「被相続人の居住用財産（空き家）に係る譲渡所
　得の特別控除」の適用を受けることができ、特別控除は合わせて6,000万円が限度となる。
2）Bさんが、30年前に3,000万円で取得した自宅（建物とその敷地）を7,000万円で譲渡し、新た
　な自宅（建物とその敷地）を5,000万円で取得した場合、「特定の居住用財産の買換えの場合の長

期譲渡所得の課税の特例」と「居住用財産を譲渡した場合の3,000万円の特別控除」について重複して適用を受けることはできない。

3）Cさんが、1年前に母の相続により取得した実家（建物とその敷地）を譲渡した場合、「被相続人の居住用財産（空き家）に係る譲渡所得の特別控除」と「相続財産に係る譲渡所得の課税の特例」（相続税の取得費加算の特例）について重複して適用を受けることはできない。

4）Dさんが、20年間所有していた自宅（建物とその敷地）を譲渡した場合、「居住用財産を譲渡した場合の3,000万円の特別控除」と「居住用財産を譲渡した場合の長期譲渡所得の課税の特例」（軽減税率の特例）について重複して適用を受けることができる。

《問41》 不動産の有効活用の手法に関する次の記述のうち、不適切なものはいくつあるか。

(a) 建設協力金方式は、事業者の要望に沿った店舗等を建設し、その建物を事業者に賃貸する手法であり、地主は当該店舗等の建設資金を調達することが必要であるが、事業者が支払う賃料で返済するため、事業者が撤退するリスクや契約内容を事前に精査しておくことが肝要である。

(b) 等価交換方式における部分譲渡方式とは、地主が所有する土地を提供し、事業者が建設資金を負担して当該土地にマンション等を建設し、完成した区分所有建物とその敷地の所有権等を地主と事業者がそれぞれの出資割合に応じて保有する手法であり、マンション等の建設過程においては、地主は所有する土地の全部を提供しなければならない。

(c) 事業用定期借地権方式は、事業者である借主が土地を契約で一定期間賃借し、借主が建物を建設する手法であり、賃貸借期間満了後に借主は当該建物を収去し、更地にして地主へ返還する。

1）1つ
2）2つ
3）3つ
4）0（なし）

《問42》 贈与税の配偶者控除（以下、「本控除」という）に関する次の記述のうち、最も不適切なものはどれか。

1）本控除の適用を受けるためには、戸籍の謄本または抄本、戸籍の附票の写し、居住用不動産の登記事項証明書を添付した贈与税の申告書を提出する必要がある。

2）本控除の適用を受けるためには、贈与を受けた日において贈与者との婚姻期間が20年以上である必要がある。

3）配偶者から相続税評価額が4,800万円である店舗併用住宅（店舗部分60％、居住用部分40％）の3分の1の持分の贈与を受けて本控除の適用を受けた場合において、同年中に他に贈与を受けていなくても、贈与税額が算出される。

4）配偶者から店舗併用住宅の贈与を受けた場合に、その居住の用に供している部分の面積が、その家屋の面積のおおむね90％以上を占めているときは、その家屋の全部を居住用不動産に該当するものとして本控除の適用を受けることができる。

《問43》 相続時精算課税制度に関する次の記述のうち、最も不適切なものはどれか。なお、記載のない事項については考慮しないものとする。

1）養親から相続時精算課税を適用して贈与を受けた養子が、養子縁組の解消により、その特定贈与者の養子でなくなった場合でも、養子縁組解消後にその特定贈与者であった者からの贈与によ

り取得した財産について、相続時精算課税が適用される。

2）2023年中に1,800万円の贈与を受けて相続時精算課税の適用を受けた受贈者が、2024年中に同一の贈与者から90万円の贈与を受けた場合、受贈者は、2024年中に他の贈与を受けていなかったときも、2024年分の贈与税の申告書を提出する必要がある。

3）相続時精算課税の特定贈与者が死亡した場合、相続時精算課税適用者は、相続時精算課税を適用して贈与を受けた財産を相続財産に加算した金額が遺産に係る基礎控除額以下であるときは、相続税の申告書を提出する必要はない。

4）相続時精算課税の特定贈与者の死亡以前に相続時精算課税適用者が死亡し、特定贈与者がその相続時精算課税適用者の相続人である場合、相続時精算課税適用者が有していた相続時精算課税の適用を受けていたことに伴う納税に係る権利または義務を当該特定贈与者は承継しない。

《問44》 被相続人に対する特別の寄与に関する次の記述のうち、最も不適切なものはどれか。

1）被相続人と婚姻の届出をしていない内縁関係の者が、被相続人に対して無償で療養看護等をしたことにより特別の寄与をしていた場合でも、相続開始後、相続人に対し、特別寄与料の支払いを請求することはできない。

2）特別寄与者は、相続人に対し、特別寄与料の支払いの請求に代えて、遺産分割協議において遺産の全部または一部の分割を請求することはできない。

3）特別寄与者が複数の相続人に対して特別寄与料の支払いを請求した場合、各相続人が負担する額は、特別寄与料の額を当該相続人の数で均等に等分した額となる。

4）特別寄与料の支払いについて当事者間で協議が調わない場合、または協議することができない場合、特別寄与者は、一定の期間内に、家庭裁判所に対して協議に代わる処分を請求することができる。

《問45》 相続の承認と放棄に関する次の記述のうち、最も不適切なものはどれか。

1）相続人が、相続について単純承認したものとみなされた場合、原則として、自己のために相続の開始があったことを知った時から3カ月以内であっても、相続の放棄をすることはできない。

2）相続人が、契約者（＝保険料負担者）および被保険者を被相続人、保険金受取人を当該相続人とする生命保険契約の死亡保険金を受け取った場合でも、当該相続人は相続について単純承認したものとはみなされない。

3）被相続人の負債額が不明であったために限定承認をした後、被相続人に2,500万円の資産と2,000万円の負債があることが判明した場合には、2,500万円の資産と2,000万円の負債が相続人に承継されることになる。

4）共同相続人のうちの1人が相続の放棄をした場合、他の相続人は、自己のために相続の開始があったことを知った時から3カ月以内に、全員が共同して申述することによっても、相続について限定承認をすることはできない。

《問46》 法務局における遺言書の保管等に関する法律に関する次の記述のうち、最も不適切なものはどれか。

1）遺言書の保管は、申請者が遺言書を保管する法務局に出頭して行わなければならないが、遺言者本人に限らず、遺言者の代理人でも申請することができる。

2）遺言書を保管することができる法務局は、遺言者の住所地もしくは本籍地または遺言者が所有する不動産の所在地を管轄する法務局である。

3）遺言者の相続開始後、法務局で保管されていた遺言書は、家庭裁判所による検認を受ける必要がない。

4）遺言者が遺言の趣旨を口授して公証人が作成した無封の遺言書は、保管の申請をすることができない。

《問47》 相続税法上の債務控除に関する次の記述のうち、**最も不適切なもの**はどれか。なお、各選択肢において、相続人は日本国内に住所を有する個人であり、相続または遺贈により財産を取得したものとする。

1）連帯債務者が2人（弁済不能の状態にある者はいない）である債務について、そのうち1人に相続が開始した場合、相続人が承継する被相続人の連帯債務の負担割合が2分の1であるときは、当該連帯債務の2分の1相当額が債務控除の対象となる。

2）相続人が、被相続人の1月1日から死亡日までの所得金額に係る確定申告書を提出して所得税を納付した場合、その所得税額は債務控除の対象となる。

3）相続の放棄をした者が、現実に被相続人の葬式費用を負担した場合でも、その負担額は、その者の遺贈によって取得した財産の価額からの債務控除の対象とならない。

4）相続人が、相続財産の価額の算定のために要する鑑定費用を支払った場合、その費用は、社会通念上相当な金額であっても、債務控除の対象とならない。

《問48》 「配偶者に対する相続税額の軽減」（以下、「本制度」という）に関する次の記述のうち、**最も適切なもの**はどれか。なお、各選択肢において、相続財産には仮装または隠蔽されていた財産は含まれておらず、他に必要とされる要件等はすべて満たしているものとする。

1）本制度は、相続税の申告期限までに申告書を提出しなければ適用を受けることができない。

2）被相続人の配偶者が制限納税義務者に該当する場合でも、本制度の適用を受けることができる。

3）被相続人の配偶者が相続の放棄をした場合には、その配偶者が遺贈により取得したものとみなされる死亡保険金を受け取っていても、本制度の適用を受けることはできない。

4）配偶者は、本制度の適用を受けることにより、1億6千万円と配偶者の法定相続分相当額とのいずれか小さい金額まで財産を取得しても、納付すべき相続税額は算出されない。

《問49》 「小規模宅地等についての相続税の課税価格の計算の特例」（以下、「本特例」という）に関する次の記述のうち、**最も適切なもの**はどれか。なお、各選択肢において、ほかに必要とされる要件等はすべて満たしているものとする。

1）被相続人であるAさんが6年前から自転車駐車場業の用に供していた宅地は、その貸付規模、設備の状況および営業形態を問わず、本特例における貸付事業用宅地等の対象となる。

2）被相続人であるBさんが有料老人ホームに入所したことで、Bさんの居住の用に供されなくなった宅地を、入所前に同居し、引き続き居住しているBさんの子Cさんが相続により取得した場合、相続開始の直前においてBさんが要介護認定または要支援認定を受けていたとしても、当該宅地は特定居住用宅地等として本特例の適用を受けることはできない。

3）被相続人であるDさんの居住の用に供されていた宅地を、相続開始の直前においてDさんと同居していたDさんの子Eさんが相続により取得した場合、子Eさんが相続開始前3年以内に子Eさんまたは子Eさんの配偶者の所有する家屋に居住したことがあったときは、当該宅地は特定居住用宅地等として本特例の適用を受けることはできない。

4）被相続人であるFさんの居住の用に供されていた宅地を、相続開始直前においてFさんと同居していた内縁の妻Gさんが遺贈により取得した場合、当該宅地は特定居住用宅地等として本特例の適用を受けることができる。

《問50》「個人の事業用資産についての贈与税の納税猶予及び免除」（以下、「本制度」という）に関する次の記述のうち、最も不適切なものはどれか。

1）贈与により特定事業用資産を取得した受贈者が本制度の適用を受けた場合、当該受贈者が納付すべき贈与税額のうち、本制度の適用を受ける特定事業用資産の課税価格に対応する贈与税額の納税が猶予される。

2）本制度の適用を受けた受贈者が死亡し、相続が発生した場合、相続税額の計算上、本制度の適用を受けた特定事業用資産について「小規模宅地等についての相続税の課税価格の計算の特例」の適用を受けることができる。

3）本制度の適用を受けるためには、受贈者は贈与者が事業の用に供している特定事業用資産を贈与により取得すればよいため、特定事業用資産のすべてを贈与により取得する必要はない。

4）本制度の対象となる特定事業用資産は、贈与者の事業の用に供されていた宅地等、建物および減価償却資産で、贈与者の前年分の事業所得に係る青色申告書に添付された貸借対照表に計上されているものとされている。

2025年　1月
ファイナンシャル・プランニング技能検定対策

第1予想

1級　学科試験
〈応用編〉

試験時間 ◆ 150分

───── ★　注　意　★ ─────

1．本試験の出題形式は、記述式等5題（15問）です。

2．筆記用具、計算機（プログラム電卓等を除く）の持込みが認められています。

3．試験問題については、特に指示のない限り、2024年10月1日現在施行の法令等
　に基づいて解答してください。

TAC出版
TAC PUBLISHING Group

【第1問】 次の設例に基づいて、下記の各問（《問51》〜《問53》）に答えなさい。

―――――――――――――――《設 例》――――――――――――――――

　X株式会社（以下、「X社」という）に勤務するAさん（41歳）は、妻Bさん（35歳）、長男Cさん（3歳）および二男Dさん（2歳）との4人暮らしである。Aさんは、子どもがまだ小さいことから、自分が大病を患って入院した場合の健康保険の傷病手当金について知りたいと思っている。また、公的年金制度からの障害給付や遺族給付についても理解したいと考えている。

　そこで、Aさんは、ファイナンシャル・プランナーのMさんに相談することにした。Aさんの家族に関する資料は、以下のとおりである。

〈Aさんの家族に関する資料〉
　(1)　Aさん（本人）
　　・1984年1月28日生まれ
　　・公的年金の加入歴
　　　2002年4月から現在に至るまで厚生年金保険の被保険者である（過去に厚生年金基金の加入期間はない）。
　　・全国健康保険協会管掌健康保険の被保険者である。
　　・2002年4月から現在に至るまで雇用保険の一般被保険者である。
　　・X社は労働者災害補償保険の適用事業所である。
　(2)　Bさん（妻）
　　・1989年6月3日生まれ
　　・公的年金の加入歴
　　　2008年4月から2020年3月まで厚生年金保険の被保険者である。
　　　2020年4月から現在に至るまで国民年金の第3号被保険者である。
　　・Aさんが加入する健康保険の被扶養者である。
　(3)　Cさん（長男）
　　・2021年6月20日生まれ
　(4)　Dさん（二男）
　　・2023年1月12日生まれ

※妻Bさん、長男Cさんおよび二男Dさんは、Aさんと同居し、Aさんと生計維持関係にあるものとする。
※家族全員、現在および将来においても、公的年金制度における障害等級に該当する障害の状態にないものとする。

※上記以外の条件は考慮せず、各問に従うこと。

《問51》 Mさんは、Aさんに対して、健康保険の傷病手当金について説明した。Mさんが説明した以下の文章の空欄①～④に入る最も適切な語句または数値を、解答用紙に記入しなさい。なお、空欄②に入る最も適切な語句は、下記の〈空欄②の選択肢〉のなかから選び、その記号を解答用紙に記入しなさい。また、問題の性質上、明らかにできない部分は「□□□」で示してある。

「Aさんが私傷病による療養のために連続して長期間労務に服することができず、その期間について事業主から給与が支払われない場合、Aさんは、労務に服することができない期間が連続して（　①　）日間（待期）の後、□□□日目以降の労務に服することができない日について、全国健康保険協会の都道府県支部に対し、傷病手当金を請求することができます。なお、待期には、（　②　）。

　仮に、傷病手当金の支給開始日の属する月以前の直近の継続した12カ月間のAさんの各月の標準報酬月額の平均額が40万5,000円であり、傷病手当金の支給対象となる日について事業主から給与が支払われないとした場合、Aさんが受給することができる傷病手当金の額は、1日につき（　③　）円となります。傷病手当金の支給期間は、同一の疾病または負傷およびこれにより発した疾病に関しては、その支給開始日から通算して（　④　）です」

〈空欄②の選択肢〉
　イ．有給休暇、土日・祝日等の公休日いずれも含まれます
　ロ．有給休暇は含まれますが、土日・祝日等の公休日は含まれません
　ハ．有給休暇、土日・祝日等の公休日いずれも含まれません

《問52》 Mさんは、Aさんに対して、公的年金制度の障害給付について説明した。Mさんが説明した以下の文章の空欄①～⑥に入る最も適切な語句または数値を、解答用紙に記入しなさい。また、問題の性質上、明らかにできない部分は「□□□」で示してある。

第1予想　応用編

Ⅰ 「国民年金の被保険者期間中に初診日のある傷病によって、その初診日から起算して（　①　）を経過した日、または（　①　）以内に傷病が治ったときはその治った日において、国民年金法に規定される障害等級1級または2級に該当する程度の障害の状態にあり、かつ、一定の保険料納付要件を満たしている場合は、障害基礎年金の支給を請求することができます。

　1956年4月2日以降生まれの人の障害基礎年金の額は、障害等級1級に該当する場合は□□□円の□□□倍相当額である（　②　）円（2024年度価額）です。また、受給権者によって生計を維持している一定の要件を満たす（　③　）があるときは、障害基礎年金の額に加算額が加算されます」

Ⅱ 「厚生年金保険の被保険者期間中に初診日のある傷病によって、その初診日から起算して（　①　）を経過した日、または（　①　）以内に傷病が治ったときはその治った日において、厚生年金保険法に規定される障害等級1級から3級までのいずれかに該当する程度の障害の状態にあり、かつ、一定の保険料納付要件を満たしている場合は、障害厚生年金の支給を請求することができます。

　また、厚生年金保険の被保険者期間中に初診日のある傷病が、初診日から（　④　）年以内に治った日において、その傷病により障害等級3級の障害の程度より軽度の障害の状態にある者は、一定の要件を満たすことにより障害手当金の支給を受けることができます。

　障害厚生年金の額は、原則として、老齢厚生年金と同様に計算されます。ただし、受給権者の被保険者期間が（　⑤　）月に満たない場合は、（　⑤　）月とみなして計算されます。また、受給権者によって生計を維持している一定の要件を満たす（　⑥　）があるときは、障害等級1級または2級に該当する者に支給される障害厚生年金の額に加給年金額が加算されます」

《問53》 仮に、Aさんが現時点（2025年1月28日）で死亡し、妻Bさんが遺族基礎年金、遺族厚生年金および遺族年金生活者支援給付金の受給権を取得した場合、Aさんの死亡時における妻Bさんに係る遺族給付について、下記の〈条件〉に基づき、次の①～③に答えなさい。〔計算過程〕を示し、〈答〉は円単位とすること。また、年金額の端数処理は、円未満を四捨五入すること。

なお、年金額および給付金の額は年額とし、2024年度価額に基づいて計算するものとする。

① 遺族基礎年金の年金額はいくらか。
② 遺族厚生年金の年金額（本来水準による価額）はいくらか。
③ 遺族年金生活者支援給付金の額（年額）はいくらか。

〈条件〉
(1) 厚生年金保険の被保険者期間
・総報酬制導入前の被保険者期間：＊＊＊月
・総報酬制導入後の被保険者期間：＊＊＊月
（注）要件を満たしている場合、みなし計算を適用すること。
(2) 平均標準報酬月額・平均標準報酬額（2024年度再評価率による額）
・総報酬制導入前の平均標準報酬月額：225,000円
・総報酬制導入後の平均標準報酬額　：356,000円
(3) 報酬比例部分の給付乗率

総報酬制導入前		総報酬制導入後	
新乗率	旧乗率	新乗率	旧乗率
1,000分の7.125	1,000分の7.5	1,000分の5.481	1,000分の5.769

(4) 中高齢寡婦加算額
612,000円（要件を満たしている場合のみ加算すること）

【第2問】 次の設例に基づいて、下記の各問（《問54》〜《問56》）に答えなさい。

───────────────────────────《設 例》───────────────────────────

　Aさん（47歳）は、将来に向けた資産形成のため、上場株式と外国債券へ投資する予定である。上場株式については、東京証券取引所に上場している同業種のX社およびY社に興味があり、下記の〈財務データ等〉を参考にして投資判断をしたいと考えている。外国債券については、米ドル建て債券に投資する予定である。

　そこで、Aさんは、ファイナンシャル・プランナーのMさんに相談することにした。

〈財務データ等〉　　　　　　　　　　　　　　　　　　（単位：百万円）

		X社	Y社
資　産　の　部　合　計		8,280,000	8,250,000
負　債　の　部　合　計		5,130,000	5,250,000
純　資　産　の　部　合　計		3,150,000	3,000,000
内訳	株　主　資　本　合　計	2,415,000	2,445,000
	その他の包括利益累計額合計	255,000	66,000
	新　株　予　約　権	—	—
	非　支　配　株　主　持　分	480,000	489,000
売　　　　　上　　　　　高		5,850,000	6,000,000
売　上　総　利　益		1,287,000	1,275,000
営　業　利　益		440,000	465,000
営　業　外　収　益		45,000	42,000
内訳	受　取　利　息	11,000	11,000
	受　取　配　当　金	9,000	12,000
	そ　　の　　他	25,000	19,000
営　業　外　費　用		73,000	96,000
内訳	支　払　利　息	23,000	19,000
	社　債　利　息	20,000	15,000
	そ　　の　　他	30,000	62,000
経　常　利　益		412,000	411,000
親会社株主に帰属する当期純利益		165,000	96,000
配　当　金　総　額		56,000	59,000
発　行　済　株　式　総　数		300百万株	200百万株
株　　　　　　　　　価		4,500円	8,000円

〈米ドル建債券の概要〉

・利率（年率）：4.0％（米ドルベース、年２回利払）

・残存期間：４年

・単価（額面100米ドル当たり）および適用為替レート（円／米ドル）

	単価	ＴＴＳ	ＴＴＭ	ＴＴＢ
購入時	94.90米ドル	147.00円	146.00円	145.00円
売却時	99.40米ドル	142.80円	141.80円	140.80円

※上記以外の条件は考慮せず、各問に従うこと。

《問54》《設例》の〈財務データ等〉に基づいて、Ｍさんが、Ａさんに対して説明した以下の文章の空欄①～④に入る最も適切な数値を、解答用紙に記入しなさい。なお、計算結果は表示単位の小数点以下第３位を四捨五入し、小数点以下第２位までを解答すること。また、問題の性質上、明らかにできない部分は「□□□」で示してある。

Ⅰ 「Ｘ社とＹ社の財務データについて比較すると、総資産経常利益率ではＸ社の値が（ ① ）％、Ｙ社の値が□□□％であり、Ｘ社とＹ社はほぼ同じ水準といえます。また、売上高経常利益率と総資産回転率の２指標に分解して比較すると、前者についてはＸ社の値が7.04％、Ｙ社の値が6.85％、後者についてはＸ社の値が□□□回、Ｙ社の値が（ ② ）回であり、Ｘ社は、総資産回転率ではＹ社を下回っているものの、売上高経常利益率ではＹ社を上回っていることがわかります」

Ⅱ 「Ｘ社とＹ社の株価について、ＰＥＲを比較すると、Ｘ社の値は（ ③ ）倍、Ｙ社の値は□□□倍であり、Ｘ社はＹ社よりも割安といえます。また、ＰＢＲ（非支配株主持分は考慮しない）を比較すると、Ｘ社の値は□□□倍、Ｙ社の値は（ ④ ）倍であり、Ｘ社はＹ社よりも割安といえます」

《問55》《設例》の〈財務データ等〉に基づいて、次の①および②に答えなさい。〔計算過程〕を示し、〈答〉は百万円単位とすること。また、変動費は売上原価に等しく、固定費は販売費及び一般管理費に等しいものとする。

① Ｘ社の当期の変動費率が変わらずに売上高が10％少なくなった場合の営業利益はいくらか。

② Ｘ社の損益分岐点売上高はいくらか。

《問56》《設例》の〈米ドル建債券の概要〉の条件で、為替予約を付けずに円貨を外貨に交換して当該債券を購入し、１年６カ月後に売却して、売却金額と３回分の利子をまとめて円貨に交換した場合における所有期間利回り（単利による年換算）を求めなさい。〔計算過程〕を示し、〈答〉は表示単位の小数点以下第３位を四捨五入し、小数点以下第２位までを解答すること。また、１年６カ月は1.5年として計算し、税金等は考慮しないものとする。

【第3問】 次の設例に基づいて、下記の各問（《問57》～《問59》）に答えなさい。

《設 例》

製造業を営むX株式会社（資本金30,000千円、青色申告法人、同族会社かつ非上場会社で株主はすべて個人、租税特別措置法上の中小企業者等に該当し、適用除外事業者ではない。以下、「X社」という）の2025年3月期（2024年4月1日～2025年3月31日。以下、「当期」という）における法人税の確定申告に係る資料は、以下のとおりである。

〈X社の当期における法人税の確定申告に係る資料〉

1．減価償却に関する事項

当期における減価償却費は、その全額について損金経理を行っている。このうち、機械装置の減価償却費は9,200千円であるが、その償却限度額は8,000千円であった。一方、器具備品の減価償却費は2,000千円であるが、その償却限度額は2,500千円であった。なお、前期からの繰越償却超過額が当該機械装置について1,000千円あり、当該器具備品について300千円ある。

2．交際費等に関する事項

当期における交際費等の金額は15,000千円で、全額を損金経理により支出している。このうち、参加者1人当たり10千円以下の飲食費が800千円含まれており、その飲食費を除いた接待飲食費に該当するものが11,000千円含まれている（いずれも得意先との会食によるもので、専ら社内の者同士で行うものは含まれておらず、所定の事項を記載した書類も保存されている）。その他のものは、すべて税法上の交際費等に該当する。

3．受取配当金に関する事項

当期において、上場会社であるY社から、X社が前々期から保有しているY社株式に係る配当金2,000千円（源泉所得税控除前）を受け取った。なお、Y社株式は非支配目的株式等に該当する。

4．中小企業者等における賃上げ促進税制に係る税額控除に関する事項

当期における中小企業者等における賃上げ促進税制（給与等の支給額が増加した場合の法人税額の特別控除）に係る控除対象雇用者給与等支給増加額は10,000千円である。適用を受けるための要件は満たしているが、上乗せ措置を受けるための要件までは満たしていない。

5．「法人税、住民税及び事業税」等に関する事項

(1) 損益計算書に表示されている「法人税、住民税及び事業税」は、預金の利子について源泉徴収された所得税額50千円・復興特別所得税額1,050円、受取配当金について源泉徴収された所得税額300千円・復興特別所得税額6,300円および当期確定申告分の見積納税額7,650千円の合計額8,007,350円である。なお、貸借対照表に表示されている「未払法人税等」の金額は7,650千円である。

(2) 当期中に「未払法人税等」を取り崩して納付した前期確定申告分の事業税（特別法人事業税を含む）は600千円である。

(3) 源泉徴収された所得税額および復興特別所得税額は、当期の法人税額から控除することを選択する。

(4) 中間申告および中間納税については、考慮しないものとする。

※上記以外の条件は考慮せず、各問に従うこと。

《問57》 《設例》のX社の当期の〈資料〉と下記の〈条件〉に基づき、同社に係る〈略式別表四（所得の金額の計算に関する明細書）〉の空欄①～⑦に入る最も適切な数値を、解答用紙に記入しなさい。なお、別表中の「＊＊＊」は、問題の性質上、伏せてある。

〈条件〉
・設例に示されている数値等以外の事項については考慮しないものとする。
・所得の金額の計算上、選択すべき複数の方法がある場合は、所得の金額が最も低くなる方法を選択すること。

〈略式別表四（所得の金額の計算に関する明細書）〉　　　　　　　（単位：円）

区　　分	総　額
当期利益の額	18,892,650
加算　損金経理をした納税充当金	（　①　）
減価償却の償却超過額	（　②　）
交際費等の損金不算入額	（　③　）
小　計	＊＊＊
減算　減価償却超過額の当期認容額	（　④　）
納税充当金から支出した事業税等の金額	600,000
受取配当等の益金不算入額	（　⑤　）
小　計	＊＊＊
仮　計	＊＊＊
法人税額から控除される所得税額（注）	（　⑥　）
合　計	＊＊＊
欠損金又は災害損失金等の当期控除額	0
所得金額又は欠損金額	（　⑦　）

（注）法人税額から控除される復興特別所得税額を含む。

《問58》　前問《問57》を踏まえ、X社が当期の確定申告により納付すべき法人税額を求めなさい。〔計算過程〕を示し、〈答〉は100円未満を切り捨てて円単位とすること。

〈資料〉普通法人における法人税の税率表

	課税所得金額の区分	税率 2024年4月1日以後開始事業年度
資本金または出資金100,000千円超の法人および一定の法人	所得金額	23.2%
その他の法人	年8,000千円以下の所得金額からなる部分の金額	15%
	年8,000千円超の所得金額からなる部分の金額	23.2%

《問59》 「給与等の支給額が増加した場合の法人税額の特別控除」（以下、「本制度」という）に関する以下の文章の空欄①〜⑧に入る最も適切な数値または語句を、解答用紙に記入しなさい。なお、本問においては、2024年4月1日から2025年3月31日までが事業年度である場合とする。

　「賃上げ促進税制は、一定の中小企業者等（以下、「中小企業」という）とそれ以外の法人（以下、「大企業」という）で異なる適用要件と税額控除が設けられていましたが、2024年度税制改正により、新たに大企業のうち青色申告書を提出する法人で常時使用する従業員の数が（　①　）人以下であるもの（一定のものを除く）を中堅企業として、その適用要件と税額控除が設けられるなどの本制度の拡充が行われています。

　大企業では、継続雇用者給与等支給額が前事業年度から3％以上増加した場合に、控除対象雇用者給与等支給増加額の（　②　）％を税額控除することができます。

　さらに、上乗せ措置として、継続雇用者給与等支給額が前事業年度から（　③　）％以上、5％以上および7％以上増加した場合には、それぞれ税額控除率に5％、（　②　）％および（　④　）％が加算されます。また、プラチナ（　⑤　）認定またはプラチナえるぼし認定を受けている場合には税額控除率に5％が加算されます。さらに、教育訓練費の額が前事業年度から（　②　）％以上増加し、かつ、教育訓練費が雇用者給与等支給額の（　⑥　）％以上である場合には、税額控除率に5％が加算されます。

　中堅企業では、大企業に比べて上乗せ措置が緩和されており、継続雇用者給与等支給額が前事業年度から（　③　）％以上増加した場合には、税額控除率に（　④　）％が加算されます。また、プラチナ（　⑤　）認定またはプラチナえるぼし認定もしくはえるぼし認定（3段階目）を受けている場合には税額控除率に5％が加算されます。なお、教育訓練費の増加については大企業と同様の取扱いとなります。

　中小企業では、雇用者給与等支給額が前事業年度から（　⑦　）％以上増加した場合に、控除対象雇用者給与等支給増加額の（　④　）％を税額控除することができます。さらに、上乗せ措置として、雇用者給与等支給額が前事業年度から2.5％以上増加した場合には、税額控除率に（　④　）％が加算されます。また、教育訓練費の額が前事業年度から5％以上増加し、かつ、教育訓練費が雇用者給与等支給額の（　⑥　）％以上である場合には、税額控除率に（　②　）％が加算されます。

　なお、税額控除することができる金額は、大企業、中堅企業および中小企業のいずれも、その事業年度の法人税額の（　⑧　）％相当額が控除限度額になりますが、一定の要件のもとで、控除限度額超過額は最長5年間の繰越控除が認められるようになりました。」

【第4問】 次の設例に基づいて、下記の各問（《問60》～《問62》）に答えなさい。

《設　例》

　Aさん（67歳）は、甲土地（Aさんが所有する賃貸アパートの敷地）および乙土地（Aさんが所有する居住用建物の敷地）を所有している。賃貸アパートおよび居住用家屋は、築後の年数が相当経過しているため、Aさんは、甲土地および乙土地の有効活用を検討している。

　そこで、Aさんは、ファイナンシャル・プランナーに相談することにした。

〈土地の概要〉

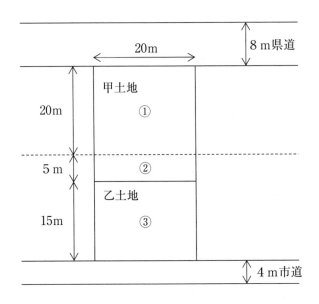

用途地域等

	①の部分	②の部分	③の部分
面　　　　積	400㎡	100㎡	300㎡
用　途　地　域	第一種住居地域	商業地域	商業地域
指　定　建　蔽　率	60%	80%	80%
指　定　容　積　率	300%	500%	500%
前面道路の幅員による容積率制限	$\frac{4}{10}$	$\frac{6}{10}$	$\frac{6}{10}$
防　火　規　制	準防火地域	準防火地域	準防火地域

（注）
- ・甲土地は500㎡の長方形の土地であり、第一種住居地域に属する部分は400㎡、商業地域に属する部分は100㎡である。
- ・乙土地は300㎡の長方形の土地である。
- ・指定建蔽率および指定容積率とは、それぞれ都市計画において定められた数値である。
- ・特定行政庁が都道府県都市計画審議会の議を経て指定する区域ではない。

※上記以外の条件は考慮せず、各問に従うこと。

《問60》　不動産の取得および保有に係る税金等に関する以下の文章の空欄①〜⑥に入る最も適切な語句または数値を、解答用紙に記入しなさい。なお、文章中の「□□□」は、問題の性質上、伏せてある。

Ⅰ　「賃貸アパートを取り壊して更地にし、駐車場として貸し出せば、安定した駐車場収入を得ることができ、管理のわずらわしさも減少する。また、更地であれば資産処分や遺産分割が比較的容易にできるというメリットがある。一方、更地にした場合、固定資産税は、住居1戸当たり（　①　）㎡までの小規模住宅用地について、課税標準となるべき価格を6分の1とする特例の適用を受けられなくなる。また、賃貸アパートの敷地は、相続税法上、（　②　）として評価されるが、駐車場の敷地は、自用地等として評価される。土地の有効活用は、物件の収益性だけでなく、Ａさんの相続等を含めて総合的に判断する必要がある」

Ⅱ　「不動産取得税は、不動産の取得者に課される税金である。仮に、Ａさんが、甲土地の賃貸アパートを撤去し、耐火建築物の賃貸マンション（認定長期優良住宅ではない）を建築した場合、居住の用に供するために独立的に区画された部分の床面積が40㎡以上240㎡以下であれば、課税標準の算定にあたり1戸につき（　③　）万円を住宅の価格から控除することができる」

Ⅲ　「新たに賃貸マンションを建築する場合、固定資産税の特例も利用できる可能性がある。新しく建築したマンションの専有部分の床面積の2分の1以上が居住用に供され、一定の床面積要件を満たすと、（　④　）㎡までの部分の固定資産税が2分の1に減額される。新築したマンションが認定長期優良住宅でない場合、この減額措置は（　⑤　）年間適用されるが、地上（　⑥　）階建て以上の中高層耐火住宅の場合は□□□年間に延長される」

《問61》　土地の有効活用の検討にあたり、次の①および②に答えなさい（計算過程の記載は不要）。〈答〉は㎡表示とすること。なお、記載された事項以外は考慮しないものとする。

①　甲土地上の賃貸アパートを撤去し、新たに耐火建築物を建築する場合、建蔽率の上限となる建築面積はいくらか。
②　甲土地上の賃貸アパートおよび乙土地上の居住用建物を撤去し、甲土地と乙土地を一体として耐火建築物を建築する場合、容積率の上限となる延べ面積はいくらか。

《問62》 Ａさんが、以下の〈条件〉で乙土地および乙土地上の居住用建物を譲渡し、近隣に所在する土地および居住用家屋を取得した場合、次の①〜③に答えなさい。〔計算過程〕を示し、〈答〉は100円未満を切り捨てて円単位とすること。なお、本問の譲渡所得以外の所得や所得控除等は考慮しないものとする。

① 「特定の居住用財産の買換えの場合の長期譲渡所得の課税の特例」の適用を受けた場合の課税長期譲渡所得の金額はいくらか。
② ①の課税長期譲渡所得の金額に係る所得税額および復興特別所得税額の合計額はいくらか。
③ ①の課税長期譲渡所得の金額に係る住民税額はいくらか。

〈条件〉

〈譲渡資産〉
・譲渡資産の譲渡価額：7,000万円
・譲渡資産の取得費　：不明
・譲渡費用　　　　　：250万円
〈買換資産〉
・買換資産の取得価額：5,600万円

【第5問】 次の設例に基づいて、下記の各問（《問63》～《問65》）に答えなさい。

――――――――――《設　例》――――――――――

　非上場会社のＸ株式会社（以下、「Ｘ社」という）の代表取締役社長であるＡさん（68歳）の推定相続人は、妻Ｂさん（66歳）、長男Ｃさん（41歳）、長女Ｄさん（36歳）の３人である。Ａさんは、長男Ｃさんに事業を承継したいと考えている。

　Ａさんは、所有財産のうち、長男Ｃさんにｘ社株式を承継し、妻Ｂさんに自宅と相応の金融資産を相続させたいと考えている。また、長女Ｄさんには住宅取得等資金の援助をする予定である。

　Ｘ社に関する資料は、以下のとおりである。

〈Ｘ社の概要〉

(1)　業種　生活関連サービス業（従業員数30名）

(2)　資本金等の額　3,000万円（発行済株式総数60,000株、すべて普通株式で１株につき１個の議決権を有している）

(3)　株主構成

株主	Ａさんとの関係	所有株式数
Ａさん	本人	54,000株
Ｂさん	妻	3,000株
Ｃさん	長男	3,000株

(4)　株式の譲渡制限　あり

(5)　Ｘ社株式の評価（相続税評価額）に関する資料

・Ｘ社の財産評価基本通達上の規模区分は「中会社の中」である。

・Ｘ社は、特定の評価会社には該当しない。

・比準要素の状況

比準要素	Ｘ社	類似業種
１株（50円）当たりの年配当金額	□□□円	6.7円
１株（50円）当たりの年利益金額	□□□円	16円
１株（50円）当たりの簿価純資産価額	250円	225円

※すべて１株当たりの資本金等の額を50円とした場合の金額である。

※「□□□」は、問題の性質上、伏せてある。

・類似業種の１株（50円）当たりの株価の状況

課税時期の属する月の平均株価	362円
課税時期の属する月の前月の平均株価	387円
課税時期の属する月の前々月の平均株価	383円
課税時期の前年の平均株価	330円
課税時期の前々年の平均株価	219円
課税時期の属する月以前２年間の平均株価	322円

(6) X社の過去3年間の決算（売上高・所得金額・配当金額）の状況

・電子回路製造業（小分類）

事業年度	売上高	所得金額（注1）	配当金額
直前期	16,200万円	1,200万円	380万円（注2）
直前々期	16,000万円	1,000万円	260万円
直前々期の前期	15,700万円	1,400万円	300万円

（注1）所得金額は、非経常的な利益金額等の調整後の金額である。
（注2）直前期の配当金額（380万円）には記念配当20万円が含まれている。

(7) X社の資産・負債の状況
　　直前期のX社の資産・負債の相続税評価額と帳簿価額は、次のとおりである。

科目	相続税評価額	帳簿価額	科目	相続税評価額	帳簿価額
流動資産	46,300万円	46,300万円	流動負債	24,100万円	24,100万円
固定資産	21,400万円	20,200万円	固定負債	27,400万円	27,400万円
合　計	67,700万円	66,500万円	合　計	51,500万円	51,500万円

※上記以外の条件は考慮せず、各問に従うこと。

《問63》 《設例》の〈X社の概要〉に基づき、X社株式の1株当たりの類似業種比準価額を求めなさい。〔計算過程〕を示し、〈答〉は円単位とすること。また、端数処理については、1株当たりの資本金等の額を50円とした場合の株数で除した年配当金額は10銭未満を切り捨て、1株当たりの資本金等の額を50円とした場合の株数で除した年利益金額は円未満を切り捨て、各要素別比準割合および比準割合は小数点第2位未満を切り捨て、1株当たりの資本金等の額50円当たりの類似業種比準価額は10銭未満を切り捨て、X社株式の1株当たりの類似業種比準価額は円未満を切り捨てること。

　　なお、X社株式の類似業種比準価額の算定にあたり、複数の方法がある場合は、最も低い価額となる方法を選択するものとする。

《問64》 《設例》の〈X社の概要〉に基づき、X社株式の1株当たりの①純資産価額および②類似業種比準方式と純資産価額方式の併用方式による価額を、それぞれ求めなさい（計算過程の記載は不要）。〈答〉は円未満を切り捨てて円単位とすること。

　　なお、X社株式の相続税評価額の算定にあたり、複数の方法がある場合は、最も低い価額となる方法を選択するものとする。

《問65》 Ａさんの相続等に関する以下の文章の空欄①～⑥に入る最も適切な語句または数値を、解答用紙に記入しなさい。

〈遺留分の額〉

Ⅰ 「Ａさんが遺言により、相続財産の大半を妻Ｂさんおよび長男Ｃさんに相続させた場合、長女Ｄさんの遺留分を侵害する可能性があります。仮に、遺留分を算定するための財産の価額が5億円である場合、長女Ｄさんの遺留分の額は（ ① ）万円となります」

〈遺留分に関する民法の特例（以下、「本特例」という）〉

Ⅱ 「Ａさんが長男ＣさんにＸ社株式を贈与する際に、本特例の適用を受けることにより、Ａさんの相続開始時において、Ｘ社株式の価額を、遺留分を算定するための財産の価額に算入しないこと（（ ② ）合意）、または遺留分を算定するための財産の価額に算入すべき価額を合意時における価額とすること（（ ③ ）合意）ができます。ただし、長男Ｃさんが所有するＸ社株式のうち、（ ② ）合意または（ ③ ）合意の対象とするＸ社株式を除いた残りのＸ社株式の議決権の数がＸ社株式のすべての議決権の数の50％を超える場合は、（ ② ）合意または（ ③ ）合意をすることはできません。

　本特例の適用を受けるにあたっては、妻Ｂさん、長男Ｃさんおよび長女Ｄさんが書面によって合意し、（ ④ ）の確認を受けたうえで、家庭裁判所の許可を受ける必要があります」

〈非上場株式等についての相続税の納税猶予及び免除の特例（特例措置）〉

Ⅲ 「Ａさんの相続が開始した際に、取得した株式について、『非上場株式等についての相続税の納税猶予及び免除の特例』（特例措置）の適用を受ける場合には、（ ⑤ ）を策定して2026年3月31日までに（ ⑥ ）に提出し、その確認を受ける必要があります。また、現時点においてＡさんの相続が開始した場合、相続開始後に（ ⑤ ）を提出することも可能です」

| FP | 1級 | 学科 |

2025年　1月
ファイナンシャル・プランニング技能検定対策

第2予想
1級　学科試験
〈基礎編〉

試験時間 ◆ 150分

★ 注　意 ★

1. 本試験の出題形式は、四答択一式 50問です。

2. 筆記用具、計算機（プログラム電卓等を除く）の持込みが認められています。

3. 試験問題については、特に指示のない限り、2024年10月1日現在施行の法令等に基づいて解答してください。

TAC出版
TAC PUBLISHING Group

次の各問（《問1》〜《問50》）について答を1つ選び、その番号を解答用紙にマークしなさい。

《問1》 ファイナンシャル・プランニングを業として行ううえでの関連法規に関する次の記述のうち、最も適切なものはどれか。なお、本問における独占業務とは、当該資格を有している者のみが行うことができる業務であるものとし、各関連法規において別段の定めがある場合等は考慮しないものとする。

1）不動産の鑑定評価に関する法律により、他人の求めに応じて報酬を得て業として行う「不動産の鑑定評価」は、司法書士の独占業務である。

2）税理士法により、他人の求めに応じて業として行う「税務代理」「税務書類の作成」は、有償・無償を問わず、税理士の独占業務であるが、「税務相談」は、税理士の独占業務ではない。

3）社会保険労務士法により、他人の求めに応じて報酬を得て業として行う事務であって、労働社会保険諸法令に基づく「申請書等の作成、その提出に関する手続きの代行」「申請等の代理」は、社会保険労務士の独占業務であるが、「年金受給額の試算」は、社会保険労務士の独占業務でない。

4）土地家屋調査士法により、不動産の表示に関する登記について、他人の依頼を受けて業として行う「必要な土地または家屋に関する調査または測量」「登記の申請手続きまたはこれに関する審査請求の手続きについての代理」「筆界特定の手続きについての代理」は、土地家屋調査士の独占業務である。

《問2》 雇用保険マルチジョブホルダー制度に関する次の記述のうち、適切なものはどれか。

1）65歳以上の労働者が2つの事業所に勤務しており、所定労働時間を合計すると週20時間以上となる場合で、それぞれの事業所において31日以上の雇用見込みがあれば必ず加入しなければならない。

2）マルチ高年齢被保険者の所定労働時間が週20時間以上に契約上で変更される場合は、ハローワークにマルチ喪失届を提出しなければならない。通常の高年齢被保険者となるため、事業主はハローワークへ雇用保険被保険者資格取得届を提出することになる。

3）マルチ高年齢被保険者であった者が失業した場合、一定の要件を満たせば、高年齢求職者給付金を一時金で受給することができる。被保険者期間に応じて基本手当日額の50日分または100日分である。

4）高年齢求職者給付金の他に、育児休業給付・介護休業給付・教育訓練給付等も対象である。介護休業給付及び育児休業給付の受給要件として、介護休業または育児休業を開始した日前1年間に被保険者期間が6ヵ月以上あること等が要件である。

《問3》 厚生年金保険および健康保険の被保険者に関する次の記述のうち、最も適切なものはどれか。なお、いずれも特定適用事業所に勤務し、学生ではなく、1週間の所定労働時間および1カ月間の所定労働日数が同一の事業所に勤務する通常の労働者の4分の3未満であるものとする。また、賃金の月額には賞与、残業代、通勤手当等は含まれないものとし、雇用期間の更新はないものとする。

	1週間の所定労働時間	賃金の月額	雇用期間
Aさん（30歳）	15時間	9万円	1年
Bさん（40歳）	20時間	12万円	6カ月
Cさん（50歳）	25時間	15万円	3カ月

1) Aさん、Bさんは、いずれも厚生年金保険および健康保険の被保険者となる。
2) Bさん、Cさんは、いずれも厚生年金保険および健康保険の被保険者となる。
3) Aさん、Cさんは、いずれも厚生年金保険および健康保険の被保険者となる。
4) Aさん、Bさん、Cさんは、いずれも厚生年金保険および健康保険の被保険者となる。

《問4》 公的年金の各種加算に関する次の記述のうち、最も不適切なものはどれか。
1) 障害等級2級の障害厚生年金の受給権発生当時に配偶者を有しなかった者が、その後、婚姻により所定の要件を満たす配偶者を有することとなった場合でも、当該受給権者の障害厚生年金に加給年金額は加算されない。
2) 中高齢寡婦加算が加算された遺族厚生年金の受給権者が65歳に達した場合、中高齢寡婦加算の支給は打ち切られるが、その者が1956年4月1日以前に生まれた者であるときは、遺族厚生年金に経過的寡婦加算が加算される。
3) 夫が受給している老齢厚生年金の加給年金対象者である妻が老齢基礎年金の支給を繰り上げた場合でも、夫の老齢厚生年金に加算されていた加給年金額は打ち切られない。
4) 振替加算が加算された老齢基礎年金を受給している妻が夫と離婚した場合でも、妻の老齢基礎年金に加算されていた振替加算の支給は打ち切られない。

《問5》 Aさん（女性。1961年9月11日生まれ）が63歳到達月に老齢基礎年金の繰上げ支給の請求を行った場合、その年金額の合計額として、次のうち最も適切なものはどれか。なお、Aさんは、厚生年金保険に加入したことはなく、繰上げ支給を受けなかった場合、下記の〈Aさんに対する老齢給付の額〉の年金額を受給できるものとする。また、記載のない事項については考慮しないものとする。

〈Aさんに対する老齢給付の額〉
・65歳時の老齢基礎年金の額
　81万6,000円
・65歳時の振替加算の額
　1万5,323円
・65歳時の付加年金の額
　3万6,000円

1) 74万9,760円

2）75万4,080円

3）　77万208円

4）77万3,664円

《問6》　障害厚生年金および障害手当金、障害補償給付に関する次の記述のうち、最も適切なものはどれか。

1）厚生年金保険の被保険者期間中に初診日のある傷病によって、障害認定日に厚生年金保険の障害等級1級から7級までのいずれかに該当する程度の障害の状態にあった場合、保険料納付要件を満たしている者は障害厚生年金を請求することができる。

2）業務災害により労働者災害補償保険法における障害等級1級の障害補償年金の受給権を取得し、かつ、公的年金制度における障害等級1級の障害厚生年金および障害基礎年金の受給権を取得している場合、障害補償年金の年金額を算出するにあたり、給付基礎日額の277日分に「労災保険と公的年金を併給する調整率」を考慮する必要がある。

3）初診日において保険料納付要件を満たした被保険者であって、障害認定日において障害等級1級から3級までのいずれかに該当する程度の障害の状態になかった者が、同日後65歳に達する日の前日までに、その傷病により障害等級1級から3級までのいずれかに該当する程度の障害の状態になった場合は、65歳に達する日の前日までに障害厚生年金の支給を請求することができる。

4）厚生年金保険の被保険者期間中に初診日のある傷病が初診日から5年以内に治り、治った日に障害厚生年金を受け取ることができる障害の程度より軽度の障害の状態にあり、保険料納付要件等を満たしている者は、障害手当金を請求することができる。当該障害について労働者災害補償保険の障害補償給付等が受けられる場合、障害手当金も同時に受給できる。

《問7》　2024年4月に契約する住宅金融支援機構のフラット35に関する次の記述のうち、最も適切なものはどれか。

1）フラット35（子育てプラス）は、借入申込日の属する年度の4月1日において18歳未満である子どもがいる場合に、子1人につき1ポイントが加算される。対象者は申込人の実子、養子、継子および孫（申込人との同居が必要）をいい、胎児を含まない。

2）フラット35（子育てプラス）は、借入申込時点で法律婚・同性パートナーおよび事実婚の関係にある夫婦であり、夫婦のいずれかが借入申込日の属する年度の4月1日時点で40歳未満である場合に、1ポイントが加算される。子がいる場合は、子1人につき1ポイント加算と若年夫婦世帯の1ポイント加算は併用される。

3）子3人の子育て世帯において、フラット35地域連携型（子育て支援）が利用できるエリアにZEH住宅で長期優良住宅を取得する場合、フラット35（子育てプラス）で3ポイント、フラット35S（ZEH）で3ポイント、フラット35維持保全型で1ポイント、フラット35地域連携型（子育て支援）で2ポイント、計9ポイントが与えられる。金利は、当初10年間は年1％引下げとなり、11～15年目は年0.25％の引下げになる。

4）孫と同居予定で申し込んだが、事情が変わって同居できなくなった場合はフラット35（子育てプラス）を利用できなくなるため、融資実行後に同居できないことがわかった場合は、分かった時点で速やかに通知すれば良く、金銭消費貸借契約の再締結により適用金利の変更に伴う差額を精算する必要はない。

《問8》 2022年10月1日施行「育児・介護休業法」の改正事項に関する次の記述のうち、最も不適切なものはどれか。

1) 育児休業については分割して2回まで取得が可能になり、出生時育児休業と合計すると1歳までの間に最大4回まで育児休業を取得することが可能になった。

2) 1歳以降に育児休業を延長した場合、1歳6ヵ月および2歳までの間に育児休業を柔軟に開始できるようになったため、夫婦で育児休業を途中交代できるようになった。

3) 出生時育児休業期間が28日間あるうち、15日間（1日8時間）就業した場合、全期間を通じて出生時育児休業給付金が支給される。

4) 労使協定を締結している場合に限って、労働者の合意の下、出生時育児休業中に就業することが可能である。所定労働時間が1日8時間・1週間の所定労働日が5日の労働者が2週間休業する場合は、就業日数は5日以内・就業時間は40時間以内として、休業開始日および終了予定日の就業は8時間未満にしなければならない。

《問9》 事業活動に係る各種損害保険の一般的な商品性に関する次の記述のうち、不適切なものはいくつあるか。

(a) 建設工事保険に加入することにより、住宅等の建物の建築工事において、工事期間中における火災、爆発、落雷等の不測かつ突発的な事故によって、建築中の建物、足場または工事用機械などについて生じる損害に備えることができる。

(b) 個人情報漏洩保険は、外部からの不正アクセスにより顧客の個人情報が外部に漏えいした場合に発生する損害賠償金の支払いおよびそれらに対応する費用を補償するが、従業員が個人情報を持ち出したことに起因する損害賠償金の支払いは補償されない。

(c) 請負業者賠償責任保険は、マンションの改修工事の完了後、工事結果の不良のために住民が転倒し、ケガをしたケースのように、工事の結果によって法律上の損害賠償責任を負った場合に補償の対象とならない。

1) 1つ
2) 2つ
3) 3つ
4) 0（なし）

《問10》 地震保険に関する次の記述のうち、最も適切なものはどれか。

1) 建物を対象とする地震保険は、建物の主要構造部の損害状況に限らず、門・塀・給排水設備等が単独で損害を受けた場合でも、保険金は支払われる。

2) 地震を原因とする地盤液状化により、木造建物が傾斜した場合、傾斜の角度の大きさにより一定の損害が認定されたときに限り、保険金が支払われる。

3) 火災保険の保険期間が5年である場合、付帯して契約する地震保険は1年の自動継続または保険期間を5年とする長期契約にしなければならないが、5年間の地震保険の保険料を一括払いした場合は、所定の割引率が適用される。

4) 地震保険の保険料の割引制度には、「建築年割引」「耐震等級割引」「免震建築物割引」「耐震診断割引」があり、割引率は「建築年割引」の50％が最大である。

《問11》 10年保証期間付終身年金（定額型）に加入していたＡさんは、妻Ｂさんが65歳に達した2024年中に年額90万円の年金受取りが開始した。Ａさんが受け取った年金に係る雑所得の金額として、次のうち最も適切なものはどれか。なお、配当金や他の所得については考慮しないものとし、計算過程における小数点以下第３位を切り上げること。

契約者（＝保険料負担者）	：Ａさん（加入時48歳）
被保険者	：妻Ｂさん（加入時45歳）
年金受取人	：Ａさん
既払込正味保険料総額	：960万円
年金支払開始日における被保険者の余命年数：18年（所得税法施行令第82条の３）	

1）360,000円
2）369,000円
3）370,000円
4）372,000円

《問12》 保険契約者保護機構に関する次の記述のうち、最も不適切なものはどれか。

1）損害保険契約者保護機構による補償の対象となる損害保険契約のうち、法人が締結した任意加入の自動車保険については、損害保険会社破綻後３カ月以内に保険事故が発生した場合、支払われるべき保険金の全額が補償される。

2）損害保険契約者保護機構による補償の対象となる損害保険契約のうち、個人が締結した火災保険については、損害保険会社破綻時、責任準備金等の90％まで補償される。

3）年金原資が保証されている変額個人年金保険については、生命保険契約者保護機構による補償の対象となる生命保険契約である場合、高予定利率契約を除き、生命保険会社破綻時、責任準備金等の90％まで補償される。

4）生命保険会社が破綻した場合、更生計画が認可決定されて保険契約が移転されるまでの間、当該保険契約の解約や保険金額の減額、契約者貸付の利用などの手続きが停止されたときでも、契約者（＝保険料負担者）の保険料支払義務は免除されない。

《問13》 信用保証協会の信用保証制度に関する次の記述のうち、最も適切なものはどれか。

1）経営安定関連保証（セーフティネット保証制度）は、災害や取引金融機関の破綻など中小企業信用保険法に規定された６つの事由により経営の安定に支障を生じている中小企業者が一定の要件を満たした場合、信用保証協会を通じて一般保証限度額の別枠として同額までの保証を行う制度である。

2）スタートアップ創出促進保証制度とは、創業関連保証の保証料率（各信用保証協会所定）に0.2％上乗せすることで、金融機関から融資を受ける際に経営者が会社の連帯保証人となる必要がない制度であり、保証限度額は２億８千万円である。

3）借換保証制度とは、複数の借入口があって毎月の返済負担が大きい場合に、複数の借入金を１本にまとめて長期で返済することにより、毎月の返済額を軽減するための制度であるが、借り換えの際に、新たな資金を上乗せして融資を受けることはできない。

4）事業承継特別保証は、事業承継の際に経営者保証を不要とし、また経営者保証ありの既存借入

金についても借り換えすることにより経営者保証を不要にできる制度である。

《問14》 「災害被害者に対する租税の減免、徴収猶予等に関する法律」（以下、「災害減免法」という）による所得税額の軽減または免除に関する次の記述のうち、最も適切なものはどれか。なお、各選択肢において、保険金等により補てんされる金額はなく、雑損控除の適用は受けないものとし、ほかに必要とされる要件等はすべて満たしているものとする。

1）災害によって自己の所有に係る住宅や家財について生じた損害金額がその時価の2分の1であり、かつ、被害を受けた年分の合計所得金額が2,000万円である場合、災害減免法の適用を受けることができる。

2）災害によって自己の所有に係る住宅や家財について生じた損害金額がその時価の2分の1であり、かつ、被害を受けた年分の合計所得金額が1,000万円である場合は、災害減免法の適用を受けることにより、当該年分の所得税額の2分の1相当額が軽減される。

3）災害によって自己の所有に係る住宅や家財について生じた損害金額がその時価の3分の1であり、かつ、被害を受けた年分の合計所得金額が600万円である場合は、災害減免法の適用を受けることはできない。

4）災害によって自己の所有に係る住宅や家財について生じた損害金額がその時価の4分の1であり、かつ、被害を受けた年分の合計所得金額が700万円である場合、災害減免法の適用を受けることができる。

《問15》 X株式会社（以下、「X社」という）の工場建物が火災により全焼し、後日、X社は、契約している損害保険会社から保険金を受け取り、その事業年度中に受け取った保険金によって工場建物を新築した。下記の〈資料〉を基に、保険金で取得した固定資産の圧縮記帳をする場合の圧縮限度額として、次のうち最も適切なものはどれか。なお、各損害保険の契約者（＝保険料負担者）・被保険者・保険金受取人は、いずれもX社とする。また、記載のない事項については考慮しないものとする。

〈資料〉
・滅失した工場建物の帳簿価額 ：6,000万円
・工場建物の滅失によりX社が支出した経費
　　焼跡の整理費（片づけ費用） ： 500万円
　　けが人への見舞金 ： 700万円
・損害保険会社から受け取った保険金
　　火災保険（保険の対象：工場建物）の保険金 ：8,000万円
　　企業費用・利益総合保険の保険金 ：3,000万円
・新築した代替建物（工場建物）の取得価額 ：7,600万円

1）1,500万円
2）1,520万円
3）2,000万円
4）2,020万円

《問16》　日本銀行が実施している金融政策および金融調節に関する次の記述のうち、2024年7月現在の「金融政策の枠組みの見直しについて」に照らし、最も不適切なものはどれか。

1）金融政策の運営方針である金融市場調節方針は、日本銀行政策委員会の金融政策決定会合において、政策委員による多数決によって決定される。

2）日本銀行は、2％の「物価安定の目標」のもとで、その持続的・安定的な実現という観点から、経済・物価・金融情勢に応じて適切に金融政策を運営していくこととしている。

3）無担保コールレート（オーバーナイト物）を、1％程度で推移するよう促すこととしている。

4）長期国債買入れの減額について、月間の長期国債の買入れ予定額を、原則として毎四半期4,000億円程度ずつ減額し、2026年1〜3月に3兆円程度とする計画を決定している。

《問17》　ＥＴＦ（上場投資信託）に関する次の記述のうち、最も不適切なものはどれか。

1）ダブルインバース型ＥＴＦは、変動率が原指標の変動率のマイナス2倍となるように設定された指標に連動する運用成果を目指して運用され、その変動率は原指標の変動率よりも大きくなる。

2）ＥＴＦの売買における受渡決済は、上場株式の普通取引と同様に、原則として売買成立日から起算して3営業日目に行われる。

3）アクティブ運用型ＥＴＦは、株価指数など特定の指標に連動した投資成果を目指す指標連動型ＥＴＦと異なり、連動対象となる指標が存在しないＥＴＦをいう。

4）エンハンスト型ＥＴＦは、日経225やＴＯＰＩＸなど、あらかじめ定めた目標とするベンチマークに連動した運用成果を目指して運用される。

《問18》　各種債券の一般的な商品性に関する次の記述のうち、最も適切なものはどれか。

1）ストリップス債は、変動利付債の元本部分と利子部分を分離し、元本部分は利付債の償還日を満期とする割引債、利子部分はそれぞれの支払期日を満期とする割引債として販売される債券である。

2）個人向け国債の適用利率は、個人向け国債の種類ごとに計算された基準金利に応じて決定されるが、いずれの種類も年率0.5％が下限とされる。

3）他社株転換可能債（ＥＢ債）は、満期償還前の判定日に債券の発行者とは異なる別の会社の株式（対象株式）の株価が発行時に決められた価格を上回ると、額面金額の金銭で償還される債券であり、投資家が償還方法を任意に選択することはできない。

4）一般に、払込みと利払いが円貨で行われ、償還が米ドル等の外貨で行われる債券はリバース・デュアルカレンシー債と呼ばれ、払込みと償還が円貨で行われ、利払いが米ドル等の外貨で行われる債券はデュアルカレンシー債と呼ばれる。

《問19》　株式累積投資および株式ミニ投資に関する次の記述のうち、最も不適切なものはどれか。

1）株式累積投資は、一般に、毎月1万円以上100万円未満で設定した一定の金額（1,000円単位）で同一銘柄の株式を継続的に買い付ける投資方法である。

2）株式累積投資を利用して株式を買い付けた場合、当該株式が単元株数に達していなくても、配当金は配分される。

3）株式ミニ投資は、一般に、株式を、単元株数の100分の1の整数倍で、かつ、単元株数に満たない株数で買い付けることができる投資方法である。

4）株式ミニ投資は、通常の株式取引と異なり、指値による注文ができない。

《問20》 株価指数等に関する次の記述のうち、最も不適切なものはどれか。

1）ＴＯＰＩＸ（東証株価指数）については、キャップ調整に係るウエイト基準日における浮動株時価総額ウエイトが上限を超える銘柄は、ウエイトを調整するためのフロア調整係数が設定される。

2）日経平均株価は、構成銘柄の株価を株価換算係数で調整した合計金額を除数で割って算出した時価総額加重型の株価指標であり、株式分割や構成銘柄の入替え等があった場合、除数の値を修正することで連続性・継続性を維持している。

3）東証ＲＥＩＴ指数は、東京証券取引所に上場しているＲＥＩＴ全銘柄を対象としており、インフラファンドは対象外である。

4）ＪＰＸ日経インデックス400は、東京証券取引所のプライム市場、スタンダード市場およびグロース市場に上場する内国普通株式銘柄のうち、時価総額、売買代金、ＲＯＥ等を基に選定された400銘柄を対象とし、基準値を10,000とした時価総額加重型の株価指数である。

《問21》 株式の信用取引に関する次の記述のうち、最も不適切なものはどれか。

1）制度信用取引では国内上場株式のうち、取引所が選定した制度信用銘柄が対象となるのに対し、一般信用取引では上場銘柄のうち、各証券会社が独自に選定した銘柄が対象となる。

2）制度信用取引において、顧客が預託する委託保証金は、金銭のほか、国債、上場株式、ＥＴＦ（上場投資信託）などの有価証券で代用することが認められている。

3）一般信用取引を行う場合、貸借銘柄については逆日歩が発生することがあるが、制度信用取引を行う場合、逆日歩が発生することはない。

4）委託保証金率が30％である場合に、60万円の委託保証金を金銭で差し入れているときは、約定金額200万円まで新規建てすることができる。

《問22》 個人（居住者）が購入等する外貨建金融商品の課税関係に関する次の記述のうち、最も不適切なものはどれか。

1）国内のＸ銀行に預け入れた米ドル建ての定期預金が満期となり、満期日にその元本部分を国内のＹ銀行に米ドルのまま預け入れた場合、Ｘ銀行の当該定期預金の元本部分について、満期日においてＸ銀行が公表する対顧客直物電信買相場（ＴＴＢ）により邦貨換算し、為替差益が発生したとしても課税されない。

2）国内の地方銀行に預け入れた米ドル建ての定期預金の利子は、利子所得として源泉分離課税の対象となり、為替予約のない場合、満期時に生じた為替差益も源泉分離課税の対象となる。

3）国内の証券会社を通じて交付を受ける外国利付債券（国外特定公社債）の利子は、申告分離課税の対象となるが、確定申告不要制度を選択することもできる。

4）国内の証券会社を通じて交付を受ける上場外国株式の配当については、国内株式と同様に、確定申告不要制度を選択することができる。

《問23》 期待利子率が3.5％、期待成長率が1.63％、1株当たりの予想配当が15円の場合、定率で配当が成長して支払われる配当割引モデルにより計算した当該株式の内在価値（理論株価）として、次のうち最も適切なものはどれか。なお、計算結果は表示単位の小数点以下第3位を四捨五入すること。

1）292.40円

2）428.57円

3) 802.14円

4) 920.24円

《問24》 「偽造カード等及び盗難カード等を用いて行われる不正な機械式預貯金払戻し等からの預貯金者の保護等に関する法律」（預金者保護法）に関する次の記述のうち、不適切なものはいくつあるか。なお、金融機関に過失はないものとし、ほかに必要とされる要件等はすべて満たしているものとする。

(a) 盗取されたキャッシュカードによる預金等の不正払戻しについては、顧客が他人に暗証番号を知らせた場合やキャッシュカード上に暗証番号を書き記していた場合など、顧客に重大な過失が認められる場合は、被害額は補償されない。

(b) 盗取されたキャッシュカードによる預金等の不正払戻しについて、補償の対象となる被害額は、やむを得ない特別の事情がある場合を除き、金融機関に対して盗取された旨の通知があった日から60日前の日以降において行われた不正払戻しの額とされる。

(c) 偽造されたキャッシュカードによる預金等の不正払戻しについては、金融機関から生年月日等の他人に類推されやすい暗証番号を別の番号に変更するように複数回にわたる働きかけが行われたにもかかわらず、引き続き、生年月日等を暗証番号にしていた場合でも、被害額の全額が補償の対象となる。

1) 1つ

2) 2つ

3) 3つ

4) 0（なし）

《問25》 居住者に係る所得税の退職所得に関する次の記述のうち、最も適切なものはどれか。

1) 国家公務員または地方公務員が勤続年数5年以下で退職し退職手当を受け取った場合、当該職員が特定の役職であるときに限り、特定役員退職手当等として退職所得の金額を計算する。

2) 被保険者を役員とする法人契約の終身保険を、当該役員の退職にあたり、契約者を役員に変更して退職金として支給した場合、その支給時までの既払込保険料相当額が退職所得の収入金額となる。

3) 確定拠出年金の老齢給付金を一時金として一括で受け取った場合、その全額が退職所得の収入金額となる。

4) 退職金の支払いを受ける時までに「退職所得の受給に関する申告書」を支払者に提出しなかった場合、退職手当等の金額から退職所得控除額を控除した残額に20.315％の税率を乗じて計算した金額に相当する税額が源泉徴収される。

《問26》 居住者に係る所得税の雑損控除に関する次の記述のうち、最も不適切なものはどれか。

1) 会社員である納税者が、所有する生活に通常必要な資産について盗難によって一定額以上の損失が生じた場合、確定申告をすることにより、雑損控除の適用を受けることができる。

2) 個人事業主である納税者が、所有する事業用固定資産について災害によって一定額以上の損失が生じた場合、確定申告をすることによっても、雑損控除の適用を受けることはできない。

3) 雑損控除の控除額は、災害関連支出がない場合、損害金額（保険金等により補填される金額を除く）からその年分の総所得金額等の合計額の10％相当額を控除して計算される。

4）雑損控除としてその年分の総所得金額等から控除しきれなかったことによる雑損失の金額は、青色申告者に限り、翌年以後最長で3年間繰り越して、翌年以後の総所得金額等から控除することができる。

《問27》 居住者に係る所得税の寡婦控除およびひとり親控除に関する次の記述のうち、最も適切なものはどれか。なお、各選択肢において、居住者と事実上婚姻関係と同様の事情にあると認められる一定の者はおらず、子は他者の同一生計配偶者や扶養親族ではないものとする。

1）夫と離婚後に婚姻していない合計所得金額が500万円以下の者が、老人扶養親族を有していても、生計を一にする総所得金額等が48万円以下の子を有していない場合、寡婦控除の適用を受けることはできない。

2）夫と死別後に婚姻していない合計所得金額が500万円以下の者が、生計を一にする総所得金額等が48万円以下の子を有している場合でも、寡婦控除とひとり親控除の両方の適用を受けることはできない。

3）年の中途に夫と死別した者は、その年分においてひとり親に該当する場合、死別した夫につき配偶者控除の適用を受けるときは、ひとり親控除の適用を受けることはできない。

4）配偶者の生死が不明である合計所得金額が500万円以下の者は、生計を一にする総所得金額等が48万円以下の子を有している場合でも、ひとり親控除の適用を受けることはできない。

《問28》 2024年分に実施されている2024年の所得税額の特別控除（以下、「所得税の定額減税」という）および2024年度分の個人の道府県民税および市町村民税の特別税額控除（以下、「住民税の定額減税」という）に関する次の記述のうち、最も適切なものはどれか。

1）適用対象者は、居住者のうち、所得税については2024年分の合計所得金額が1,805万円以下であるもの、また、住民税については2024年分の合計所得金額が1,805万円以下であるものに限られる。

2）所得税の定額減税額および住民税の定額減税額は、2024年分の所得税額および2024年度分の住民税額（所得割）を限度として、それぞれ居住者、居住者である同一生計配偶者または居住者である扶養親族1人につき4万円および居住者、居住者である控除対象配偶者（控除対象配偶者以外の同一生計配偶者については2025年度分の住民税から控除）または居住者である扶養親族1人につき1万円である。

3）給与所得者に係る所得税の定額減税は、2024年6月1日以後最初に支払われる給与等（賞与を含むものとし、主たる給与等の支払者から支払われる給与等に限る）に係る源泉徴収税額から控除される。

4）2024年分の所得税に係る確定申告書を提出する事業所得者等は、原則として、その提出の際に所得税額から所得税の定額減税額を控除するが、予定納税の対象となる場合には、2024年分の所得税に係る第1期分予定納税額から居住者、居住者である同一生計配偶者または居住者である扶養親族に係る特別控除の額に相当する金額を控除し、なお控除しきれない部分の金額は、第2期分予定納税額から控除する。

《問29》 内国法人に係る法人税における減価償却に関する次の記述のうち、最も不適切なものはどれか。なお、各選択肢において、当期とは2024年4月1日から2025年3月31日までの事業年度であるものとし、当該内国法人の貸付の用に供する目的で所有するものはないものとする。

1）事業の用に供している減価償却資産の償却方法を変更する場合、原則として、新たな償却方法

を採用しようとする事業年度開始の日の前日までに「減価償却資産の償却方法の変更承認申請書」を納税地の所轄税務署長に提出しなければならない。

2）当期において取得した取得価額が30万円未満の減価償却資産について「中小企業者等の少額減価償却資産の取得価額の損金算入の特例」の適用を受けることができる法人は、中小企業者等で青色申告法人のうち、常時使用する従業員の数が500人以下の法人（一定のものを除く）とされている。

3）当期に取得価額が10万円未満の減価償却資産を取得して事業の用に供した場合、その使用可能期間が1年未満である資産に限り、当期においてその取得価額の全額を損金経理により損金の額に算入することができる。

4）生産調整のために稼働を休止している機械装置は、必要な維持補修が行われていつでも稼働し得る状態にある場合、その償却費を損金の額に算入することができる。

《問30》 青色申告法人の欠損金の繰越控除に関する次の記述のうち、最も適切なものはどれか。なお、各選択肢において、法人は資本金の額が5億円以上の法人に完全支配されている法人等ではない中小法人等であるものとし、ほかに必要とされる要件等はすべて満たしているものとする。

1）欠損金額が生じた事業年度において青色申告書である確定申告書を提出した場合でも、その後の各事業年度について提出した確定申告書が白色申告書であったときは、欠損金の繰越控除の適用を受けることはできない。

2）繰り越された欠損金額が2以上の事業年度において生じたものからなる場合、そのうち最も新しい事業年度において生じた欠損金額に相当する金額から順次損金の額に算入する。

3）2014年4月1日に開始した事業年度以後の各事業年度において生じた欠損金額は、2024年4月1日に開始する事業年度において損金の額に算入することができる。

4）資本金の額が1億円以下である普通法人が2024年4月1日に開始する事業年度において欠損金額を損金の額に算入する場合、繰越控除前の所得の金額を限度として、損金の額に算入することができる。

《問31》 法人の各種届出等に関する次の記述のうち、最も不適切なものはどれか。

1）法人を設立した場合には、設立の日以後2ヵ月以内に、所定の書類を添付して、法人設立届出書を納税地の所轄税務署長に提出しなければならない。

2）内国法人である普通法人が設立第1期目から青色申告の承認を受けようとする場合、原則として、設立の日以後3ヵ月を経過した日と設立第1期の事業年度終了の日とのうちいずれか早い日の前日までに、青色申告承認申請書を納税地の所轄税務署長に提出することとされている。

3）法人を設立し、従業員を雇用して給与等の支払事務を行う場合は、「給与支払事務所等の開設届出書」をその事務所等の所在地の所轄税務署長に設置の日から1ヵ月以内に提出しなければならない。

4）過去に行った確定申告について、計算に誤りがあったことにより、納付した税額が過少であったことが判明した場合、原則として法定申告期限から5年以内に限り、修正申告をすることができる。

《問32》 内国法人が支出する交際費等（租税特別措置法の「交際費等の損金不算入」に規定するものをいう）に関する次の記述のうち、最も適切なものはどれか。なお、当該法人は2024年4月1日から2025年3月31日までの間に事業を開始する1年決算法人であり、設立事業年度等ではないものとする。また、資本金の額が5億円以上の法人等による完全支配関係はないものとする。

1）期末の資本金の額が1億円を超える法人が支出した交際費等のうち、接待飲食費以外のために支出した額は、一定の金額を超えた部分につき損金不算入となる。

2）期末の資本金の額にかかわらず、法人が支出した交際費等のうち、接待飲食費の一定割合については、損金の額に算入できる。

3）期末の資本金の額が1億円以下である法人が支出した交際費等のうち、接待飲食費のために支出した額が2,000万円の場合、損金の額に算入できる交際費等の額は1,000万円である。

4）期末の資本金の額が1億円以下である法人が支出した接待飲食費を含む交際費等の額が年間1,000万円の場合、その全額を損金算入することができる。

《問33》 消費税の簡易課税制度に関する次の記述のうち、最も不適切なものはどれか。なお、いずれの事業者も国内事業者であるものとする。

1）簡易課税制度の適用を受けようとする事業者が、高額特定資産の仕入れ等を行った場合、当該資産の仕入れ等の日の属する課税期間の初日から同日以後3年を経過する日の属する課税期間の初日の前日までの期間は、消費税簡易課税制度選択届出書を提出することができない。

2）2種類以上の事業を営む事業者が、当該課税期間における課税売上高を事業の種類ごとに区分していない場合には、この区分していない部分について、その区分していない事業のうち最も低いみなし仕入率が適用される。

3）簡易課税制度の適用を受けようとする事業者は、原則として、その適用を受けようとする課税期間の開始日の前日までに、消費税簡易課税制度選択届出書を納税地の所轄税務署長に提出しなければならない。

4）消費税簡易課税制度選択届出書を提出した事業者は、原則として、事業を廃止した場合を除き、提出日の属する課税期間の翌課税期間の初日から3年を経過する日の属する課税期間の初日以後でなければ、簡易課税制度の適用を受けることをやめようとする旨の届出書を提出することができない。

《問34》 筆界特定制度に関する次の記述のうち、最も適切なものはどれか。

1）筆界特定は、一筆の土地とこれに隣接する他の土地との筆界の現地における位置またはその範囲を特定することにより、所有権の及ぶ範囲を特定するものである。

2）筆界特定は、対象となる土地の所有権の登記名義人が複数いる場合、共有登記名義人の1人が単独でその申請をすることはできない。

3）筆界特定書の写しは、隣地所有者などの利害関係を有する者に限り、対象となった土地を管轄する法務局または地方法務局においてその交付を受けることができる。

4）法務局に筆界特定の申請を行う場合、筆界特定の対象となる筆界で相互に隣接する土地の固定資産税評価額に応じて定められた申請手数料と測量費用を負担する必要がある。

《問35》 不動産の売買取引における手付金に関する次の記述のうち、最も不適切なものはどれか。なお、本問においては、買主は宅地建物取引業者ではないものとする。

1）宅地建物取引業者が自ら売主となる宅地または建物の売買契約において、「宅地または建物の引渡しがあるまでは、いつでも、買主は手付金を放棄して、売主は手付金を返還して契約を解除することができる」旨の特約は無効である。

2）宅地建物取引業者が自ら売主となる宅地または建物の売買契約の締結に際して、買主の承諾を得ても、宅地建物取引業者は、売買代金の額の2割を超える手付金を受領することはできない。

3）宅地建物取引業者が自ら売主となる宅地または建物の売買契約の締結に際して解約手付金を受領したときは、買主が契約の履行に着手するまでは、宅地建物取引業者はその手付金を現実に提供して契約を解除することができる。

4）宅地建物取引業者が自ら売主となる宅地または建物の売買契約の締結に際して手付金を受領し、当該契約に交付された手付金を違約手付金とする旨の特約が定められている場合でも、買主は手付金を放棄することにより契約を解除することができる。

《問36》 借地借家法に関する次の記述のうち、最も適切なものはどれか。なお、本問においては、借地借家法における定期建物賃貸借契約を定期借家契約といい、それ以外の建物賃貸借契約を普通借家契約という。

1）2000年3月1日より前に締結した居住用建物の普通借家契約は、当事者間で当該契約を合意解約した上で、同一の建物を目的とする定期借家契約の締結をすることはできない。

2）定期借家契約は、契約の更新がなく、期間の満了により建物の賃貸借は終了するため、賃貸借について当事者間で合意しても、定期借家契約を再契約することはできない。

3）定期借家契約において、建物の賃貸人は、契約締結後遅滞なく、建物の賃借人に対し、建物の賃貸借は契約の更新がなく、期間の満了により当該建物の賃貸借は終了することについて、その旨を記載した書面を交付して説明する必要はない。

4）期間の定めのない普通借家契約において、正当な事由に基づき、建物の賃貸人による賃貸借の解約の申入れが認められた場合、建物の賃貸借は、解約の申入れの日から3カ月を経過することによって終了する。

《問37》 建築基準法で定める道路に関する次の記述のうち、最も適切なものはどれか。なお、本問においては、特定行政庁が指定する幅員6mの区域ではないものとする。

1）建築基準法42条2項に規定する道路で、道路の中心線から水平距離2m未満で、一方が川である場合においては、当該川の道路の反対側の境界線から水平距離で2m後退した線が、その道路の境界線とみなされる。

2）土地区画整理法による拡幅の事業計画がある道路で、5年以内にその事業が執行される予定のものとして特定行政庁が指定したものは、建築基準法上の道路となる。

3）土地を建築物の敷地として利用するために道路法等の法令によらないで築造された幅員4m以上の道のうち、特定行政庁が位置の指定をしたものは、建築基準法上の道路（位置指定道路）となり、当該道路が所在する市区町村が維持管理を行わなければならない。

4）建築基準法施行後に都市計画区域に編入された時点で、現に建築物が立ち並んでいる幅員4m未満の道で、特定行政庁が指定したものは建築基準法上の道路となり、原則として、道の中心線から水平距離で2m後退した線が、その道路の境界線とみなされる。

《問38》 建物の区分所有等に関する法律に関する次の記述のうち、最も適切なものはどれか。

1）共用部分に対する区分所有者の共有持分は、規約に別段の定めがない限り、各共有者が有する専有部分の壁その他の区画の内側線で囲まれた部分の水平投影面積による床面積の割合による。

2）敷地利用権が数人で有する所有権である場合、区分所有者は、規約に別段の定めがない限り、その有する専有部分とその専有部分に係る敷地利用権とを分離して処分することができる。

3）建物の一部が滅失し、滅失部分が建物価格の2分の1を超える場合において、滅失した共用部分の復旧を行うためには、区分所有者および議決権の各5分の4以上の多数による決議が必要である。

4）専有部分を賃借している借家人等の占有者は、建物、敷地または付属施設の使用方法につき、区分所有者が規約または集会の決議に基づいて負う義務と同一の義務を負う。また、集会の決議に関する議決権も持つことになる。

《問39》 登録免許税に関する次の記述のうち、最も不適切なものはどれか。

1）Aさんが、2024年5月に死亡した母が所有していた土地を相続により取得し、同年中に母からAさんへの所有権移転登記をする場合に、その土地の固定資産税評価額が80万円であったときは、登録免許税は課されない。

2）Bさんの相続により土地を取得したCさんが、相続による所有権移転登記をすることなく死亡し、その土地をCさんの相続人であるDさんが相続により取得した場合、Dさんが申請するBさんからCさんへの所有権移転登記については、「相続に係る所有権の移転登記等の免税措置」により、登録免許税は課されない。

3）Eさんが、2024年中に母が所有する戸建て住宅の贈与を受けて自己の居住の用に供し、母からEさんへの所有権移転登記をする場合、登録免許税の算出にあたって2％の税率が適用される。

4）Fさんが、2024年中に戸建て住宅を新築し、建設工事を請け負った工務店から引渡しを受け、直ちにその家屋の所在や種類、構造、床面積等を記録するための建物の表題登記をする場合、登録免許税の算出にあたって0.4％の税率が適用される。

《問40》 「特定居住用財産の譲渡損失の損益通算及び繰越控除」（以下、「本特例」という）に関する次の記述のうち、最も不適切なものはどれか。

1）本特例の対象となる譲渡損失の金額は、譲渡に係る契約を締結した日の前日における当該譲渡資産に係る住宅借入金等の金額から譲渡価額を控除した残額が限度となる。

2）本特例の適用を受けるには、譲渡契約の前日において譲渡資産の償還期間が10年以上ある住宅借入金等の残高を有している必要がある。

3）居住しなくなった家屋を取り壊し、その敷地を譲渡する場合、取り壊した家屋およびその敷地の所有期間が、取り壊した日の属する年の1月1日において5年を超えていなければ、本特例の適用を受けることはできない。

4）居住しなくなった家屋を譲渡する場合、居住しなくなった日以後1年を経過する日の属する年の12月31日までの間に譲渡しなければ、本特例の適用を受けることはできない。

《問41》 不動産の投資判断手法に関する次の記述のうち、最も不適切なものはどれか。

1）DCF法は、連続する複数の期間に発生する純収益および復帰価格を、その発生時期に応じて現在価値に割り引き、それぞれを合計して対象不動産の収益価格を求める手法である。

2）NPV法による投資判断においては、対象不動産に対する投資額が現在価値に換算した対象不

動産の収益価格を上回っている場合、その投資は有利であると判定することができる。

3）IRR法による投資判断においては、対象不動産の内部収益率が対象不動産に対する投資家の期待収益率を上回っている場合、その投資は有利であると判定することができる。

4）NOI利回りは、対象不動産から得られる年間純収益を総投資額で除して算出される利回りであり、不動産の収益性を測る指標である。

《問42》 Aさん（40歳）は、事業資金として、2024年6月に母親（76歳）から現金600万円の贈与を受け、2024年9月に叔父（70歳）から現金400万円の贈与を受けた。Aさんの2024年分の贈与税額として、次のうち最も適切なものはどれか。なお、いずれも贈与税の課税対象となり、暦年課税を選択するものとする。また、Aさんは2024年中にほかの贈与は受けていないものとする。

〈贈与税の速算表（一部抜粋）〉

基礎控除後の課税価格		特例贈与財産		一般贈与財産	
		税率	控除額	税率	控除額
万円超	万円以下				
～	200	10%	―	10%	―
200 ～	300	15%	10万円	15%	10万円
300 ～	400	15%	10万円	20%	25万円
400 ～	600	20%	30万円	30%	65万円
600 ～	1,000	30%	90万円	40%	125万円

1）198万6,000円
2）209万4,000円
3）223万1,000円
4）235万2,000円

《問43》 贈与税の申告および納付に関する次の記述のうち、最も適切なものはどれか。

1）贈与税の申告書は、原則として、贈与を受けた年の翌年2月1日から3月15日までの間に、贈与者の納税地の所轄税務署長に提出しなければならない。

2）贈与税の申告書を提出すべき者が、提出期限前に申告書を提出しないで死亡した場合、その者の相続人は、原則として、その相続の開始があったことを知った日の属する年の翌年2月1日から3月15日までの間に、当該申告書を死亡した者の納税地の所轄税務署長に提出しなければならない。

3）贈与税の申告書の提出後、課税価格や税額の計算に誤りがあり、申告した税額が過大であることが判明した場合、原則として、法定申告期限から5年以内に限り、更正の請求をすることができる。

4）贈与税の延納期間は、贈与財産のうち不動産等の価額が占める割合の多寡にかかわらず、最長5年である。

《問44》 贈与税の課税財産に関する次の記述のうち、最も適切なものはどれか。

1）子が資力を喪失して銀行借入金を返済することが困難である状況にある場合において、父が子

の銀行借入金を肩代わりしたときは、その子が受けた利益については贈与とみなされて贈与税が課税される。

2）父所有の土地の名義を子に変更した場合において、子が対価を支払わなかったときでも、子に贈与税は課税されない。

3）離婚による財産の分与として取得した財産は、その財産の価額の多寡にかかわらず、贈与税は課税されない。

4）生命保険契約に基づき満期保険金を受け取った場合において、受取人以外の者が保険料を負担していたときは、その満期保険金は贈与により取得したものとみなされる。

《問45》 民法における遺言に関する次の記述のうち、最も適切なものはどれか。

1）公正証書遺言の遺言者が、公正証書遺言の正本を故意に破棄した場合でも、その破棄した部分について遺言を撤回したものとはみなされない。

2）法務局による遺言書保管制度を利用した自筆証書遺言および秘密証書遺言は、相続開始後、家庭裁判所に提出して、その検認を請求する必要がない。

3）公正証書遺言を作成する際の証人として、遺言者の推定相続人および受遺者は証人になることができないが、受遺者の配偶者は証人になることができる。

4）遺言者が公正証書遺言と自筆証書遺言を作成しており、それぞれの内容が異なっている場合、民法上、その異なっている部分については、公正証書遺言の内容が優先して効力を有する。

《問46》 配偶者居住権および配偶者短期居住権に関する次の記述のうち、最も不適切なものはどれか。

1）配偶者居住権は、相続開始後に配偶者が対象となる建物を引き続き居住の用に供し、その設定の登記をすることで、第三者に対抗することができる。

2）配偶者居住権は、他者に譲渡することはできず、取得した配偶者が死亡した場合には、相続の対象となる。

3）配偶者短期居住権を取得することができる配偶者は、被相続人との婚姻期間にかかわらず、相続開始時において、被相続人が所有していた建物に無償で居住していた者である。

4）配偶者短期居住権は、遺産分割により対象となる建物の帰属が確定した日または相続開始の時から6ヵ月を経過する日のいずれか遅い日までの間、当該建物を無償で使用することができる権利である。

《問47》 相続税額の2割加算に関する次の記述のうち、最も不適切なものはどれか。なお、各選択肢において、相続人はいずれも相続税の納付税額が発生するものとする。

1）相続税額の2割加算の対象となる者が未成年者控除の適用を受ける場合、相続税額の計算上、その者の相続税額の100分の20に相当する金額を加算した後の金額から未成年者控除額を控除する。

2）2024年9月に贈与を受けた金銭につき「直系尊属から結婚・子育て資金の一括贈与を受けた場合の贈与税の非課税」の適用を受けた場合において、当該非課税に係る管理残額を遺贈により取得した孫は、相続税額の2割加算の対象とならない。

3）相続において被相続人の妹の子（被相続人の姪）が財産を取得し、その姪が被相続人の妹の代襲相続人である場合、姪は相続税額の2割加算の対象となる。

4）相続において被相続人の子とその子（被相続人の孫）が財産を取得し、その孫が被相続人の養

子となっている場合、孫は相続税額の2割加算の対象となる。

《問48》　相続税法における死亡退職金の非課税金額の規定（以下、「本規定」という）に関する次の記述のうち、最も不適切なものはどれか。なお、各選択肢における死亡退職金は、いずれも被相続人の死亡後3年以内に支給が確定して被相続人の雇用主から支払われたものとし、記載のない事項については考慮しないものとする。

1）被相続人の死亡が業務上の死亡でない場合に、相続人が被相続人の雇用主から受け取った弔慰金が被相続人の死亡当時の普通給与の6カ月分に相当する額を超えるときは、その超える額が本規定の対象となる。

2）相続の放棄をした者が死亡退職金を受け取った場合、その者の相続税の課税対象となるが、本規定の対象とならない。

3）相続人が受け取った死亡退職金について本規定の適用を受けた場合、適用後の相続税の課税価格の合計額が遺産に係る基礎控除額以下であっても、相続税の申告書を提出しなければならない。

4）被相続人の兄が相続の放棄をし、相続人が被相続人の配偶者と姉の合計2人である場合において、配偶者が2,000万円の死亡退職金を受け取ったときは、その死亡退職金のうち、本規定の適用後に相続税の課税価格に算入すべき金額は500万円となる。

《問49》　相続税の申告に関する次の記述のうち、最も適切なものはどれか。

1）相続税の申告書の提出先は、被相続人の死亡の日における住所または居所を所轄する税務署長である。

2）相続税の申告期限までに遺産分割協議が成立しない場合には、申告期限の延長の申請をすることにより、申告期限を最長6ヵ月間延長することができる。

3）相続または遺贈により財産を取得し、納付すべき相続税額がないために申告書の提出義務がなかった者が、その後において遺言書が発見されたことにより新たに納付すべき相続税額があることとなった場合においては、修正申告書を提出することができる。

4）相続時精算課税適用者は、特定贈与者の死亡によりその特定贈与者から贈与により取得した財産を相続税の課税価格に算入した財産の価額の合計額が遺産に係る基礎控除額以下である場合でも、相続税の申告書を提出しなければならない。

《問50》　財産評価基本通達上の宅地の評価における「地積規模の大きな宅地の評価」の規定（以下、「本規定」という）に関する次の記述のうち、最も不適切なものはどれか。

1）本規定における地積規模の大きな宅地は、市街化調整区域に所在する宅地等を除き、三大都市圏では300㎡以上、それ以外の地域では500㎡以上の地積の宅地が対象となる。

2）本規定は、路線価方式により評価する地域に所在する宅地に限らず、倍率方式により評価する地域に所在する宅地も対象となる。

3）都市計画において定められた容積率が400％（東京都の特別区においては300％）以上の地域に所在する宅地は、本規定の対象とならない。

4）本規定の適用を受ける場合の宅地の価額は、当該宅地の所在する地域、地積や地区区分に応じた規模格差補正率を用いて算出され、本規定の適用を受けない場合の価額よりも低くなる。

2025年　1月
ファイナンシャル・プランニング技能検定対策

第2予想

1級　学科試験
〈応用編〉

試験時間 ◆ 150分

─────── ★ 注　意 ★ ───────

1．本試験の出題形式は、記述式等 5 題（15問）です。

2．筆記用具、計算機（プログラム電卓等を除く）の持込みが認められています。

3．試験問題については、特に指示のない限り、2024年10月 1 日現在施行の法令等
　に基づいて解答してください。

TAC出版
TAC PUBLISHING Group

【第１問】 次の設例に基づいて、下記の各問（《問51》～《問53》）に答えなさい。

《設 例》

Ａさん（61歳）は、夫Ｂさん（64歳）との２人暮らしである。大学卒業後、Ｘ株式会社（以下、「Ｘ社」という）に入社し、夫Ｂさんと結婚後、一時、離職していたが再就職し、現在に至っている。満65歳定年のあとは、再雇用制度を利用して同社に再雇用された場合、最長で70歳まで勤務することができる。

Ａさんは、在職老齢年金により年金が支給停止されることがあると聞き、その仕組みを知りたいと思っている。また、定年退職後の公的医療保険について知りたいと思っている。

そこで、Ａさんは、ファイナンシャル・プランナーのＭさんに相談することにした。Ａさんの家族に関する資料は、以下のとおりである。

〈Ａさんの家族に関する資料〉
(1) Ａさん（本人）
・1963年10月25日生まれ
・公的年金の加入歴
1983年10月から1986年３月までの大学生であった期間（30月）は国民年金に任意加入していない。
1986年４月から1989年７月まで厚生年金保険の被保険者である。
1989年８月から1993年５月まで国民年金の第３号被保険者である。
1993年６月から現在に至るまで厚生年金保険の被保険者である。
厚生年金保険の被保険者期間において厚生年金基金の加入期間はない。
・全国健康保険協会管掌健康保険の被保険者である。
・1993年６月から現在に至るまで雇用保険の一般被保険者である。
(2) Ｂさん（夫）
・1960年11月21日生まれ
・公的年金の加入歴
1980年11月から1983年３月までの大学生であった期間（29月）は国民年金に任意加入していない。
1983年４月から現在に至るまで厚生年金保険の被保険者である。
厚生年金保険の被保険者期間において厚生年金基金の加入期間はない。
・全国健康保険協会管掌健康保険の被保険者である。
・1983年４月から現在に至るまで雇用保険の一般被保険者である。
(3) 子
・1989年９月３日生まれ
・結婚しており、Ａさん夫妻とは生計を別にしている。

※夫Ｂさんは、Ａさんと同居し、現在および将来においても、Ａさんと生計維持関係にあるものとする。
※Ａさんと夫Ｂさんは、現在および将来においても、公的年金制度における障害等級に該当する障害の状態にないものとする。

《問51》 Mさんは、Aさんに対して、特別支給の老齢厚生年金と在職老齢年金について説明した。Mさんが説明した以下の文章の空欄①〜⑥に入る最も適切な語句または数値を、解答用紙に記入しなさい。

「1963年10月生まれのAさんは、老齢基礎年金の受給資格期間を満たし、かつ、厚生年金保険の被保険者期間が1年以上ありますので、原則として（　①　）歳から特別支給の老齢厚生年金が支給されます。なお、女性の場合、（　②　）年4月2日以後生まれの者から、原則として、特別支給の老齢厚生年金は支給されません。

特別支給の老齢厚生年金の受給開始後もAさんが引き続き厚生年金保険の被保険者としてX社に勤務する場合、特別支給の老齢厚生年金は、Aさんの総報酬月額相当額と基本月額との合計額が（　③　）万円（支給停止調整額、2024年度価額）を超えると、一部または全部が支給停止となります。総報酬月額相当額とは、受給権者である被保険者の（　④　）とその月以前1年間の（　⑤　）の総額を12で除して得た額との合計額であり、基本月額とは、65歳未満の者の場合、特別支給の老齢厚生年金の月額のことです。

仮に、特別支給の老齢厚生年金の受給開始後のAさんの総報酬月額相当額を52万円、基本月額を10万円とした場合、Aさんの特別支給の老齢厚生年金の支給額は月額（　⑥　）万円となります」

《問52》 Mさんは、Aさんに対して、夫Bさんが2025年1月末日付けでX社を退職した場合の公的医療保険について説明した。Mさんが説明した以下の文章の空欄①〜⑥に入る最も適切な語句または数値を、解答用紙に記入しなさい。

「夫Bさんが、Aさんが加入する健康保険の被扶養者になるためには、主としてAさんにより生計を維持されていることが必要です。夫Bさんの年間収入が（　①　）万円未満でAさんの年間収入の（　②　）未満である場合は、生計を維持しているものと認められます。

夫Bさんが、健康保険の被扶養者とならない場合、夫Bさんが加入する健康保険の任意継続被保険者となるか、または国民健康保険の被保険者となります。

健康保険の任意継続被保険者となるためには、原則として退職日の翌日から（　③　）日以内に、夫Bさんの住所地を管轄する全国健康保険協会の都道府県支部で資格取得の申出を行う必要があります。任意継続被保険者として健康保険に加入を継続することができる期間は、最長（　④　）年間です。

国民健康保険の被保険者となる場合は、原則として退職日の翌日から（　⑤　）日以内に、夫Bさんの住所地の市町村（特別区を含む、以下、「市町村」という）で手続きする必要があります。保険料は各市町村の条例により、均等割、平等割、所得割、資産割の一部または全部の組合せによって決定されます。保険料には上限が定められており、2024年度の賦課限度額は、65歳以上の場合は年間（　⑥　）万円です」

《問53》 Aさんが、65歳でX社を定年退職した後に再雇用制度を利用して厚生年金の被保険者として同社に勤務する場合、Aさんが原則として65歳から受給することができる公的年金の老齢給付について、次の①および②に答えなさい。〔計算過程〕を示し、〈答〉は円単位とすること。また、年金額の端数処理は、円未満を四捨五入すること。

なお、計算にあたっては、下記の〈条件〉に基づき、年金額は2024年度価額に基づいて計算するものとし、在職定時改定は考慮しないものとする。

① 老齢基礎年金の年金額はいくらか。
② 在職老齢年金による支給調整後の老齢厚生年金の年金額（本来水準による価額）はいくらか。

〈条件〉

(1) 厚生年金保険の被保険者期間（65歳到達時）
 ・総報酬制導入前の被保険者期間：158月
 ・総報酬制導入後の被保険者期間：306月

(2) 平均標準報酬月額および平均標準報酬額
  （65歳到達時点、2024年度再評価率による額）
 ・総報酬制導入前の平均標準報酬月額：28万円
 ・総報酬制導入後の平均標準報酬額　：52万円

(3) 報酬比例部分の給付乗率
 ・総報酬制導入前の乗率：1,000分の7.125
 ・総報酬制導入後の乗率：1,000分の5.481

(4) 経過的加算額

$$1,701円 \times 被保険者期間の月数 - \square\square\square円 \times \frac{1961年4月以後で20歳以上60歳未満の厚生年金保険の被保険者期間の月数}{480}$$

 ※「□□□」は、問題の性質上、伏せてある。

(5) 加給年金額
  408,100円（要件を満たしている場合のみ加算すること）

(6) 総報酬月額相当額
  42万円

— 64 —

【第2問】 次の設例に基づいて、下記の各問（《問54》～《問56》）に答えなさい。

―――――――――《設 例》―――――――――

　Aさん（57歳）は、余裕資金を利用し、上場株式への投資を行いたいと考えている。Aさんは、同業種のX社およびY社に興味を持っており、連結財務諸表などから作成した【財務データ】等を参考にして、投資判断を行いたいと考えている。Aさんは、上場株式を購入した経験がなく、各種投資指標の意味がよくわからないため、ファイナンシャル・プランナーのMさんに相談することにした。また、2024年1月からスタートした新たなNISA制度を利用してみたいとも考えている。

【財務データ】　　　　　　　　　　　　　　　　　　（単位：百万円）

		X社	Y社
資　産　合　計		3,420,000	805,000
負　債　合　計		1,510,000	498,200
純　資　産　合　計		1,910,000	306,800
内訳	株　主　資　本	1,828,500	293,000
	その他の包括利益累計額	14,200	1,100
	非　支　配　株　主　持　分	67,300	12,700
売　　　上　　　高		3,487,000	725,000
営　業　利　益		398,000	76,100
営　業　外　収　益　合　計		27,300	3,900
内訳	受　取　利　息	6,200	800
	受　取　配　当　金	8,300	500
	そ　　　の　　　他	12,800	2,600
営　業　外　費　用　合　計		23,400	4,400
内訳	支　払　利　息	21,000	3,600
	そ　　　の　　　他	2,400	800
経　常　利　益		401,900	75,600
親会社株主に帰属する当期純利益		187,000	41,600
配　当　金　総　額		30,400	7,000

【株式に関するデータ】

X社：株価3,990円、発行済株式総数7億6千万株、1株当たり配当金40円（年間）

Y社：株価1,250円、発行済株式総数2億8千万株、1株当たり配当金25円（年間）

※上記以外の条件は考慮せず、各問に従うこと。

《問54》　Mさんは、Aさんに対して、新しいNISA口座を通じてX社株式を購入した場合の留意点を説明した。Mさんが説明した以下の文章の空欄①～⑤に入る最も適切な語句または数値を、解答用紙に記入しなさい。

「2024年1月1日から、新しいNISAが導入されました。本制度では、「つみたて投資枠」と「成長投資枠」があり、「つみたて投資枠」における年間投資枠は（　①　）万円とされ、「成長投資枠」における年間投資枠は（　②　）万円とされています。

「成長投資枠」と「つみたて投資枠」は併用が可能であり、生涯非課税保有限度額は（　③　）万円ですが、そのうち、成長投資枠として使用可能な金額は（　④　）万円までです。

また、生涯非課税保有限度額は、（　⑤　）方式で総枠を管理します」

《問55》　《設例》の【財務データ】に基づいて、X社の使用総資本事業利益率を求めなさい。〔計算過程〕を示し、〈答〉は表示単位の小数点以下第3位を四捨五入すること。

《問56》　《設例》の【財務データ】【株式に関するデータ】に基づいて、Mさんが、Aさんに対して説明した以下の文章の空欄①～⑥に入る最も適切な語句または数値を、解答用紙に記入しなさい。なお、計算結果は表示単位の小数点以下第3位を四捨五入すること。また、問題の性質上、明らかにできない部分は「□□□」で示してある。

I　「X社とY社の財務データについて比較検討すると、売上高はX社がY社の4.8倍以上あります。売上高当期純利益率ではX社の値が（　①　）％、Y社の値が□□□％であり、ややY社の値が上回っていますが、おおむね同水準であるといえます。次に、使用総資本回転率は、X社の値がY社の（　②　）回を上回っています。また、財務レバレッジでは、X社の値がY社の（　③　）倍を下回っています。売上高当期純利益率、使用総資本回転率、財務レバレッジの3つの指標を用いると、ROEを導くことができ、ROEは（　④　）社のほうが上回っています」

II　「株主還元率としての（　⑤　）の比較では、X社の16.26％に対してY社は16.83％となり、ほぼ同水準であるといえます。他方、配当利回りは、X社株式が（　⑥　）％に対してY社株式は□□□％となります」

【第3問】 次の設例に基づいて、下記の各問（《問57》～《問59》）に答えなさい。

　製造業を営むX株式会社（資本金40,000千円、青色申告法人、同族会社かつ非上場会社で株主はすべて個人、租税特別措置法上の中小企業者等に該当し、適用除外事業者ではない。以下「X社」という）は、代表取締役社長であるAさん（65歳）が設立した会社である。Aさんは、2024年に65歳を迎え、老齢基礎年金を受給している。

　なお、X社の2024年9月期（2023年10月1日～2024年9月30日。以下、「当期」という）における法人税の確定申告に係る資料およびAさんの2024年分の収入等に関する資料は、以下のとおりである。

〈X社の当期における法人税の確定申告に係る資料〉

1. 減価償却費に関する事項

　　当期において、4年前に取得した生産設備（当期首の帳簿価額5,000千円・耐用年数10年・償却率（定率法）0.200）について、減損損失3,125千円を計上し、375千円を減価償却費として損金経理したが、減損損失3,125千円の計上は、税務上損金の額として認められないことが判明した。

2. 退職給付引当金に関する事項

　　当期において、決算時に退職給付費用4,000千円を損金経理するとともに、同額を退職給付引当金として負債に計上している。また、従業員の退職金支払いの際に退職給付引当金を7,000千円取り崩し、同額を現金で支払っている。

3. 受取配当金に関する事項

　　当期において、上場会社であるY社から、X社が前期から保有しているY社株式に係る配当金3,000千円（源泉所得税控除前）を受け取った。なお、Y社株式は非支配目的株式等に該当する。

4. 所得拡大促進税制に係る税額控除に関する事項

　　当期における所得拡大促進税制（給与等の支給額が増加した場合の法人税額の特別控除）に係る控除対象雇用者給与等支給増加額は3,000千円である。適用を受けるための要件は満たしているが、上乗せ措置を受けるための要件までは満たしていない。

5. 「法人税・住民税及び事業税」等に関する事項

(1) 損益計算書に表示されている「法人税、住民税及び事業税」は、預金の利子について源泉徴収された所得税額228千円・復興特別所得税額4,788円、受取配当金について源泉徴収された所得税額450千円・復興特別所得税額9,450円および当期確定申告分の見積納税額4,800千円の合計額5,492,238円である。なお、貸借対照表上に表示されている「未払法人税等」の当期末残高は4,800千円である。

(2) 当期中に「未払法人税等」を取り崩して納付した前期確定申告分の事業税（特別法人事業税を含む）が910千円ある。

(3) 源泉徴収された所得税額および復興特別所得税額は、当期の法人税額から控除することを選択する。

(4) 中間申告および中間納税については、考慮しないものとする。

〈Aさん（白色申告者）の2024年分の収入等に関する資料〉

1．給与所得の金額：1,400万円

2．不動産所得（賃貸アパートの経営による所得）

　　総収入金額：500万円

　　必要経費：600万円（注）

　　（注）当該所得を生ずべき土地の取得に要した負債の利子30万円を含んだ金額

3．譲渡所得（上場株式を譲渡したことによる所得）

　　総収入金額：300万円

　　取得費等：350万円

4．老齢基礎年金の年金額：70万円

5．確定拠出年金の老齢給付の年金額：30万円

6．個人年金保険契約に基づく年金収入：120万円（必要経費は70万円）

7．一時払終身保険の解約返戻金

　　契約年月：2023年4月

　　契約者（＝保険料負担者）・被保険者：Aさん

　　解約返戻金額：1,000万円

　　正味払込保険料：1,100万円

8．一時払変額個人年金保険（10年確定年金）の解約返戻金

　　契約年月：2021年10月

　　契約者（＝保険料負担者）・被保険者：Aさん

　　解約返戻金額：1,500万円

　　正味払込保険料：1,300万円

9．平準払養老保険の満期保険金

　　契約年月：1994年10月

　　契約者（＝保険料負担者）・被保険者：Aさん

　　満期保険金受取人：Aさん

　　満期保険金額：800万円

　　正味払込保険料：600万円

※上記以外の条件は考慮せず、各問に従うこと。また、定額減税については、考慮しないものとする。

《問57》《設例》のX社の当期の〈資料〉と下記の〈条件〉に基づき、同社に係る〈略式別表四（所得の金額の計算に関する明細書）〉の空欄①～⑥に入る最も適切な数値を、解答用紙に記入しなさい。なお、別表中の「＊＊＊」は、問題の性質上、伏せてある。

〈条件〉
・設例に示されている数値等以外の事項については考慮しないものとする。
・所得の金額の計算上、選択すべき複数の方法がある場合は、所得の金額が最も低くなる方法を選択すること。

〈略式別表四（所得の金額の計算に関する明細書）〉　　　　　（単位：円）

区　　　分		総　　　額
当期利益の額		20,517,762
加算	損金経理をした納税充当金	（　①　）
	減価償却の償却超過額	（　②　）
	退職給付費用の損金不算入額	（　③　）
	小　　　計	＊＊＊
減算	納税充当金から支出した事業税等の金額	910,000
	受取配当等の益金不算入額	（　④　）
	退職給付引当金の当期認容額	＊＊＊
	小　　　計	＊＊＊
仮　　　計		＊＊＊
法人税額から控除される所得税額（注）		（　⑤　）
合　　　計		＊＊＊
欠損金又は災害損失金等の当期控除額		0
所得金額又は欠損金額		（　⑥　）

（注）法人税額から控除される復興特別所得税額を含む。

《問58》　前問《問57》を踏まえ、X社が当期の確定申告により納付すべき法人税額を求めなさい。〔計算過程〕を示し、〈答〉は100円未満を切り捨てて円単位とすること。

〈資料〉普通法人における法人税の税率表

	課税所得金額の区分	税率 2023年4月1日以後開始事業年度
資本金または出資金 100,000千円超の法人 および一定の法人	所得金額	23.2％
その他の法人	年8,000千円以下の所得金額 からなる部分の金額	15％
	年8,000千円超の所得金額か らなる部分の金額	23.2％

《問59》《設例》の〈Aさん（白色申告者）の2024年分の収入等に関する資料〉に基づいて、次の
①～③のAさんの2024年分の所得金額を、それぞれ求めなさい（計算過程の記載は不要）。
〈答〉は万円単位とすること。なお、記載のない事項については考慮しないものとする。ま
た、Aさんは所得金額調整控除の適用対象者に該当していない。

① 総所得金額に算入される一時所得の金額
② 雑所得の金額
③ 総所得金額

〈資料〉公的年金等控除額の速算表（65歳以上の者、一部抜粋）

公的年金等の収入金額	公的年金等に係る雑所得以外の所得に係る合計所得金額		
	1,000万円以下	1,000万円超 2,000万円以下	2,000万円超
330万円以下	110万円	100万円	90万円

【第4問】　次の設例に基づいて、下記の各問（《問60》～《問62》）に答えなさい。

《設　例》

　　Aさんは、妻Bさんと暮らしている自宅を取り壊してその敷地を売却し、甲土地を取得して新たに自宅を建築することを検討している。

　　甲土地の概要は、以下のとおりである。

〈甲土地の概要〉

第一種中高層住居専用地域	第一種住居地域
指定建蔽率：60％	指定建蔽率：80％
指定容積率：200％	指定容積率：400％
前面道路の幅員による容積率制限：$\frac{4}{10}$	前面道路の幅員による容積率制限：$\frac{4}{10}$
防火規制なし	防火規制：準防火地域

甲土地
288㎡

6m公道

6m

12m

16m

18m

2m公道

(注)

・甲土地は288㎡の長方形の土地であり、第一種中高層住居専用地域に属する部分は96㎡、第一種住居地域に属する部分は192㎡である。

・幅員2mの公道は、建築基準法第42条第2項により特定行政庁の指定を受けた道路である。2m公道の道路中心線は、当該道路の中心部分にある。また、2m公道の甲土地の反対側は宅地であり、がけ地や川等ではない。

・甲土地は、建蔽率の緩和に関する角地の指定を受けている。

・指定建蔽率および指定容積率とは、それぞれ都市計画において定められた数値である。

・特定行政庁が都道府県都市計画審議会の議を経て指定する区域ではない。

※上記以外の条件は考慮せず、各問に従うこと。

《問60》 建築基準法の規定および「特定の居住用財産の買換えの場合の長期譲渡所得の課税の特例」に関する以下の文章の空欄①～⑧に入る最も適切な語句または数値を、解答用紙に記入しなさい。

〈建築基準法の規定〉

Ⅰ　甲土地上の第一種中高層住居専用地域に属する部分および第一種住居地域に属する部分に渡って建築物を建築する場合、その建築物の全部について、（　①　）地域の用途に関する規定が適用される。

Ⅱ　容積率の算定の基礎となる延べ面積の計算にあたって、建築物の地階でその天井が地盤面からの高さ（　②　）m以下にあるものの住宅の用途に供する部分の床面積は、原則として、当該建築物の住宅の用途に供する部分の床面積の合計の（　③　）を限度として、延べ面積に算入されない。また、専ら自動車または自転車の停留または駐車のための施設の用途に供する部分（自動車車庫等部分）の床面積は、その敷地内の建築物の各階の床面積の合計の（　④　）を限度として、延べ面積に算入されない。

〈特定の居住用財産の買換えの場合の長期譲渡所得の課税の特例〉

Ⅲ　「特定の居住用財産の買換えの場合の長期譲渡所得の課税の特例」（以下、「本特例」という）は、居住用財産を買い換えた場合に、所定の要件を満たせば、譲渡益に対する課税を将来に繰り延べることができる特例である。

　　Aさんが、居住の用に供していた家屋を取り壊してその敷地である土地を譲渡し、本特例の適用を受けるためには、その土地について、その家屋が取り壊された日の属する年の1月1日において所有期間が（　⑤　）年を超えるものであり、その土地の譲渡に関する契約がその家屋を取り壊した日から（　⑥　）年以内に締結され、かつ、その家屋を居住の用に供さなくなった日以後（　⑦　）年を経過する日の属する年の（　⑧　）までに譲渡したものでなければならず、その譲渡に係る対価の額が1億円以下でなければならない。また、買換資産として取得する土地については、その面積が500㎡以下でなければならない。

《問61》　甲土地上の第一種中高層住居専用地域に属する部分および第一種住居地域に属する部分に渡って準耐火建築物を建築する場合、次の①および②に答えなさい（計算過程の記載は不要）。〈答〉は㎡表示とすること。なお、記載のない事項については考慮しないものとする。

　　　①　建蔽率の上限となる建築面積はいくらか。
　　　②　容積率の上限となる延べ面積はいくらか。

《問62》　Aさんが、下記の〈譲渡資産および買換資産に関する資料〉に基づき、自宅を買い換えた場合、次の①および②に答えなさい。〔計算過程〕を示し、〈答〉は100円未満を切り捨てて円単位とすること。なお、本問の譲渡所得以外の所得や所得控除等は考慮しないものとする。

　　　①　「特定の居住用財産の買換えの場合の長期譲渡所得の課税の特例」の適用を受けた場合の譲渡所得の金額に係る所得税および復興特別所得税、住民税の合計額はいくらか。
　　　②　「居住用財産を譲渡した場合の3,000万円の特別控除」および「居住用財産を譲渡した場合の長期譲渡所得の課税の特例」の適用を受けた場合の譲渡所得の金額に係る所得税および復興特別所得税、住民税の合計額はいくらか。

〈譲渡資産および買換資産に関する資料〉

・譲渡資産の譲渡価額：8,000万円
・譲渡資産の取得費　：不明
・譲渡費用　　　　　：400万円
・買換資産の取得価額：5,600万円

【第5問】 次の設例に基づいて、下記の各問（《問63》～《問65》）に答えなさい。

《設　例》

　Aさん（70歳）は、非上場会社のX株式会社（以下、「X社」という）の代表取締役社長である。電子回路製造業を営むX社は、近年の業績は好調であるが、過去には経営が困難であった時期もあり、その際にAさん個人がX社に貸し付けた4,000万円が現在もそのまま残っている。

　X社の専務取締役を務めている長男Cさんが十分に経験を積み、後継者として周囲の理解も得られたことから、Aさんは、長男Cさんに事業を承継して勇退することを検討している。そのため、Aさんは、長男Cさん以外の子どもたちにそれぞれ資金援助をすることで、長男Cさんへ事業を承継することに対する理解を得たいと考えている。なお、二男Eさんは身体に障害があり、配偶者もいないため、Aさんは、二男Eさんの将来を心配している。

　X社の概要およびAさんに関する資料は、以下のとおりである。

〈X社の概要〉
(1) 業種　電子回路製造業
(2) 資本金等の額　9,000万円（発行済株式総数180,000株、すべて普通株式で1株につき1個の議決権を有している）
(3) 株主構成　Aさんが100％保有
(4) 株式の譲渡制限　あり
(5) X社株式の評価（相続税評価額）に関する資料
　・X社の財産評価基本通達上の規模区分は「中会社の中」である。
　・X社は、特定の評価会社には該当しない。
　・比準要素の状況

比準要素	X社	類似業種
1株（50円）当たりの年配当金額	1.3円	2.0円
1株（50円）当たりの年利益金額	17円	9円
1株（50円）当たりの簿価純資産価額	139円	120円

　※すべて1株当たりの資本金等の額を50円とした場合の金額である。

　・類似業種の1株（50円）当たりの株価の状況
　　課税時期の属する月の平均株価　　　　　　136円
　　課税時期の属する月の前月の平均株価　　　131円
　　課税時期の属する月の前々月の平均株価　　134円
　　課税時期の前年の平均株価　　　　　　　　110円
　　課税時期の属する月以前2年間の平均株価　115円

〈Aさんに関する資料〉
　(1)　Aさんの親族関係図

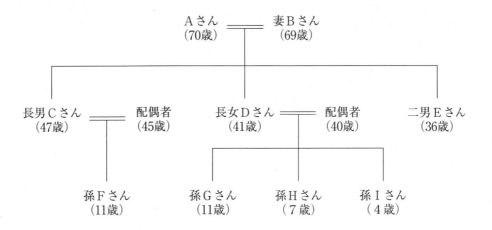

　(2)　Aさんが保有する財産（相続税評価額）
　　　現預金　　　　　：7,000万円
　　　上場株式　　　　：8,000万円
　　　X社株式　　　　：1億5,000万円
　　　X社への貸付金　：4,000万円
　　　自宅（建物）　　：2,000万円
　　　自宅（敷地480㎡）：4,800万円（「小規模宅地等についての相続税の課税価格の計算の特
　　　　　　　　　　　　　　　　　例」適用前の金額）
　(3)　Aさんが加入している生命保険の契約内容
　　　保険の種類　　　　　　　　　　：終身保険
　　　契約年月　　　　　　　　　　　：1991年4月
　　　契約者（＝保険料負担者）・被保険者：Aさん
　　　死亡保険金受取人　　　　　　　：妻Bさん
　　　死亡保険金額　　　　　　　　　：5,000万円

　※上記以外の条件は考慮せず、各問に従うこと。

《問63》 《設例》の〈X社の概要〉に基づき、X社株式の1株当たりの類似業種比準価額を求めなさい。〔計算過程〕を示し、〈答〉は円単位とすること。また、端数処理は、各要素別比準割合および比準割合は小数点第2位未満を切り捨て、1株当たりの資本金等の額50円当たりの類似業種比準価額は10銭未満を切り捨て、X社株式の1株当たりの類似業種比準価額は円未満を切り捨てること。

なお、X社株式の類似業種比準価額の算定にあたり、複数の方法がある場合は、できるだけ低い価額となる方法を選択するものとする。

《問64》 《設例》の〈Aさんに関する資料〉に基づき、仮にAさんが現時点（2025年1月26日）で死亡して相続が開始した場合の相続税の総額を求めなさい。〔計算過程〕を示し、〈答〉は万円単位とすること。

なお、自宅の建物および敷地は妻Bさんが相続するものとし、自宅の敷地について「小規模宅地等についての相続税の課税価格の計算の特例」の適用を受けるものとする。

〈資料〉相続税の速算表

法定相続分に応ずる取得金額		税率	控除額
万円超	万円以下		
	1,000	10%	—
1,000 ～	3,000	15%	50万円
3,000 ～	5,000	20%	200万円
5,000 ～	10,000	30%	700万円
10,000 ～	20,000	40%	1,700万円
20,000 ～	30,000	45%	2,700万円
30,000 ～	60,000	50%	4,200万円
60,000 ～		55%	7,200万円

《問65》　相続税の税額控除等に関する以下の文章の空欄①～⑥に入る最も適切な語句または数値を、解答用紙に記入しなさい。

〈配偶者に対する相続税額の軽減〉

Ⅰ　被相続人の配偶者が当該被相続人から相続または遺贈により財産を取得し、「配偶者に対する相続税額の軽減」（以下、「本制度」という）の適用を受けた場合、原則として、相続または遺贈により取得した財産の額が（　①　）円と配偶者の法定相続分相当額とのいずれか多い金額までは、納付すべき相続税額が算出されない。

　　なお、原則として、相続税の申告期限までに分割されていない財産は本制度の対象とならないが、相続税の申告書に「申告期限後（　②　）以内の分割見込書」を添付して提出し、申告期限までに分割されなかった財産について申告期限から（　②　）以内に分割したときは、分割が成立した日の翌日から（　③　）以内に更正の請求をすることによって、本制度の適用を受けることができる。

〈障害者控除〉

Ⅱ　相続または遺贈により財産を取得した者が、被相続人の法定相続人であり、かつ、一般障害者または特別障害者に該当する場合、その者の納付すべき相続税額の計算上、障害者控除として一定の金額を控除することができる。

　　障害者控除の額は、その障害者が満（　④　）歳になるまでの年数1年（年数の計算に当たり、1年未満の端数は1年に切り上げて計算する）につき、一般障害者は（　⑤　）万円、特別障害者は（　⑥　）万円で計算した額である。

| FP | 1級 | 学科 |

2025年　1月
ファイナンシャル・プランニング技能検定対策

第3予想

1級　学科試験
〈基礎編〉

- -
試験時間 ◆ 150分
- -

── ★　注　意　★ ──

1．本試験の出題形式は、四答択一式 50問です。

2．筆記用具、計算機（プログラム電卓等を除く）の持込みが認められています。

3．試験問題については、特に指示のない限り、2024年10月1日現在施行の法令等
に基づいて解答してください。

TAC出版
TAC PUBLISHING Group

次の各問（《問１》〜《問50》）について答を１つ選び、その番号を解答用紙にマークしなさい。

《問１》 社会保険の給付に係る併給調整や支給停止に関する次の記述のうち、最も不適切なものはどれか。

１） 健康保険の傷病手当金の支給を受けるべき者が、同一の傷病により障害厚生年金の支給を受けることができるときは、障害厚生年金の支給を受けている間、傷病手当金は減額支給となる。

２） 業務中に死亡した労働者の遺族が、遺族厚生年金と労働者災害補償保険の遺族補償年金の支給を受けることができるときは、遺族厚生年金の支給を受けている間、遺族補償年金は減額支給となる。

３） 厚生年金保険の被保険者が、特別支給の老齢厚生年金と雇用保険の高年齢雇用継続給付の支給を同時に受けることができるときは、特別支給の老齢厚生年金は、在職支給停止の仕組みに加えて、毎月、最大で標準報酬月額の６％相当額が支給停止となる。

４） 障害基礎年金および障害厚生年金の受給権者が、65歳到達日に老齢基礎年金および老齢厚生年金の受給権を取得した場合、当該受給権者は、「障害基礎年金と障害厚生年金」「老齢基礎年金と老齢厚生年金」「老齢基礎年金と障害厚生年金」のいずれかの組合せによる年金の受給を選択することができる。

《問２》 Ａさん（50歳）は、毎年一定金額を積み立て、65歳の時点で、現在の価値で20,000千円を貯めたいと考えている。今後15年間について毎年２％ずつ物価が上昇していくと仮定した場合、50歳から65歳までの15年間の毎年の積立額として、次のうち最も適切なものはどれか。
　　なお、現在の貯蓄額は０円とし、積立期間の運用利回り（複利）は年４％、積立は年１回行うものとする。また、下記の係数表を利用して算出し、計算結果における千円未満を切り捨て、手数料や税金等は考慮しないものとする。

〈年２％の各種係数〉

	終価係数	現価係数	年金終価係数	減債基金係数	年金現価係数	資本回収係数
15年	1.3459	0.7430	17.2934	0.0578	12.8493	0.0778

〈年４％の各種係数〉

	終価係数	現価係数	年金終価係数	減債基金係数	年金現価係数	資本回収係数
15年	1.8009	0.5553	20.0236	0.0499	11.1184	0.0899

１） 1,343千円

２） 2,678千円

３） 3,922千円

４） 4,541千円

《問３》 労働者災害補償保険に関する次の記述のうち、最も不適切なものはどれか。

１） 遺族補償年金の受給権者は、給付基礎日額の1,000日分に相当する額を限度として、遺族補償年金前払一時金の支給を請求することができる。

２） 障害等級第６級の障害補償年金を受ける労働者が、自然経過による悪化（新たな疾病や疾病の再発によらない）で、新たに障害等級第５級に該当するに至った場合でも、障害等級第５級に応

ずる障害補償年金は支給されない。

3）同一の事由により、障害補償年金と障害基礎年金および障害厚生年金が支給される場合、障害
基礎年金および障害厚生年金は全額支給され、障害補償年金は減額調整される。

4）療養開始後1年6カ月を経過した日以後において、傷病が治癒せず、当該傷病による障害の程
度が所定の傷病等級の第1級から第3級に該当する場合には、休業補償給付の支給に代えて、傷
病補償年金が支給される。

《問4》 確定拠出年金の個人型年金に関する次の記述のうち、最も適切なものはどれか。

1）確定拠出年金の企業型年金および確定給付企業年金等を実施していない従業員500人の中小事
業主は、労使合意の基に、従業員が拠出する個人型年金の掛金に上乗せして、中小事業主掛金を
拠出することができる。

2）個人型年金の拠出期間の加入者掛金額は、1,000円に当該拠出に係る拠出期間の月数を乗じた
額以上であり、加入者掛金額の単位は500円単位である。

3）国民年金の第2号被保険者である公務員が個人型年金に加入する場合、掛金の拠出限度額は年
額21万6,000円である。

4）日本国内に住所を有する60歳以上65歳未満の国民年金の任意加入被保険者および日本国内に住
所を有しない20歳以上65歳未満の国民年金の任意加入被保険者は、いずれも個人型年金の加入者
となることができる。

《問5》 年金生活者支援給付金に関する次の記述のうち、最も不適切なものはどれか。

1）年金生活者支援給付金には、老齢年金生活者支援給付金、障害年金生活者支援給付金および遺
族年金生活者支援給付金があり、その支払いは、いずれも毎年2月、4月、6月、8月、10月お
よび12月の6回、それぞれ前2ヵ月分が支払われる。

2）老齢年金生活者支援給付金は、老齢基礎年金の受給権者で所定の所得要件を満たす者が支給対
象となり、その額は、受給資格者の保険料納付済期間および保険料免除期間の長短により異な
る。

3）障害年金生活者支援給付金は、障害基礎年金の受給権者で所定の所得要件を満たす者が支給対
象となり、その額は、受給資格者の障害等級が1級の場合、月額6,638円（2024年度価額）であ
る。

4）遺族年金生活者支援給付金は、遺族基礎年金の受給権者で所定の所得要件を満たす者が支給対
象となり、その額は、受給資格者が3人である場合、月額15,930円（2024年度価額）である。

《問6》 公的年金の課税関係に関する次の記述のうち、最も適切なものはどれか。なお、各選択肢
において、公的年金等に非課税となるものは含まれないものとする。

1）公的年金等に係る雑所得を有する居住者で、その年中の公的年金等の収入金額が400万円以下、
または、その年分の公的年金等に係る雑所得の金額が20万円以下である場合には、原則として確
定申告の必要はない。

2）公的年金等から介護保険料等の保険料が特別徴収されている場合でも、その公的年金等から当
該保険料が控除されていないものとみなした年金額を基にして、源泉徴収税額の計算をする。

3）その年の12月31日において65歳以上の者がその年中に支払いを受けるべき公的年金等の収入金
額が150万円である場合、その支払いの際、所得税および復興特別所得税は源泉徴収されない。

4）公的年金等の支払者に対して「公的年金等の受給者の扶養親族等申告書」を提出することがで

きない確定給付企業年金等の公的年金に係る源泉徴収税率（所得税および復興特別所得税の合計）は、20.42％である。

《問7》　厚生年金保険の被保険者に支給される老齢厚生年金に関する次の記述のうち、最も不適切なものはどれか。なお、記載のない事項については考慮しないものとする。

1）Aさん（63歳）の基本月額が12万円、2025年2月の標準報酬月額が18万円、60歳以後は賞与が支給されていない場合、2025年2月分の特別支給の老齢厚生年金は、一定額が支給停止される。

2）Bさん（66歳）の基本月額が21万円、2025年2月の標準報酬月額が26万円、2025年2月以前1年間の標準賞与額の総額が48万円の場合、2025年2月分の老齢厚生年金は、一定額が支給停止される。

3）Cさん（67歳）に対する老齢厚生年金について、在職支給停止の仕組みにより、その全部が支給停止となる場合でも、老齢厚生年金に加算される経過的加算額については、その全額が支給される。

4）加給年金対象者である配偶者を有するDさん（68歳）に対する老齢厚生年金について、在職支給停止の仕組みにより、その一部が支給停止となる場合でも、老齢厚生年金に加算される加給年金額については、その全額が支給される。

《問8》　教育資金の準備等に関する次の記述のうち、最も適切なものはどれか。

1）学資（こども）保険は、満期時や入学時に祝金（学資金）を受け取ることができる保険商品であり、契約者である親が保険期間中に死亡した場合、通常、死亡時までに払い込んだ保険料相当額を死亡保険金として受け取ることができる。

2）国の高等教育の修学支援新制度は、給付型奨学金の支給と授業料・入学金の免除または減額（授業料等減免）の2つの支援からなり、世帯の収入金額にかかわらず、すべての学生・生徒が支援の対象となる。

3）日本政策金融公庫の「教育一般貸付（国の教育ローン）」の融資限度額は、原則として学生・生徒1人につき300万円であるが、自宅外通学の場合は400万円が上限となる。

4）ひとり親家庭（父子家庭・母子家庭）が日本政策金融公庫の「教育一般貸付（国の教育ローン）」を利用する場合、融資金利および保証料について優遇措置を受けることができる。

《問9》　日常生活自立支援事業と成年後見制度に関する次の記述のうち、最も適切なものはどれか。

1）本人の判断能力が少し低下しているため不安がある場合に、日常的なことの援助だけを必要としているのであれば、日常生活自立支援事業を利用することができる。日常生活自立支援事業の所轄庁は法務省であり、本人など一定の申立権者が家庭裁判所へ申立てて、弁護士・司法書士・社会福祉士等が就くことになる。

2）成年後見人等は、本人の財産管理と身上監護を行うことになっている。成年後見人等が選任されていても、あわせて日常生活自立支援事業を利用することができる。

3）成年後見人等は医療に関する同意、結婚や離婚、養子縁組、遺言といった行為について代わりに行うことはできないが、施設に入所する場合等に求められる身元引受人や保証人になることができる。

4）日常生活自立支援事業は、福祉サービスの情報提供や助言と利用援助、また、生活費の出金や公共料金等の支払い手続きなど日常的金銭管理サービスをしてくれるが、預貯金通帳や印鑑など

を預かるサービスはできない。

《問10》 保険業法に定める保険契約の申込みの撤回等（クーリング・オフ制度）に関する次の記述のうち、最も不適切なものはどれか。なお、**各選択肢において、ほかに必要とされる要件等はすべて満たしているものとする。**

1）法人が、契約者（＝保険料負担者）かつ保険金受取人を法人、被保険者を役員とする保険期間20年の生命保険契約の申込みをした場合、その法人は、クーリング・オフ制度により保険契約の申込みの撤回等をすることができない。

2）個人が、生命保険契約の申込みの場所として自らの居宅を指定し、保険募集人の訪問を受けて、当該居宅内において申込みをした場合、その者は、クーリング・オフ制度により保険契約の申込みの撤回等をすることができる。

3）個人が、既に加入している生命保険契約の保険金額を増額した場合、その者は、クーリング・オフ制度により保険金額の増額の申込みの撤回等をすることができない。

4）個人が、既に加入している生命保険契約を転換して新たな生命保険契約を締結した場合、その者は、クーリング・オフ制度により転換による保険契約の申込みの撤回等をすることができない。

《問11》 生命保険会社の健全性・収益性に関する指標等に関する次の記述のうち、最も適切なものはどれか。

1）基礎利益は、保険会社の基礎的な期間損益の状況を表す指標であり、経常利益から有価証券売却損益などの「臨時損益」と危険準備金繰入額などの「キャピタル損益」を除いて算出される。

2）保有契約高は、保険会社が保障する金額の総合計額であり、個人保険については、責任準備金の額の合計額となる。

3）EV（エンベディッド・バリュー）は、保険会社の企業価値を表す指標であり、保有契約に基づき計算される「修正純資産」と貸借対照表などから計算される「保有契約価値」を合計して算出される。

4）ソルベンシー・マージン比率は、保険会社が有する保険金等の支払余力を表す指標であり、内部留保や有価証券含み損益などの合計である「ソルベンシー・マージン総額」を保険リスクや予定利率リスクなどを数値化した「リスクの合計額」の2分の1相当額で除して算出される。

《問12》 X株式会社（以下、「X社」という）は、代表取締役社長であるAさんを被保険者とする下記の定期保険に加入した。当該生命保険の第1回保険料払込時の経理処理として、次のうち最も適切なものはどれか。

保険の種類	：無配当定期保険（特約付加なし）
契約年月日	：2024年10月1日
契約者（＝保険料負担者）	：X社
被保険者	：Aさん（加入時40歳）
死亡保険金受取人	：X社
保険期間・保険料払込期間	：99歳満了
死亡保険金	：2億7,000万円
年払保険料	：900万円
最高解約返戻率	：75％

1）

借方		貸方	
定期保険料	90万円	現金・預金	900万円
前払保険料	810万円		

2）

借方		貸方	
定期保険料	270万円	現金・預金	900万円
前払保険料	630万円		

3）

借方		貸方	
定期保険料	360万円	現金・預金	900万円
前払保険料	540万円		

4）

借方		貸方	
定期保険料	900万円	現金・預金	900万円

《問13》 普通傷害保険の被保険者が被った次の損害のうち、一般に、同保険の補償の対象となるものはいくつあるか。なお、特約は付帯していないものとし、記載のない事項については考慮しないものとする。

(a) 仕事で業務用車両を運転中に交通事故に巻き込まれてケガをし、入院した場合
(b) 海外旅行中に立ち寄った飲食店でウイルス性食中毒にかかり、入院した場合
(c) 地震により倒れてきた家具に足をはさまれて骨折し、通院した場合
(d) 熱中症により重度の脱水症状となり、入院した場合

1） 1つ
2） 2つ
3） 3つ

4）0（なし）

《問14》 法人向け損害保険に関する記述のうち、不適切なものはいくつあるか。なお、記載のない
事項については考慮しないものとする。

a）施設所有（管理）者賠償責任保険は、本社ビルの使用・管理上の不備により本社ビルの施設が
破損した場合の修理費用を補償する。

b）動産総合保険では補償の対象となる動産について、地震や津波を含む偶発的な事故により生じ
た損害を補償する。

c）取引信用保険では、継続的に商取引を行っている取引先の倒産等による売上債権の回収ができ
ないことによって会社が被る損害を補償する。

d）雇用慣行賠償責任保険では会社内で発生した従業員のパワーハラスメント等の不当行為に起因
して、会社が法律上の損害賠償責任を負担することによって被る損害を補償する。

1）1つ
2）2つ
3）3つ
4）4つ

《問15》 個人年金保険に係る税金に関する次の記述のうち、最も不適切なものはどれか。
1）個人年金保険料税制適格特約が付加された定額個人年金保険において、自動振替貸付により保
険料の払込みに充当された金額は、個人年金保険料控除の対象となる。
2）個人年金保険料税制適格特約が付加された定額個人年金保険において、年金年額の減額を行い
返戻金が発生した場合でも、当該返戻金を払い戻すことはできない。
3）契約者（＝保険料負担者）と年金受取人が同一人である個人年金保険において、当該個人年金
保険から受け取る年金に係る雑所得の金額が25万円以上である場合、その受取時に雑所得の金額
の10.21％が源泉徴収される。
4）個人年金保険（保証期間付終身年金）において、年金支払開始時に保証期間分の年金額を一括
で受け取った場合、一時所得として総合課税の対象となる。

《問16》 わが国の先物取引に関する次の記述のうち、最も不適切なものはどれか。
1）裁定取引（アービトラージ取引）とは、リスクを覚悟の上で、先物の価格変動をとらえて単に
先物を売買して高い収益を狙う取引のことであり、いわゆる投機目的の取引をいう。
2）日経225先物取引の取引単位は、日経225の指数値に1,000円を乗じて得た額である。
3）債券先物取引は、国債を取引対象とする先物取引で、「中期国債先物取引」「長期国債先物取
引」「超長期国債先物取引」があるが、実在する日本国債ではなく、利率と償還期限を常に一定
とする架空の債券（債券標準物）が取引されている。
4）商品先物取引は金、白金等の商品を対象とする先物取引であり、貴金属のほかにもゴムや農産
物を対象とする先物取引が可能である。

《問17》 投資信託の一般的な商品性に関する次の記述のうち、最も適切なものはどれか。
1）インバース型ファンドは、先物やオプションなどを利用して、基準となる指数の値動きを上回
る投資成果を目指す投資信託であり、相場の下落局面において、より高い収益率が期待できる。

2）ブル型ファンドは、原指標の変動率に一定の負の倍数を乗じて算出される指標に連動する運用成果を目指して運用される投資信託である。

3）ＭＲＦは、格付けの高い公社債やコマーシャルペーパー等を投資対象とした単位型の公社債投資信託であり、主に証券会社で行う有価証券の売買その他の取引に係る金銭の授受の用に供することを目的とした投資信託である。

4）ロング・ショート型ファンドは、株価の相対的な上昇が予想される株式を空売りすると同時に、株価の相対的な下落が予想される株式を購入することで、株式市場の上昇・下落にかかわらず、収益の獲得を目指す投資信託である。

《問18》 Ａさん（居住者）は、2022年4月に特定口座でＸファンド（公募追加型株式投資信託、当初1口1円、年1回分配）10,000口を基準価額14,000円で購入した。下記の〈Ｘファンドの分配金実績・分配落後基準価額の推移〉に基づき、2025年3月期における10,000口当たりの収益分配金について、所得税および復興特別所得税、住民税の源泉（特別）徴収後の手取金額として、次のうち最も適切なものはどれか。なお、源泉（特別）徴収される税額は円未満切捨てとすること。

〈Ｘファンドの分配金実績・分配落後基準価額の推移〉　　　　（10,000口当たりの金額）

決　算　日	2023年3月期	2024年3月期	2025年3月期
分配金実績	1,000円	1,000円	1,500円
分配落後基準価額	13,500円	14,000円	13,000円

1）1,196円
2）1,297円
3）1,399円
4）1,500円

《問19》 2024年1月以降、従来のＮＩＳＡ制度を一本化し、従来のつみたてＮＩＳＡに該当する特定非課税累積投資勘定（以下、「つみたて投資枠」という）を基本としつつ、従来の一般ＮＩＳＡの機能を引き継ぐ特定非課税管理勘定（以下、「成長投資枠」という）が導入された。これに関する次の記述のうち、最も適切なものはどれか。

1）口座開設年ごとに、つみたて投資枠と成長投資枠の選択適用は可能であるが、同一年中につみたて投資枠と成長投資枠の併用は認められない。

2）年間投資上限額は、つみたて投資枠で240万円、成長投資枠で120万円である。

3）新たに生涯非課税限度額が設けられ、当該限度額は1,800万円（うち成長投資枠1,200万円）である。

4）非課税投資期間は、つみたて投資枠で20年間、成長投資枠で10年間である。

《問20》 株式のテクニカル分析手法の一般的な特徴に関する次の記述のうち、最も不適切なものはどれか。

1）ボリンジャーバンドは、移動平均線に標準偏差を加減して作成され、株価は約95％の確率で「移動平均線±2σ」の範囲内に収まるとされている。

2）短期の移動平均線が長期の移動平均線を上から下に抜けて交差することをデッドクロスとい

い、株価が下落傾向にあると判断される。

3）サイコロジカルラインは、一定期間内において株価が前日比で上昇した日数の割合を示し、投資家心理を数値化した指標とされ、主に売買時期の判断に使用される。

4）ストキャスティクスは％K、％D、スロー％Dなどの数値を用い、それらが0％から100％の範囲を往復する動きをみせるが、一般的には20〜30％が高値、70〜80％が安値と判断する。

《問21》 オプション取引に関する次の記述のうち、最も適切なものはどれか。

1）キャップは、キャップの買い手が売り手に対してオプション料を支払うことにより、原資産である金利があらかじめ設定した金利を下回った場合に、その差額を受け取ることができる取引である。

2）ITM（イン・ザ・マネー）は、コール・オプションの場合は原資産価格が権利行使価格を下回っている状態をいい、プット・オプションの場合は原資産価格が権利行使価格を上回っている状態をいう。

3）ノックイン・オプションやノックアウト・オプションなどのバリア条件の設定されたオプションは、バリア条件のないオプションと比較すると、他の条件が同一である場合、一般に、オプション料が高くなる。

4）カラーの買いは、キャップの買いとフロアの売りを組み合わせたものであり、カラーの買い手は売り手に対してオプション料を支払うことにより、原資産である金利があらかじめ設定した上限を超えた場合に、その差額を受け取ることができる。

《問22》 以下の表におけるA資産とB資産をそれぞれ6：4の割合で購入した場合のポートフォリオの標準偏差として、次のうち最も適切なものはどれか。なお、計算結果は小数点以下第3位を四捨五入すること。

〈A資産とB資産の期待収益率・標準偏差・共分散〉

	期待収益率	標準偏差	共分散
A資産	11.00％	3.74％	−9.60
B資産	7.60％	2.58％	

1）1.22％

2）1.49％

3）3.28％

4）9.64％

《問23》 居住者による株式の譲渡に係る税金に関する次の記述のうち、最も不適切なものはどれか。なお、記載のない事項については考慮しないものとする。

1）同一年中に上場株式を譲渡したことによる譲渡所得以外の所得を得ていない者は、当該株式に係る課税譲渡所得の金額の計算上、基礎控除などの所得控除額を控除することができない。

2）2024年分において生じた上場株式に係る譲渡損失の金額で2025年分に繰り越されたものについては、2025年分における非上場株式に係る譲渡所得の金額から控除することができない。

3）時価1億円の上場株式を所有している者が国外転出した場合、国外転出した時に、国外転出の時における金融商品取引所の公表する最終価格で当該株式の譲渡があったものとみなして、当該

株式の含み益に対して所得税および復興特別所得税が課される。

4）上場株式を譲渡したことによる譲渡所得の金額の計算上、購入のために要した費用として取得価額に含めることができる売買委託手数料は、その手数料に係る消費税および地方消費税を含めた金額となる。

《問24》 金融サービスの提供及び利用環境の整備等に関する法律に関する次の記述のうち、最も適切なものはどれか。

1）金融サービス仲介業者は、事業開始の日から最初の事業年度の終了の日後3月を経過する日までの間においては、主たる事務所につき1,000万円を保証金として最寄りの供託所に供託しなければならない。

2）金融サービス仲介業は、預金等媒介業務、保険媒介業務、有価証券等仲介業務および貸金業貸付媒介業務のすべてを業として行うこととされている。

3）金融サービス仲介業者は、その行う金融サービス仲介業に関して、顧客から金銭その他の財産の預託を受けることが一切禁止されている。

4）金融サービス仲介業者は、顧客からの求めの有無にかかわらず、金融サービス仲介業務に関して受ける手数料、報酬その他の対価の額を明らかにしなければならない。

《問25》 所得税の申告と納付に関する次の記述のうち、最も不適切なものはどれか。

1）国税電子申告・納税システム（e-Tax）では、インターネット等を利用して電子的に所得税や法人税等の申告および納税に限らず、申請や届出等の手続きも行うことができる。

2）国税電子申告・納税システム（e-Tax）を利用して確定申告書を提出する際に、第三者作成書類（給与所得の源泉徴収票等）の添付を省略した場合、その書類は、原則として法定申告期限から7年間、保存しなければならない。

3）確定申告により納付すべき所得税額の2分の1に相当する金額以上の所得税を納期限までに納付した者が、納期限までに納税地の所轄税務署長に延納届出書を提出した場合、原則として、その年の5月31日までにその残額を納付しなければならない。

4）予定納税基準額が15万円以上である場合、原則として、第1期および第2期の計2回において、それぞれ予定納税基準額の3分の1に相当する金額の所得税を納付することとされている。

《問26》 居住者に係る所得税の給与所得に関する次の記述のうち、最も不適切なものはどれか。

1）給与所得者がその年中に支出した特定支出の額の合計額が給与所得控除額の2分の1相当額を超える場合、確定申告により、給与所得の金額の計算上、給与等の収入金額から給与所得控除額を控除した残額からその超える部分の金額を控除することができる。

2）その年中の給与等の収入金額が1,200万円である給与所得者（ほかに所得はない）が23歳未満の扶養親族を有する場合、総所得金額の計算上、所得金額調整控除として35万円が給与所得の金額から控除される。

3）交通機関を利用して通勤する給与所得者が、その通勤に必要な費用に充てるものとして通常の給与に加算して受ける通勤手当のうち、経済的かつ合理的と認められる通常の運賃等の額は、月額15万円を上限として非課税とされる。

4）物品その他の資産を無償または低い対価により譲渡されたことによる経済的利益や土地、家屋その他の資産を無償または低い対価により借り受けたことによる経済的利益のうち、現物給与とされるものは、原則として、給与所得の金額の計算上、収入金額に算入する。

《問27》 居住者に係る所得税における減価償却に関する次の記述のうち、最も不適切なものはどれか。

1）現に採用している償却方法を変更しようとする場合には、新たな償却方法を採用しようとする年の3月15日までに、変更理由を記載した「減価償却資産の償却方法の変更承認申請書」を納税地の所轄税務署長に提出しなければならない。

2）新たな種類の減価償却資産を取得し、「減価償却資産の償却方法の届出書」を納税地の所轄税務署長に提出しなかった場合、その償却方法は定額法となる。

3）所定の要件を満たす青色申告者が、取得価額が10万円以上30万円未満の減価償却資産（貸付けの用に供した一定の資産を除く）を取得して業務の用に供した場合、その業務の用に供した年分における少額減価償却資産の取得価額の合計額が300万円に達するまでは、その取得価額の全額をその年分の必要経費に算入することができる。

4）取得して業務の用に供した減価償却資産の使用可能期間が3年未満である場合、取得に要した金額の多寡にかかわらず、その取得価額の全額をその業務の用に供した年分の必要経費に算入する。

《問28》 居住者であるAさんの2024年分の所得等は以下のとおりである。所得税の配当所得について総合課税により確定申告をした場合、Aさんの2024年分の所得税に係る配当控除の金額として、最も適切なものはどれか。

項目	金額	備考
配当所得	900,000円	内国法人の非上場株式から生じた剰余金の配当で、少額配当に該当するものはない。
給与所得	11,700,000円	－
不動産所得	300,000円	青色申告特別控除後の所得である。
譲渡所得	▲450,000円	2024年10月に売却したゴルフ会員権の譲渡による損失である。
所得控除額	2,400,000円	－

1）45,000円

2）65,000円

3）70,000円

4）87,500円

《問29》 X株式会社（以下、「X社」という）とその役員の間の取引における法人税および所得税の取扱いに関する次の記述のうち、最も適切なものはどれか。

1）X社が役員から無利息で金銭を借り入れた場合、原則として、X社側では通常支払うべき利息が益金算入となり、役員側では通常収受すべき利息が給与所得の収入金額として課税対象となる。

2）X社が所有する社宅をその規模等に応じた所定の方法により計算した通常支払われるべき賃貸料よりも低い賃貸料で役員に貸し付けた場合、役員側では通常支払うべき賃貸料と実際に支払った賃貸料との差額が不動産所得の収入金額として課税対象となる。

3）役員が所有する資産を適正な時価の2分の1未満の価額でX社に譲渡した場合、役員側では時価で譲渡したものとされ、時価が譲渡所得の収入金額として課税対象となる。

４）Ｘ社が所有する資産を適正な時価よりも高い価額で役員に譲渡した場合、Ｘ社側では時価で譲渡したものとされ、譲渡価額と時価との差額が役員給与となるが、損金に算入することはでいない。

《問30》 法人税法上の受取配当等の益金不算入に関する次の記述のうち、最も適切なものはどれか。なお、各選択肢において、法人はいずれも内国法人（普通法人）であるものとする。

１）製造業を営むＸ社が発行済株式の３％を保有するＡ社から受けた非支配目的株式等に係る配当については、その配当の額の30％に相当する金額が益金不算入となる。

２）製造業を営むＸ社が発行済株式の10％を保有するＢ社から受けた完全子法人株式等、関連法人株式等および非支配目的株式等のいずれにも該当しない株式等に係る配当については、その配当の額の50％に相当する金額が益金不算入となる。

３）製造業を営むＸ社が発行済株式の40％を保有するＣ社から受けた関連法人株式等に係る配当については、その全額が益金不算入となる。

４）製造業を営むＸ社が発行済株式の100％を保有するＤ社から受けた完全子法人株式等に係る配当については、その配当の額から当該株式に係る負債利子額を控除した金額が益金不算入となる。

《問31》 キャッシュ・フロー計算書の一般的な特徴に関する次の記述のうち、最も適切なものはどれか。

１）営業活動によるキャッシュ・フローの区分は、企業の本業により生じたキャッシュ・フローを表示するものであり、小計欄より下では、利息や配当の受け取りや利息の支払い、法人税等の支払いなどの営業損益計算の対象にならない項目で、投資活動および財務活動以外のキャッシュ・フローが記載される。

２）営業活動によるキャッシュ・フローの表示方法には、直接法（商品の販売や仕入、給料の支払い、その他の費用の支払いなどの主要な取引ごとにキャッシュ・フローを総額表示する方法）と間接法（税引前当期純利益に減価償却費などの非資金損益項目、有価証券売却益などの投資活動や財務活動の区分に含まれる損益項目を加減して表示する方法）がある。なお、営業活動によるキャッシュ・フローがプラスであれば、損益計算書における当期純利益もプラスである。

３）投資活動によるキャッシュ・フローの区分は、減価償却資産や有価証券等の取得や売却等の設備投資や余剰資金の運用による資金の動きを表示するものであり、企業が設備投資などの投資により、どのような支出をしたか、固定資産や有価証券の売却等によってどのように収入を得たかを示すものである。なお、設備投資を積極的に行っている場合、投資活動によるキャッシュ・フローはプラスになることが多い。

４）財務活動によるキャッシュ・フローの区分は、借入れなどの資金の調達および返済による資金の動きを表示するものであり、営業活動および投資活動を維持するために、資金をどのように調達して、どのように返済したかを示すものである。なお、成長過程にある企業が投資を積極的に行っている場合などは、多額の資金調達を行う必要があるため、財務活動によるキャッシュ・フローがマイナスになることが多い。

《問32》 2023年10月１日から適用された適格請求書等保存方式（インボイス制度）に関する次の記述のうち、最も不適切なものはどれか。

１）適格請求書には、従来の請求書（区分記載請求書）の記載事項に加えて適格請求書発行事業者

の登録番号および税率ごとに区分した消費税額等の記載が必要となる。

2）適格請求書を交付しようとする事業者は、所轄税務署長から適格請求書発行事業者として登録を受ける必要がある。

3）所轄税務署長から登録を受ければ、課税事業者か免税事業者かに係わらず適格請求書発行事業者となることができる。

4）仕入税額控除の適用を受けるためには、原則として適格請求書発行事業者から発行された適格請求書等の保存等が必要になる。

《問33》「ふるさと納税ワンストップ特例制度」（以下、「本制度」という）に関する次の記述のうち、最も適切なものはどれか。なお、記載のない事項については考慮しないものとする。

1）本制度の適用を受けた場合、住民税から控除されず、すべて所得税における所得控除の適用を受けることになる。

2）本制度の適用を受けるためには、寄附の都度、寄附をした自治体に「寄附金税額控除に係る申告特例申請書」を提出しなければならない。

3）給与所得者のうち、最初の年分の住宅借入金等特別控除の適用を受けるために所得税の確定申告を行う者は、本制度の適用を受けることができる。

4）寄附者が1年間に4つの自治体に対して寄附を行った場合、本制度の適用を受けることができない。

《問34》 不動産鑑定評価基準に関する次の記述のうち、最も不適切なものはどれか。

1）取引事例比較法は、時点修正が可能である等の要件を満たす取引事例について、近隣地域または同一需給圏内の類似地域に存する不動産に係るものから選択する必要があるため、近隣地域の周辺の地域に存する不動産に係るものから選択することはできない。

2）原価法は、対象不動産が建物およびその敷地である場合において、再調達原価の把握および減価修正を適切に行うことができるときに有効な手法であり、対象不動産が土地のみである場合でも、適用することができる。

3）資産の流動化に関する法律に規定する資産の流動化の対象となる不動産について、鑑定評価目的のもとで投資家に示すための投資採算価値を表す価格は、特定価格として求める。

4）収益還元法は、対象不動産が将来生み出すであろうと期待される純収益の現在価値の総和を求めることにより対象不動産の価格を求める手法であるが、自用の不動産に適用することもできる。

《問35》 民法における不動産の売買に関する次の記述のうち、最も適切なものはどれか。

1）売買契約を締結し、売主が買主に目的物を引き渡した後、その目的物が当事者双方の責めに帰することができない事由によって滅失した場合、買主は、その滅失を理由として、代金の支払いを拒むことができる。

2）売主が債務を履行しない場合において、買主が相当の期間を定めてその履行の催告をし、その期間内に履行がないときは、その期間を経過した時における債務の不履行の程度を問わず、買主は、その売買契約を解除することができる。

3）売主から引き渡された目的物が種類、品質または数量に関して売買契約の内容に適合しないものである場合、その不適合が買主の責めに帰すべき事由によるものであるときでも、買主は、売主に対し、目的物の修補等による履行の追完を請求することができる。

４）売買契約の締結後、売主が買主に目的物を引き渡すまでの間に、その目的物が当事者双方の責めに帰することができない事由によって滅失した場合、買主は、その滅失を理由として、代金の支払いを拒むことができる。

《問36》 都市計画法に関する次の記述のうち、最も適切なものはどれか。

１）準都市計画区域とは、都市計画区域内の区域のうち、そのまま土地利用を整序し、または環境を保全するための措置を講ずることなく放置すれば、将来における一体の都市としての整備、開発および保全に支障が生じるおそれがあると認められる一定の区域を、都道府県が指定するものである。

２）準都市計画区域として指定された区域では、用途地域や高度地区を定めることができる。

３）都市計画区域のうち、市街化区域は既に市街地を形成している区域とされ、市街化調整区域はおおむね10年以内に優先的かつ計画的に市街化を図るべき区域とされる。

４）都市計画区域のうち、市街化区域および区域区分が定められていない都市計画区域については、原則として、用途地域を定めないものとされ、市街化調整区域については用途地域を定めるものとされる。

《問37》 農地法に関する次の記述のうち、最も不適切なものはどれか。

１）市街化区域内にある農地を物流倉庫の用地として転用する目的で譲渡する場合、農地の面積にかかわらず、あらかじめ農業委員会に届け出ればよい。

２）市街化調整区域内の農地を駐車場の用地として自ら転用する場合、都道府県知事等の許可を受けなければならない。

３）市街化区域内にある農地を他の農業者に農地として譲渡する場合、農業委員会の許可を受けなければならない。

４）個人が農地の所有権を相続により取得した場合、当該権利を取得したことを知った時点からおおむね１年以内に、農業委員会にその旨を届け出なければならない。

《問38》 建物の区分所有等に関する法律に関する次の記述のうち、最も不適切なものはどれか。

１）管理費が未払いのまま区分所有権の譲渡が行われた場合、管理組合は、元の所有者に対して当該管理費を請求できるだけではなく、買主に対しても当該管理費を請求することができる。

２）管理組合の法人化にあたっては、区分所有者および議決権の各４分の３以上の多数による集会の決議と、その主たる事務所の所在地において登記をする必要がある。

３）区分所有建物の建替え決議は、集会において区分所有者および議決権の各５分の４以上の多数による必要があり、この区分所有者および議決権の定数については規約で減ずることはできない。

４）専有部分が数人の共有に属するときは、共有者全員が総会に出席し、それぞれが議決権を行使することができる。

《問39》 Aさんは、所有する土地の一部をデベロッパーに譲渡し、デベロッパーがその土地上に建設した建築物の一部を取得することを検討している。「既成市街地等内にある土地等の中高層耐火建築物等の建設のための買換えの場合の譲渡所得の課税の特例」（立体買換えの特例。租税特別措置法第37条の5。以下、「本特例」という）に関する次の記述のうち、最も不適切なものはどれか。なお、本問においては、本特例の表二号（中高層の耐火共同住宅）に限定するものとし、各選択肢において、ほかに必要とされる要件等はすべて満たしているものとする。

1）Aさんが譲渡した土地が、譲渡直前において事業の用または居住の用に供されておらず、遊休地であった場合でも、本特例の適用を受けることができる。

2）Aさんが譲渡した土地の所有期間が、譲渡した日の属する年の1月1日において5年以下であった場合でも、本特例の適用を受けることができる。

3）Aさんが、取得した建物を第三者に対する貸付けの用に供した場合、その貸付けが事業と称するに至らないときは、本特例の適用を受けることはできない。

4）Aさんが、取得した建物を自己の事業の用に供さず、生計を別にする親族の事業の用に供する場合、本特例の適用を受けることはできない。

《問40》 X株式会社（以下、「X社」という）は、X社の社長であるAさんの所有地について、賃貸借契約を締結して当該土地上に会社名義の建物を建設することを計画している。次の3つの方法のいずれかによりAさんの所有地を借り受ける場合、権利金の認定課税を受ける方法はいくつあるか。なお、Aさんの所有地は、借地権の設定に際し、その設定の対価として権利金を授受する取引慣行のある地域にあるものとする。

(a) X社が、Aさんに対して権利金をまったく支払わず、Aさんに支払う賃料は「相当の地代」とし、両者が連名で所轄税務署長に「土地の無償返還に関する届出書」を提出する方法

(b) X社が、Aさんに対して権利金をまったく支払わず、Aさんに支払う賃料は「通常の地代」とする方法

(c) X社が、Aさんに対して通常の権利金を支払い、Aさんに支払う賃料は「相当の地代」とする方法

1）1つ
2）2つ
3）3つ
4）0（なし）

《問41》 下記の〈条件〉に基づく不動産投資におけるDSCR（借入金償還余裕率）として、次のうち最も適切なものはどれか。なお、収入は年間の空室率を15％として計算し、記載のない事項については考慮せず、計算結果は小数点以下第3位を四捨五入すること。

〈条件〉

投 資 物 件	賃貸アパート（全12戸）
投 資 額	1億5,000万円（自己資金5,000万円、借入金額10,000万円）
賃 貸 収 入	月額家賃10万円（1戸あたり）
運 営 費 用	年間360万円（借入金の支払利息は含まれていない）
借入金返済額	年間575万円（元利均等返済、返済期間30年）
	※1年目の内訳　元金部分262万円　利息部分313万円

1）1.50
2）1.88
3）2.13
4）2.76

《問42》 贈与に関する次の記述のうち、最も適切なものはどれか。
1）死因贈与とは、受贈者の死亡によってその効力を生じる贈与であり、その性質に反しない限り遺贈に関する民法の規定が準用される。
2）定期贈与とは、定期の給付を目的とする贈与であり、贈与税額の計算上、各年の贈与額が基礎控除額以下である場合、贈与税は課されない。
3）負担付贈与とは、受贈者に一定の給付をなすべき義務を負わせる贈与であり、その受贈者の負担から利益を受ける者は贈与者に限らない。
4）負担付贈与における贈与者は、その負担の限度にかかわらず売主と同じく担保の責任を負い、その性質に反しない限り片務契約に関する民法の規定が準用される。

《問43》 「直系尊属から教育資金の一括贈与を受けた場合の贈与税の非課税の特例」（以下、「本特例」という）に関する次の記述のうち、最も適切なものはどれか。
1）信託受益権等を贈与により取得をした日の属する年分の受贈者の合計所得金額が1,000万円を超えている場合には、本特例は適用を受けることができない。
2）本特例の適用対象となる受贈者は教育資金管理契約を締結する日において18歳以上30歳未満である者である。
3）教育資金管理契約が終了する前に贈与者が死亡し、非課税拠出額から教育資金支出額を控除した残額が相続税の課税対象となる場合において、その受贈者が孫（相続人ではない）であるときは、相続税額の2割加算の適用がある。
4）本特例の非課税限度額は受贈者一人につき1,500万円で、学校以外に支払う金額については、別枠で500万円まで非課税となる。

《問44》 贈与税の課税財産等に関する次の記述のうち、最も適切なものはどれか。なお、各選択肢において、贈与者および受贈者はいずれも個人であるものとする。

1）父が所有する土地（時価6,000万円）を、その土地上に自宅の建築を検討している子に3,000万円で譲渡した場合でも、子が父の扶養親族であるときは、その差額に相当する金額は子が父から贈与により取得したものとみなされない。

2）2024年11月に死亡した叔母から同年4月に現金1,800万円の贈与を受けていた姪が、叔母の相続または遺贈により財産を取得しなかった場合、叔母から贈与により取得した財産については、相続税の課税価格に加算されないため、姪に贈与税が課される。

3）離婚により、夫が妻に居住用マンションを分与した場合、原則として、その財産を取得した妻に贈与税が課されることはなく、また、夫に譲渡所得として所得税が課されることもない。

4）姉・妹・弟の3人が共有している土地について、姉がその持分を放棄した場合、その持分は妹・弟に帰属するが、姉に係る持分を妹・弟が贈与により取得したものとみなされない。

《問45》 成年後見制度に関する次の記述のうち、最も適切なものはどれか。

1）任意後見契約は、任意後見監督人が選任されているかどうかにかかわらず、本人または任意後見受任者が、公証人の認証を受けた書面によっていつでも解除することができる。

2）精神上の障害により事理を弁識する能力が不十分である者について、本人の配偶者または4親等内の親族が補助開始の申立てを行う場合、本人の同意が必要である。

3）成年後見人が、成年被後見人に代わって、成年被後見人の居住用不動産の売却や賃貸等をする場合、公証人による宣誓認証を受けた文書を作成しなければならない。

4）成年後見人に選任された者は、遅滞なく成年被後見人の財産の調査に着手し、原則として3ヵ月以内に、その調査を終了し、かつ、財産目録を作成しなければならない。

《問46》 普通養子に関する次の記述のうち、最も適切なものはどれか。なお、本問においては、特別養子縁組以外の縁組による養子を普通養子といい、記載のない事項については考慮しないものとする。

1）普通養子は、養子縁組の日から養親の嫡出子としての身分を取得し、養親に対する相続権を有するが、実親との親族関係は断絶するため、実親に対する相続権は消滅する。

2）子を有する者を普通養子とした後、養親の相続開始前にその普通養子が死亡した場合、養親の相続において、普通養子の子は、普通養子の相続権を代襲する。

3）養子となる者の年齢制限は定められていないため、年長者である兄や姉を普通養子とすることはできる。

4）子を有する者と婚姻した後、その子を普通養子とする場合、その子が未成年者であっても、家庭裁判所の許可を得る必要はない。

《問47》 下記は、2024年11月20日（月）に死亡したAさんの親族関係図である。Aさんの相続に関する次の記述のうち、適切なものはいくつあるか。なお、二女Dさん、孫Eさん、孫Fさん、弟Gさんは、Aさんから相続または遺贈により財産を取得し、相続税額が算出されるものとする。また、長女Cさんは、相続の放棄をしており、財産を取得していない。

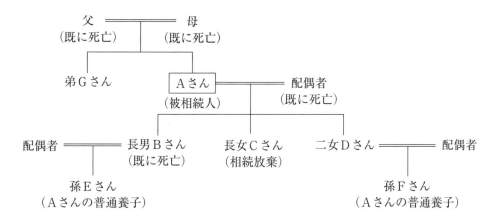

(a) 相続税額の2割加算の対象となる者は、孫Eさん、孫Fさん、弟Gさんの3人である。
(b) 孫Eさんの民法上の法定相続分は、2分の1である。
(c) 遺産に係る基礎控除額は、4,800万円である。

1) 1つ
2) 2つ
3) 3つ
4) 0（なし）

《問48》 相続税の延納および物納に関する次の記述のうち、最も不適切なものはどれか。
1) 相続税の延納の許可を受けた者が、その後の資力の変化等により物納に変更する場合、当該物納に係る財産の収納価額は、原則として、物納に変更する申請時の当該財産の価額となる。
2) 物納に充てることができる財産には、その種類による申請順位があり、不動産、国債・地方債、上場株式は第1順位、非上場株式は第2順位、動産は第3順位とされている。
3) 相続財産のうち不動産等の価額が占める割合が50％未満であり、延納税額が35万円である場合、延納税額の延納期間は、最長5年となる。
4) 延納によっても金銭で納付することを困難とする事由がある場合、納税者は、納期限までに所定の申請をすることにより、相続税の物納の許可を受けることができる。

《問49》 個人が相続により取得した金融資産等の相続税評価に関する次の記述のうち、最も適切なものはどれか。
1) 被相続人が銀行で購入した証券投資信託は、課税時期において解約請求または買取請求により証券会社等から支払いを受けることができる価額により評価する。
2) 個人向け国債は、日本証券業協会から公表された課税時期の平均値と源泉所得税相当額控除後の既経過利息の額との合計額によって評価する。
3) 取引相場のないゴルフ会員権のうち、株主でなければゴルフクラブの会員となれない会員権

（取引相場のない株式制会員権）は、課税時期におけるゴルフクラブの規約等による返還可能額により評価する。
4）被相続人が自宅の金庫で保管していた外貨（現金）の邦貨換算は、原則として、相続開始の日における相続人の取引金融機関が公表する最終の対顧客直物電信売相場（ＴＴＳ）またはこれに準ずる相場による。

《問50》　下記の〈Ｘ社の配当金額等のデータ〉に基づき計算したＸ社株式の１株当たりの配当還元価額として、次のうち最も適切なものはどれか。なお、記載のない事項については考慮しないものとする。

　　　〈Ｘ社の配当金額等のデータ〉
　　　　・直前期の配当金額　　　：　170万円
　　　　・直前々期の配当金額　　：　150万円
　　　　・直前期末の資本金等の額：2,000万円
　　　　・直前期末の発行済株式数：　4万株
1）250円
2）375円
3）400円
4）500円

2025年　1月
ファイナンシャル・プランニング技能検定対策

第3予想

1級　学科試験
〈応用編〉

試験時間 ◆ 150分

★ 注 意 ★

1．本試験の出題形式は、記述式等5題（15問）です。

2．筆記用具、計算機（プログラム電卓等を除く）の持込みが認められています。

3．試験問題については、特に指示のない限り、2024年10月1日現在施行の法令等に基づいて解答してください。

TAC出版
TAC PUBLISHING Group

【第1問】 次の設例に基づいて、下記の各問（《問51》〜《問53》）に答えなさい。

─《設 例》─

Aさん（51歳）は、高校卒業後に入社した建設会社を32歳で退職し、父親が経営していた設計事務所を引き継ぎ、現在に至っている。

Aさんは、妻Bさんとともに国民年金の保険料を納付しているが、それ以外の準備はしていない。

そこで、Aさんは、ファイナンシャル・プランナーのMさんに相談することにした。Aさんの家族に関する資料は、以下のとおりである。

〈Aさんの家族に関する資料〉
(1) Aさん（本人）
　・1973年6月7日生まれ
　・公的年金の加入歴
　　1992年4月に入社してから、2005年9月30日に退職するまで厚生年金保険に加入（厚生年金基金の加入期間はない）。
　　2005年10月から現在に至るまで国民年金の第1号被保険者として国民年金保険料を納付している（付加保険料は納付していない）。
　・2005年10月から現在に至るまで国民健康保険の被保険者である。
(2) Bさん（妻）
　・1974年8月21日生まれ
　・公的年金の加入歴
　　1993年4月から2000年3月まで厚生年金保険の被保険者である。
　　2000年4月から2005年9月まで国民年金の第3号被保険者である。
　　2005年10月から現在に至るまで国民年金の第1号被保険者として国民年金の保険料を納付している（付加保険料は納付していない）。
　・2005年10月から現在に至るまで国民健康保険の被保険者である。

※妻Bさんは、Aさんと同居し、現在および将来においても、Aさんと生計維持関係にあるものとする。
※Aさんと妻Bさんは、現在および将来においても、公的年金制度における障害等級に該当する障害の状態にないものとする。

※上記以外の条件は考慮せず、各問に従うこと。

《問51》 Mさんは、Aさんに対して、国民年金基金について説明した。Mさんが説明した以下の文章の空欄①〜⑧に入る最も適切な語句を、解答用紙に記入しなさい。

「国民年金基金は、国民年金の第1号被保険者を対象に、老齢基礎年金に上乗せする年金を支給する任意加入の年金制度です。国民年金基金には、全国国民年金基金と（　①　）国民年金基金の2種類がありますが、これらは同時に加入することはできません。

国民年金基金への加入は口数制です。1口目は、2種類の（　②　）年金のいずれかを選択し、2口目以降は、（　②　）年金と（　③　）年金のなかから選択します。

国民年金基金の給付には、（　④　）年金と（　⑤　）一時金がありますが、（　⑥　）を支給要件とする給付はありません。将来、掛金を納めた期間に応じた年金が支給されますが、途中で国民年金基金の加入資格を喪失した場合、一時金は支給されません。なお、（　②　）年金は、原則として65歳から支給されますが、老齢基礎年金の繰上げ支給を請求した場合は、国民年金基金から（　⑦　）相当分の年金が減額されて支給されます。

毎月の掛金は、加入員が選択した給付（年金）の型、加入口数、加入時の年齢、性別によって決まりますが、原則として6万8,000円が上限となります。支払った掛金は、税法上、（　⑧　）控除として所得控除の対象となります」

《問52》 Mさんは、Aさんに対して、国民健康保険の高額療養費について説明した。Mさんが説明した以下の文章の空欄①〜④に入る最も適切な数値を、解答用紙に記入しなさい。

「国民健康保険の被保険者が、同一月内に、同一の医療機関等で診療を受けて支払った一部負担金の合計が当該被保険者に係る自己負担限度額（高額療養費算定基準額）を超えた場合、所定の手続きにより、その超えた金額が高額療養費として支給されます。70歳未満の者の場合、原則として、医療機関ごとに、入院・外来、医科・歯科別に一部負担金が（　①　）円以上のものが計算対象となります。また、過去12ヵ月以内に高額療養費が複数支給されると、（　②　）回目から自己負担限度額が軽減される仕組みがあります。

仮に、Aさんが2025年2月中に病気による入院で200万円の医療費（すべて国民健康保険の保険給付の対象となるもの）がかかり、事前に適用区分アが記載された『国民健康保険限度額適用認定証』の交付を受けて所定の手続きをしたか、マイナンバーカードを健康保険証として利用すれば、Aさんは医療機関に一部負担金のうち（　③　）円を支払えばよく、実際の一部負担金との差額（　④　）円が現物給付されます」

〈資料〉高額療養費の自己負担限度額（70歳未満、月額、一部抜粋）

	基準所得額による適用区分	自己負担限度額
ア	901万円超	252,600円＋（総医療費−842,000円）×1％
イ	600万円超　901万円以下	167,400円＋（総医療費−558,000円）×1％
ウ	210万円超　600万円以下	80,100円＋（総医療費−267,000円）×1％

《問53》　Aさんが、60歳に達するまで国民年金の保険料を納付する予定である。2035年12月に公的年金の老齢給付の繰上げ支給を請求した場合、繰上げ請求時におけるAさんの老齢給付について、次の①および②に答えなさい。〔計算過程〕を示し、〈答〉は円単位とすること。また、年金額の端数処理は、円未満を四捨五入すること。

　　　なお、計算にあたっては、下記の〈条件〉に基づき、年金額は2024年度価額に基づいて計算するものとする。

　　　① 　繰上げ支給の老齢基礎年金の年金額はいくらか。
　　　② 　繰上げ支給の老齢厚生年金の年金額（本来水準による価額）はいくらか。

〈条件〉
(1)　厚生年金保険の被保険者期間
　　・総報酬制導入前の被保険者期間：□□□月
　　・総報酬制導入後の被保険者期間：□□月
(2)　平均標準報酬月額および平均標準報酬額（2024年度再評価率による額）
　　・総報酬制導入前の平均標準報酬月額：30万円
　　・総報酬制導入後の平均標準報酬額　：38万円
(3)　報酬比例部分の給付乗率

総報酬制導入前		総報酬制導入後	
新乗率	旧乗率	新乗率	旧乗率
1,000分の7.125	1,000分の7.5	1,000分の5.481	1,000分の5.769

(4)　経過的加算額

$$1,701円 \times 被保険者期間の月数 - □□□円 \times \frac{1961年4月以後で20歳以上60歳未満の厚生年金保険の被保険者期間の月数}{加入可能年数 \times 12}$$

　　※「□□□」は、問題の性質上、伏せてある。

(5)　加給年金額
　　408,100円（要件を満たしている場合のみ加算すること）

【第2問】 次の設例に基づいて、下記の各問（《問54》～《問56》）に答えなさい。

《設　例》

　Aさんは、東京証券取引所に上場しているX社について、長期的なスタンスで投資したいと思っており、〈X社の財務データ等〉に基づいて投資判断を行うつもりであるが、上場株式の投資にあたり、株式投資の基本的な仕組みを確認しておきたいと思っている。また、投資信託については、YファンドとZファンドに興味がある。

　そこで、Aさんは、ファイナンシャル・プランナーのMさんに相談することにした。

〈X社の財務データ等〉　　　　　　　　　　　　　　　　　（単位：百万円）

		2025年3月期
資　産　の　部　合　計		1,810,000
内訳	流　動　資　産	700,000
	固　定　資　産	1,110,000
負　債　の　部　合　計		1,300,000
内訳	流　動　負　債	490,000
	固　定　負　債	810,000
純　資　産　の　部　合　計		510,000
内訳	株　主　資　本　合　計	410,000
	その他の包括利益累計額合計	100,000
売　　　上　　　高		1,200,000
売　上　総　利　益		239,000
営　業　利　益		39,000
営　業　外　収　益		8,800
内訳	受　取　利　息	300
	受　取　配　当　金	3,000
	持分法による投資利益	4,500
	そ　　の　　他	1,000
営　業　外　費　用		13,000
内訳	支　払　利　息	9,500
	そ　　の　　他	3,500
経　常　利　益		34,800
親会社株主に帰属する当期純利益		15,700
配　当　金　総　額		4,800
発　行　済　株　式　総　数		1億株

※中間配当の権利確定日：2024年9月30日（月）

〈Yファンド・Zファンドの実績収益率・標準偏差・共分散〉

	実績収益率	標準偏差	Yファンドとファンドの共分散
Yファンド	8.00%	7.50%	△28.00
Zファンド	6.00%	3.80%	

（注）「△」はマイナスを表している。

※上記以外の条件は考慮せず、各問に従うこと。

《問54》 Ｍさんは、Ａさんに対して、東京証券取引所における株式取引について説明した。

Ｍさんの説明の一部である以下の文章の空欄①～⑥に入る最も適切な語句または数値を、解答用紙に記入しなさい。なお、問題の性質上、明らかにできない部分は「□□□」で示してある。

「取引所の市場で売買を行うことを、売買立会といいます。売買立会は、午前立会（通称、前場）と午後立会（通称、後場）に分けられ、その売買立会時は、午前立会は（①）時から11時30分まで、午後立会は12時30分から（②）時までとなっています。また、午前立会は8時から、午後立会は12時5分から注文を受け付けています。

東京証券取引所での売買は、各上場会社が定款で定めた単元株式数を単位として行われ、内国株では（③）株単位で取引されています。

取引所の市場における売買は、競争売買の方法によって行われています。競争売買とは、（④）優先の原則と時間優先の原則にしたがって、売呼値間の競争と買呼値間の競争を行い、最も優先する売呼値と最も優先する買呼値がある値段で合致したときに、その値段を約定値段として売買契約を締結させる方法です。

なお、東京証券取引所では、現在、市場の機能強化に向けた次期売買システムの稼働を2024年11月5日に予定しており、次期売買システムの稼働に伴い、市場参加者の取引機会の最大化の観点から、午後立会の取引時間について、12時30分から15時（⑤）分まで延伸し、また、終値形成における透明性の向上を目的として、午後立会の売買立会終了時の売買において（⑥）・オークションを導入することが正式に決定されています。」

《問55》 《設例》の〈Ｘ社の財務データ等〉に基づいて、Ｍさんが、Ａさんに対して説明した以下の文章の空欄①～④に入る最も適切な数値を、解答用紙に記入しなさい。なお、計算結果は表示単位の小数点以下第3位を四捨五入し、小数点以下第2位までを解答すること。

「財務的な安全性を測る指標である流動比率は（①）％です。流動比率が良好であっても、流動資産の大部分が棚卸資産であれば、実質的に支払能力は劣るということになります。

財務的な安全性を測る指標である固定比率は（②）％、固定長期適合率は（③）％です。固定比率は100％以下が理想とされますが、固定長期適合率が100％以下であれば、通常、安全性に大きな問題があるとは考えません。

財務的な安全性を測る指標であるインタレスト・カバレッジ・レシオは（④）倍です。この数値が高いほど金利負担の支払能力が高く、財務に余裕があることを示しますが、同業他社と比較することをお勧めします」

《問56》 《設例》の〈Ｙファンド・Ｚファンドの実績収益率・標準偏差・共分散〉に基づいて、①ＹファンドとＺファンドの相関係数、②Ｙファンドのシャープ・レシオ、③ＹファンドとＺファンドをそれぞれ7：3の割合で購入した場合のポートフォリオの標準偏差を、それぞれ求めなさい。〔計算過程〕を示し、〈答〉は表示単位の小数点以下第3位を四捨五入し、小数点以下第2位までを解答すること。なお、シャープ・レシオについては、安全資産利子率を0.10％として計算すること。

【第3問】 次の設例に基づいて、下記の各問（《問57》～《問59》）に答えなさい。

《設　例》

　サービス業を営むX株式会社（資本金30,000千円、青色申告法人、同族会社かつ非上場会社で株主はすべて個人、租税特別措置法上の中小企業者等に該当し、適用除外事業者ではない。以下、「X社」という）の2025年3月期（2024年4月1日～2025年3月31日。以下、「当期」という）における法人税の確定申告に係る資料は、以下のとおりである。

〈X社の当期における法人税の確定申告に係る資料〉
1．役員給与に関する事項
　　当期において役員の所有する土地・建物を25,000千円で取得し、X社の所有する車両を3,000千円で同じ役員に譲渡した。この土地・建物の時価は17,000千円、車両の時価は4,000千円である。なお、X社は所轄税務署長に対して事前確定届出給与に関する届出書は提出していない。
2．交際費等に関する事項
　　当期における交際費等の金額は16,000千円で、全額を損金経理により支出している。このうち、参加者1人当たり10千円以下の飲食費が900千円含まれており、その飲食費を除いた接待飲食費に該当するものが12,000千円含まれている（いずれも得意先との会食によるもので、専ら社内の者同士で行うものは含まれておらず、所定の事項を記載した書類も保存されている）。その他のものは、すべて税法上の交際費等に該当する。
3．退職給付引当金に関する事項
　　当期において従業員の退職金制度の一部として外部の企業年金基金に掛金として3,200千円を支払い、その際に退職給付引当金を同額取り崩している。また、決算時に退職給付費用4,000千円を損金経理するとともに、同額を退職給付引当金として負債に計上している。さらに、従業員の退職金の支払いの際に退職給付引当金を5,000千円取り崩し、X社から同額を現金で支払っている。
4．税額控除に関する事項
　　当期における「中小企業者等が特定経営力向上設備等を取得した場合の法人税額の特別控除」に係る税額控除額が400千円ある。
5．「法人税、住民税及び事業税」等に関する事項
　(1)　損益計算書に表示されている「法人税、住民税及び事業税」は、預金の利子について源泉徴収された所得税額40千円・復興特別所得税額840円および当期確定申告分の見積納税額7,300千円の合計額7,340,840円である。なお、貸借対照表に表示されている「未払法人税等」の金額は7,300千円である。
　(2)　当期中に「未払法人税等」を取り崩して納付した前期確定申告分の事業税（特別法人事業税を含む）は1,100千円である。
　(3)　源泉徴収された所得税額および復興特別所得税額は、当期の法人税額から控除することを選択する。
　(4)　中間申告および中間納税については、考慮しないものとする。

　※上記以外の条件は考慮せず、各問に従うこと。

《問57》 《設例》のX社の当期の〈資料〉と下記の〈条件〉に基づき、同社に係る〈略式別表四（所得の金額の計算に関する明細書)〉の空欄①～⑦に入る最も適切な数値を、解答用紙に記入しなさい。なお、別表中の「＊＊＊」は、問題の性質上、伏せてある。

〈条件〉
・設例に示されている数値等以外の事項については考慮しないものとする。
・所得の金額の計算上、選択すべき複数の方法がある場合は、所得の金額が最も低くなる方法を選択すること。

〈略式別表四（所得の金額の計算に関する明細書)〉　　　　　　（単位：円）

区　　分	総　額
当期利益の額	9,859,160
加　　算　損金経理をした納税充当金	（　①　）
役員給与の損金不算入額	（　②　）
交際費等の損金不算入額	（　③　）
退職給付費用の損金不算入額	（　④　）
小　　計	＊＊＊
減　算　納税充当金から支出した事業税等の金額	1,100,000
退職給付引当金の当期認容額	（　⑤　）
小　　計	＊＊＊
仮　　計	＊＊＊
法人税額から控除される所得税額（注）	（　⑥　）
合　　計	＊＊＊
欠損金又は災害損失金等の当期控除額	0
所得金額又は欠損金額	（　⑦　）

（注）法人税額から控除される復興特別所得税額を含む。

《問58》　前問《問57》を踏まえ、X社が当期の確定申告により納付すべき法人税額を求めなさい。〔計算過程〕を示し、〈答〉は100円未満を切り捨てて円単位とすること。

〈資料〉普通法人における法人税の税率表

	課税所得金額の区分	税率 2024年4月1日以後開始事業年度
資本金または出資金 100,000千円超の法人 および一定の法人	所得金額	23.2%
その他の法人	年8,000千円以下の所得金額 からなる部分の金額	15%
	年8,000千円超の所得金額 からなる部分の金額	23.2%

《問59》 法人税の申告に関する以下の文章の空欄①～⑦に入る最も適切な語句を、解答用紙に記入しなさい。

「法人税の申告には（　①　）申告と（　②　）申告があります。事業年度が6カ月を超える普通法人は、所轄税務署長に対し、原則として、事業年度開始の日以後6カ月を経過した日から2カ月以内に（　①　）申告書を提出し、事業年度終了の日の翌日から2カ月以内に（　②　）申告書を提出しなければなりません。

（　①　）申告には、前事業年度の（　②　）法人税額を前事業年度の月数で除した値に6を乗じて算出した金額を税額として申告する（　③　）申告と、当該事業年度開始の日以後6カ月の期間を一事業年度とみなして（　④　）を行い、それに基づいて申告する方法があります。ただし、原則として、（　④　）による（　①　）申告税額が（　③　）申告税額を超える場合や、前年度実績による（　③　）申告税額が10万円以下である場合には、（　④　）による（　①　）申告をすることはできません。

なお、納付すべき法人税額がない場合であっても、（　②　）申告書の提出は必要です。また、事業年度開始時における資本金の額等が1億円を超える内国法人は、原則として、（　①　）申告書および（　②　）申告書をe-Tax（国税電子申告・納税システム）で提出しなければなりません。

（　②　）申告書を法定申告期限までに提出せず、期限後申告や税務調査後に決定があった場合は、原則として、納付すべき税額の15％（50万円を超える部分は5％を加算）の（　⑤　）税が課されます。ただし、法定申告期限から1カ月を経過する日までに（　②　）申告書が提出され、かつ、納付税額の全額が法定申告期限から1カ月以内に納付されているなど、期限内申告をする意思があったと認められる場合は、（　⑤　）税は課されません。また、2事業年度連続して提出期限内に（　②　）申告書の提出がない場合は、（　⑥　）申告の承認の取消しの対象となります。

既に行った申告について、納付税額が少なかったり、欠損金が過大であったりした場合は、税務署長による更正を受けるまでは、（　⑦　）申告をすることができます。また、納付税額が多かったり、還付税額が少なかったりした場合、所定の要件を満たせば、更正の請求をすることができます」

【第４問】　次の設例に基づいて、下記の各問（《問60》～《問62》）に答えなさい。

《設　例》

　Aさん（65歳）は、15年前に父から相続により取得した貸駐車場用地（400㎡）を2023年9月に売却した。その売却資金と銀行借入金によって、2024年中に甲土地を取得し、甲土地の上に賃貸アパートを建築して、貸付事業を開始する予定である。土地の買換えにあたっては、「特定の事業用資産の買換えの場合の譲渡所得の課税の特例」の適用を受けるための所定の手続きを行っている。

　Aさんが購入する予定の甲土地の概要は、以下のとおりである。

〈甲土地の概要〉

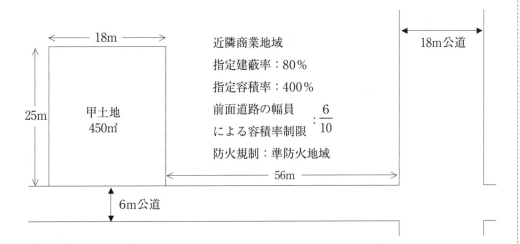

近隣商業地域
指定建蔽率：80％
指定容積率：400％
前面道路の幅員による容積率制限　$\frac{6}{10}$
防火規制：準防火地域

甲土地
450㎡

18m

25m

18m公道

56m

6m公道

・甲土地は450㎡の長方形の土地である。

・幅員18mの公道は、建築基準法第52条第9項の特定道路であり、特定道路から甲土地までの延長距離は56mである。

・指定建蔽率および指定容積率とは、それぞれ都市計画において定められた数値である。

・特定行政庁が都道府県都市計画審議会の議を経て指定する区域ではない。

※上記以外の条件は考慮せず、各問に従うこと。

《問60》 「特定の事業用資産の買換えの場合の譲渡所得の課税の特例」および「小規模宅地等についての相続税の課税価格の計算の特例」に関する以下の文章の空欄①〜⑦に入る最も適切な語句または数値を、解答用紙に記入しなさい。

〈特定の事業用資産の買換えの場合の譲渡所得の課税の特例〉

Ⅰ 「特定の事業用資産の買換えの場合の譲渡所得の課税の特例」(以下、「本特例」という)は、個人が事業の用に供している特定の地域内にある土地建物等(譲渡資産)を譲渡して、一定期間内に特定の地域内にある土地建物等の特定の資産(買換資産)を取得して事業の用に供したときは、所定の要件のもと、譲渡益の一部に対する課税を将来に繰り延べることができる特例である。

譲渡資産および買換資産がいずれも土地である場合、買い換えた土地の面積が譲渡した土地の面積の(①)倍を超えるときは、原則として、その超える部分について本特例の対象とならない。また、本特例のうち、いわゆる長期所有資産の買換えの場合、譲渡した土地の所有期間が譲渡した日の属する年の1月1日において(②)年を超えていなければならず、買い換えた土地の面積が(③)㎡以上でなければならない。

なお、買換資産は、取得した日から(④)年以内に事業の用に供していなければならない。事業の用に供した場合でも、取得してから(④)年以内に事業の用に供しなくなったときは、原則として本特例の適用を受けることはできない。

〈小規模宅地等についての相続税の課税価格の計算の特例〉

Ⅱ Aさんが取得した甲土地(宅地)上に賃貸アパートを建築し、貸付事業を行う場合、将来のAさんの相続開始時、相続税の課税価格の計算上、原則として、当該宅地は(⑤)として評価することになり、賃貸アパートは貸家として評価することになる。また、Aさんが甲土地の取得や賃貸アパートの建築に銀行借入金を利用した場合に、将来のAさんの相続開始時における当該借入金の残高は、相続税の課税価格の計算上、債務控除の対象となる。

さらに、甲土地は、所定の要件を満たせば、貸付事業用宅地等として「小規模宅地等についての相続税の課税価格の計算の特例」(以下、「本特例」という)の適用を受けることができる。仮に、甲土地の(⑤)としての評価額が4,500万円である場合に、貸付事業用宅地等として当該宅地のみに本特例の適用を受けたときは、相続税の課税価格に算入すべき当該宅地の価額は(⑥)万円となる。

なお、相続の開始前(⑦)年以内に新たに貸付事業の用に供された宅地等については、被相続人が相続開始前(⑦)年を超えて事業的規模で貸付事業を行っていた場合等を除き、本特例の適用対象とならない。

《問61》 甲土地に耐火建築物を建築する場合、次の①および②に答えなさい（計算過程の記載は不要）。〈答〉は㎡表示とすること。なお、記載のない事項については考慮しないものとする。

① 建蔽率の上限となる建築面積はいくらか。
② 容積率の上限となる延べ面積はいくらか。なお、特定道路までの距離による容積率制限の緩和を考慮すること。

〈特定道路までの距離による容積率制限の緩和に関する計算式〉

$$W_1 = \frac{(a - W_2) \times (b - L)}{b}$$

W_1：前面道路幅員に加算される数値
W_2：前面道路の幅員（m）
L ：特定道路までの距離（m）

※「a、b」は、問題の性質上、伏せてある。

《問62》 Aさんが、下記の〈条件〉で事業用資産である土地を譲渡し、甲土地を取得して、「特定の事業用資産の買換えの場合の譲渡所得の課税の特例」の適用を受けた場合、次の①〜③に答えなさい。〔計算過程〕を示し、〈答〉は100円未満を切り捨てて円単位とすること。 なお、譲渡所得の金額の計算上、取得費については概算取得費を用いることとし、課税の繰延割合は80%であるものとする。また、本問の譲渡所得以外の所得や所得控除等は考慮しないものとする。

① 課税長期譲渡所得金額はいくらか。
② 課税長期譲渡所得金額に係る所得税および復興特別所得税の合計額はいくらか。
③ 課税長期譲渡所得金額に係る住民税額はいくらか。

〈条件〉

・譲渡資産の譲渡価額：9,000万円
・譲渡資産の取得費：不明
・譲渡費用：450万円（仲介手数料等）
・買換資産の取得価額：8,000万円

【第5問】 次の設例に基づいて、下記の各問（《問63》～《問65》）に答えなさい。

《設　例》

　Aさん（72歳）は、非上場会社のX株式会社（以下、「X社」という）の代表取締役社長である。Aさんの推定相続人は、妻Bさん（72歳）、長女Cさん（46歳）、二女Dさん（40歳）および長男Eさん（37歳）の4人である。

　Aさんは、所有するX社株式を長男Eさんに移転し、勇退することを検討している。しかし、X社は保有する土地の資産全体に占める割合が高いため、特定の評価会社に該当するのではないかと懸念している。

　X社の概要は、以下のとおりである。

〈X社の概要〉

(1)　業種　電子回路製造業

(2)　資本金等の額　7,000万円（発行済株式総数140,000株、すべて普通株式で1株につき1個の議決権を有している）

(3)　株主構成

株主	Aさんとの関係	所有株式数
Aさん	本人	100,000株
Bさん	妻	10,000株
Eさん	長男	30,000株

(4)　株式の譲渡制限　あり

(5)　X社株式の評価（相続税評価額）に関する資料／X社の比準要素に関する資料

　・X社の財産評価基本通達上の規模区分は「中会社の中」である。

比準要素	X社
1株（50円）当たりの年配当金額	4.5円
1株（50円）当たりの年利益金額	97円
1株（50円）当たりの簿価純資産価額	450円

(6)　類似業種比準価額計算上の業種目／業種目別株価／比準要素に関する資料

　・製造業（大分類）

1株（50円）当たりの株価	367円
1株（50円）当たりの年配当金額	6.8円
1株（50円）当たりの年利益金額	40円
1株（50円）当たりの簿価純資産価額	358円

　・電子部品・デバイス・電子回路製造業（中分類）

1株（50円）当たりの株価	328円
1株（50円）当たりの年配当金額	4.7円
1株（50円）当たりの年利益金額	41円
1株（50円）当たりの簿価純資産価額	269円

・電子回路製造業（小分類）

1株（50円）当たりの株価	156円
1株（50円）当たりの年配当金額	1.8円
1株（50円）当たりの年利益金額	23円
1株（50円）当たりの簿価純資産価額	142円

※すべて1株当たりの資本金等の額を50円とした場合の金額である。

※類似業種の株価は、各業種目において、最も低い金額を記載している。

(7) X社の資産・負債の状況

直前期のX社の資産・負債の相続税評価額と帳簿価額は、次のとおりである。

科　目	相続税評価額	帳簿価額	科　目	相続税評価額	帳簿価額
流動資産	88,000万円	84,600万円	流動負債	36,000万円	36,000万円
固定資産	36,600万円	36,400万円	固定負債	22,000万円	22,000万円
合　計	124,600万円	121,000万円	合　計	58,000万円	58,000万円

※上記以外の条件は考慮せず、各問に従うこと。

《問63》《設例》の〈X社の概要〉に基づき、X社株式の1株当たりの類似業種比準価額を求めなさい。〔計算過程〕を示し、〈答〉は円単位とすること。また、端数処理は、各要素別比準割合および比準割合は小数点第2位未満を切り捨て、1株当たりの資本金等の額50円当たりの類似業種比準価額は10銭未満を切り捨て、X社株式の1株当たりの類似業種比準価額は円未満を切り捨てること。なお、X社株式の類似業種比準価額の算定にあたり、複数の方法がある場合は、最も低い価額となる方法を選択するものとする。

《問64》《設例》の〈X社の概要〉に基づき、X社株式の1株当たりの純資産価額を求めなさい（計算過程の記載は不要）。〈答〉は円未満を切り捨てて円単位とすること。

《問65》 取引相場のない株式の評価における特定の評価会社に関する以下の文章の空欄①～⑥に入る最も適切な語句または数値を、解答用紙に記入しなさい。

「特定の評価会社には、『株式等保有特定会社』『（ ① ）保有特定会社』のほか、『比準要素数（ ② ）の会社』『開業後（ ③ ）年未満の会社』などがあります。評価会社が特定の評価会社に該当した場合、その株式は、原則として、純資産価額方式により評価します。ただし、『株式等保有特定会社』や『（ ① ）保有特定会社』の株式であっても、同族株主以外の株主等が取得した場合には、その株式は配当還元方式により評価します。

『株式等保有特定会社』は、課税時期において評価会社の総資産価額（相続税評価額）に占める株式等の価額の合計額（相続税評価額）の割合が50％以上である会社をいいます。

『（ ① ）保有特定会社』は、課税時期において評価会社の総資産価額（相続税評価額）に占める（ ① ）等の価額の合計額（相続税評価額）の割合（（ ① ）保有割合）が評価会社の規模に応じて定められた一定割合以上である会社をいいます。（ ① ）保有特定会社に該当する（ ① ）保有割合は、評価会社が（ ④ ）である場合、70％以上とされ、評価会社が（ ⑤ ）である場合は90％以上とされています。

『比準要素数（ ② ）の会社』は、評価会社の類似業種比準価額の計算の基となる『1株当たりの配当金額』『1株当たりの利益金額』『1株当たりの純資産価額（帳簿価額)』のそれぞれの金額のうち、いずれか2要素が（ ⑥ ）であり、かつ、直前々期末を基準にしてそれぞれの金額を計算した場合に、それぞれの金額のうち、いずれか2要素以上が（ ⑥ ）である会社をいいます。『比準要素数（ ② ）の会社』の株式を同族株主が取得した場合、その株式は、原則として、純資産価額方式により評価しますが、納税義務者の選択により、『類似業種比準価額×0.25＋1株当たりの純資産価額×（1－0.25)』の算式により計算した金額によって評価することができます」

第1予想　基礎編　答案用紙

氏名		点数	/100

問題番号	解 答 番 号				問題番号	解 答 番 号			
問　1	1	2	3	4	問　26	1	2	3	4
問　2	1	2	3	4	問　27	1	2	3	4
問　3	1	2	3	4	問　28	1	2	3	4
問　4	1	2	3	4	問　29	1	2	3	4
問　5	1	2	3	4	問　30	1	2	3	4
問　6	1	2	3	4	問　31	1	2	3	4
問　7	1	2	3	4	問　32	1	2	3	4
問　8	1	2	3	4	問　33	1	2	3	4
問　9	1	2	3	4	問　34	1	2	3	4
問　10	1	2	3	4	問　35	1	2	3	4
問　11	1	2	3	4	問　36	1	2	3	4
問　12	1	2	3	4	問　37	1	2	3	4
問　13	1	2	3	4	問　38	1	2	3	4
問　14	1	2	3	4	問　39	1	2	3	4
問　15	1	2	3	4	問　40	1	2	3	4
問　16	1	2	3	4	問　41	1	2	3	4
問　17	1	2	3	4	問　42	1	2	3	4
問　18	1	2	3	4	問　43	1	2	3	4
問　19	1	2	3	4	問　44	1	2	3	4
問　20	1	2	3	4	問　45	1	2	3	4
問　21	1	2	3	4	問　46	1	2	3	4
問　22	1	2	3	4	問　47	1	2	3	4
問　23	1	2	3	4	問　48	1	2	3	4
問　24	1	2	3	4	問　49	1	2	3	4
問　25	1	2	3	4	問　50	1	2	3	4

キリトリ線

〈第1予想　基礎編〉

第1予想　応用編　答案用紙

氏名		点数	/100

【第1問】

《問51》

①	②	③
（日間）		（円）

④		

《問52》

①	②	③
	（円）	
④	⑤	⑥
（年）	（月）	

《問53》

〈答〉①　　　　　（円）　②　　　　　（円）　③　　　　　（円）

キリトリ線

【第2問】

《問54》

①	②	③
（％）	（回）	（倍）

④		
（倍）		

《問55》

〈答〉①　　　　　（百万円）　②　　　　　（百万円）

《問56》

〈答〉　　　　　　（％）

【第3問】

《問57》

①	②	③
(円)	(円)	(円)
④	⑤	⑥
(円)	(円)	(円)
⑦		
(円)		

《問58》

〈答〉　　　　　　　　　　　　　　（円）

《問59》

①	②	③
(人)	(％)	(％)
④	⑤	⑥
(％)	(認定)	(％)
⑦	⑧	
(％)	(％)	

【第4問】

《問60》

①	②	③
（㎡）		（万円）
④	⑤	⑥
（㎡）	（年間）	（階建て）

《問61》

①	②
（㎡）	（㎡）

《問62》

〈答〉①　　　　　　（円）　②　　　　　　（円）　③　　　　　　（円）

【第5問】

《問63》

〈答〉　　　　　　　（円）

《問64》

①	②
（円）	（円）

《問65》

①	②	③
（万円）	（合意）	（合意）
④	⑤	⑥

第2予想　基礎編　答案用紙

氏名		点数	/100

問題番号	解　答　番　号	問題番号	解　答　番　号
問　1	① ② ③ ④	問　26	① ② ③ ④
問　2	① ② ③ ④	問　27	① ② ③ ④
問　3	① ② ③ ④	問　28	① ② ③ ④
問　4	① ② ③ ④	問　29	① ② ③ ④
問　5	① ② ③ ④	問　30	① ② ③ ④
問　6	① ② ③ ④	問　31	① ② ③ ④
問　7	① ② ③ ④	問　32	① ② ③ ④
問　8	① ② ③ ④	問　33	① ② ③ ④
問　9	① ② ③ ④	問　34	① ② ③ ④
問　10	① ② ③ ④	問　35	① ② ③ ④
問　11	① ② ③ ④	問　36	① ② ③ ④
問　12	① ② ③ ④	問　37	① ② ③ ④
問　13	① ② ③ ④	問　38	① ② ③ ④
問　14	① ② ③ ④	問　39	① ② ③ ④
問　15	① ② ③ ④	問　40	① ② ③ ④
問　16	① ② ③ ④	問　41	① ② ③ ④
問　17	① ② ③ ④	問　42	① ② ③ ④
問　18	① ② ③ ④	問　43	① ② ③ ④
問　19	① ② ③ ④	問　44	① ② ③ ④
問　20	① ② ③ ④	問　45	① ② ③ ④
問　21	① ② ③ ④	問　46	① ② ③ ④
問　22	① ② ③ ④	問　47	① ② ③ ④
問　23	① ② ③ ④	問　48	① ② ③ ④
問　24	① ② ③ ④	問　49	① ② ③ ④
問　25	① ② ③ ④	問　50	① ② ③ ④

キリトリ線

第2予想　応用編　答案用紙

氏名		点数	/100

【第1問】

《問51》

①	②	③
（歳）	（年）	（万円）
④	⑤	⑥
		（万円）

《問52》

①	②	③
（万円）		（日）
④	⑤	⑥
（年間）	（日）	（万円）

《問53》

〈答〉①　　　　　　（円）　②　　　　　　（円）

【第2問】

《問54》

①	②	③
（万円）	（万円）	（万円）
④	⑤	
（万円）	（方式）	

《問55》

〈答〉　　　　　　（％）

《問56》

①	②	③
（％）	（回）	（倍）
④	⑤	⑥
（社）		（％）

【第3問】

《問57》

①	②	③
(円)	(円)	(円)
④	⑤	⑥
(円)	(円)	(円)

《問58》

〈答〉 (円)

《問59》

①	②	③
(万円)	(万円)	(万円)

【第4問】

《問60》

①	②	③
（地域）	（m）	
④	⑤	⑥
	（年）	（年）
⑦	⑧	
（年）		

《問61》

①	②
（㎡）	（㎡）

《問62》

〈答〉① 　　　　　　（円）　②　　　　　　（円）

【第5問】

《問63》

〈答〉 　　　　　　　　（円）

《問64》

〈答〉 　　　　　　　　（万円）

《問65》

①	②	③
（円）	（以内）	（以内）
④	⑤	⑥
（歳）	（万円）	（万円）

キリトリ線

第3予想　基礎編　答案用紙

氏名		点数	/100

問題番号	解　答　番　号				問題番号	解　答　番　号			
問 1	1	2	3	4	問 26	1	2	3	4
問 2	1	2	3	4	問 27	1	2	3	4
問 3	1	2	3	4	問 28	1	2	3	4
問 4	1	2	3	4	問 29	1	2	3	4
問 5	1	2	3	4	問 30	1	2	3	4
問 6	1	2	3	4	問 31	1	2	3	4
問 7	1	2	3	4	問 32	1	2	3	4
問 8	1	2	3	4	問 33	1	2	3	4
問 9	1	2	3	4	問 34	1	2	3	4
問 10	1	2	3	4	問 35	1	2	3	4
問 11	1	2	3	4	問 36	1	2	3	4
問 12	1	2	3	4	問 37	1	2	3	4
問 13	1	2	3	4	問 38	1	2	3	4
問 14	1	2	3	4	問 39	1	2	3	4
問 15	1	2	3	4	問 40	1	2	3	4
問 16	1	2	3	4	問 41	1	2	3	4
問 17	1	2	3	4	問 42	1	2	3	4
問 18	1	2	3	4	問 43	1	2	3	4
問 19	1	2	3	4	問 44	1	2	3	4
問 20	1	2	3	4	問 45	1	2	3	4
問 21	1	2	3	4	問 46	1	2	3	4
問 22	1	2	3	4	問 47	1	2	3	4
問 23	1	2	3	4	問 48	1	2	3	4
問 24	1	2	3	4	問 49	1	2	3	4
問 25	1	2	3	4	問 50	1	2	3	4

キリトリ線

第3予想　応用編　答案用紙

氏名	

点数	/100

【第1問】

《問51》

①	②	③
（国民年金基金）	（年金）	（年金）
④	⑤	⑥
（年金）	（一時金）	
⑦	⑧	
（相当分）	（控除）	

《問52》

①	②	③
（円）	（回目）	（円）
④		
（円）		

《問53》

〈答〉① （円）　②　（円）

キリトリ線

【第2問】

《問54》

①	②	③
(時)	(時)	(株)
④	⑤	⑥
(優先)	(分)	

《問55》

①	②	③
(％)	(％)	(％)
④		
(倍)		

《問56》

〈答〉①　　　　　　　　②　　　　　　　　③　　　　　(％)

キリトリ線

【第3問】

《問57》

①	②	③
(円)	(円)	(円)
④	⑤	⑥
(円)	(円)	(円)
⑦		
(円)		

《問58》

〈答〉 (円)

《問59》

①	②	③
(申告)		(申告)
④	⑤	⑥
	(税)	(申告)
⑦		
(申告)		

【第4問】

《問60》

①	②	③
(倍)	(年)	(㎡)
④	⑤	⑥
(年)		(万円)
⑦		
(年)		

《問61》

①	②
(㎡)	(㎡)

《問62》

〈答〉① 　　　　　(円)　② 　　　　　(円)　③ 　　　　　(円)

【第 5 問】

《問63》

<answer box>

〈答〉　　　　　　　　　　　　（円）

《問64》

　　　　　　　　　　（円）

《問65》

①	②	③
	（の会社）	（年未満の会社）
④	⑤	⑥

〈第 3 予想　応用編⑤〉

キリトリ線